Parce que le Ciel
Reste invariablement Bleu
en arrière des Nuages

Avec amour

(signature)

Distribution : Messageries de presse Benjamin
101, rue Henry-Bessemer
Bois-des-Filion (Québec) J6Z 4S9
450 621-8167

Lynda Thalie

Survivre aux naufrages

ÉDITIONS
LASEMAINE

LES ÉDITIONS LA SEMAINE
2050, rue De Bleury, bureau 500
Montréal (Québec) H3A 2J5

Directrice des éditions : Annie Tonneau
Directrice artistique : Lyne Préfontaine
Coordonnatrice aux éditions : Françoise Bouchard

Vice-Président, opérations : Réal Paiement
Superviseure de la production : Lisette Brodeur
Assistante-contremaître : Joanie Pellerin
Infographistes : Marylène Gingras
Scanneristes : Patrick Forgues, Éric Lépine
Responsable technique : Christian Morin
Réviseurs-correcteurs : Jean-Pierre Vidal, Monique Lepage, Luce Langois, Martin Labrosse
Collaboration spéciale aux textes : Amira Remati

Merci à Patrick Cameron pour sa précieuse collaboration à la coordination de ce livre

L'Éditeur bénéficie du soutien de la Société de développement des entreprises
culturelles du Québec pour son programme d'édition.

Nous reconnaissons l'aide financière du gouvernement du Canada par l'entremise
du Fonds du livre du Canada pour nos activités d'édition.

Remerciements
Gouvernement du Québec — Programme du crédit d'impôt
pour l'édition de livres — Gestion SODEC.

© Charron Éditeur inc.
Dépôt légal : Premier trimestre 2011
Bibliothèque et Archives nationales du Québec
Bibliothèque et Archives Canada
ISBN : 978-2-923771-39-7

Préface

À propos de Lynda Thalie...

Ce qui fait d'elle une « rose des sables », c'est non seulement qu'elle est fille du Sahara, mais surtout que l'architecture de sa personnalité est étonnante, de même que sa présence, sa beauté lumineuse, orientale. On la dirait fragile, on voudrait la cueillir, mais elle résiste à tous les vents et à tous les heurts. Elle défie toutes les contraintes, étonnamment solide comme du roc.

Je l'ai aimée tout de suite, bien avant les feux de la rampe.

Il y a de prime abord chez Lynda Thalie une irrésistible candeur, – comme du miel sans amertume –, une sorte d'aptitude au bonheur qui peut dérouter, mais qui n'est pas fabriquée ; elle est elle-même, totalement elle-même. Elle témoigne néanmoins, on le découvre en s'attardant davantage, de quelques blessures, d'un chemin de ruptures dont elle a su se relever avec force, mieux, avec foi. Le mot est chargé, j'en conviens. Il lui va cependant comme un gant. Elle a foi en la vie, en ses aspects de dignité et de liberté, cette liberté qui s'entend jusque dans les volutes chaleureuses de sa voix, qu'elle sait faire respecter, reconnaître et qu'elle veut chanter. Elle a foi en ces valeurs universelles, j'ajouterais sacrées, qui font que les êtres, avec leurs différences, arrivent à se reconnaître et à se rencontrer. Elle a foi en sa capacité de s'affranchir d'un lieu et d'une histoire parsemés d'épreuves. Et c'est cette foi qui l'a armée du courage qu'il faut pour revenir sur des traces douloureuses, en toute sérénité, invincible, car c'est bel et bien un combat qu'elle a su remporter.

Je l'ai compris à Alger, dans la part d'ombre et de lumière de son pays natal, où Lynda Thalie a bien voulu m'accompagner lors de mes premiers pas et de ma première visite d'État en Afrique. Elle m'a profondément émue parce qu'elle l'était aussi, et je me suis aussi naturellement identifiée à son récit d'exil, tant nos expériences se rejoignent. D'une enfance bousculée par la terreur aux circonstances difficiles qui font basculer le destin et les certitudes, en passant par la perte définitive de l'innocence, surviennent la quête incessante de réponses face au vide qu'il faut combler, la nécessité, voire l'urgence vitale, de se reconstruire pour mieux résister aux affronts, aux malentendus et aux incompréhensions, pour mieux prendre le risque de repousser les frontières, d'enjamber les barrières, de nous relever chaque fois, de grandir et de nous épanouir dans la riche diversité de nos fibres, de nos sensibilités, de nos apports et de nos sonorités singulières et multiples.

Réjouissante sur scène, authentique et généreuse dans ses mots, Lynda Thalie a l'art de nous offrir tout cela en partage.

La très honorable Michaëlle Jean
27ᵉ gouverneur général et commandant
en chef du Canada (2005-2010)
Envoyée spéciale de l'UNESCO pour Haïti

Avant-propos

Un après-midi de janvier, dans un immeuble du centre-ville de Montréal, je me trouve dans la salle de conférence d'une maison d'édition renommée. En fait, nous sommes quatre : mon amoureux, qui est aussi mon gérant, le président de la maison d'édition, la directrice des Éditions et moi. Nous parlons tranquillement d'un livre, celui que vous avez entre les mains, l'histoire de ma vie jusqu'à ce jour. Bien sûr, elle n'est pas si longue, mais avec tout ce que j'ai vécu déjà, elle n'est pas si courte non plus.

Il s'agira du récit de mon enfance, de mes déchirures, des obstacles que j'ai dû franchir, de ceux qu'il me reste encore à surmonter, de mes doutes, de mes réussites. Je parlerai sans fard de tous ces événements qui m'ont marquée. De l'inguérissable blessure d'avoir été abandonnée par mon père, de la quasi-guerre civile qui agitait douloureusement l'Algérie des années 90. De l'exploit qu'a constitué pour moi l'exil loin de mon Algérie natale, de l'irrésistible séduction de ma nouvelle vie au Québec, de mon intégration dans cette société que j'aime et où je suis maintenant chez moi. J'évoquerai les inquiétudes que m'inspirent l'être humain et surtout la situation des femmes, partout dans le monde.

Nous convenons aussi, mon éditeur et moi, qu'il sera question de ma musique, de mes difficultés d'artiste, et que je pourrai dire ce que je pense, notamment du monde du showbiz, ce milieu si souvent fermé à la différence. Je retracerai les petits et grands pas que j'ai accomplis tout au long de mes seize hivers au Québec, un cheminement personnel que je me suis toujours efforcée de diriger vers le haut. C'est entendu, je parlerai aussi de mes tournées à travers le monde, de mon histoire d'amour et de ses débuts plutôt agités, de mes jumeaux que j'ai si ardemment désirés. De ce qui a marché dans ma vie et des projets qui se sont écroulés ; je ne cacherai rien de la dure réalité de la vie d'artiste au Québec, mais j'évoquerai aussi mes petits plaisirs, comme ce verre de vin rouge que j'aime prendre le soir. Bref, j'écrirai tout ce que je suis : la femme, la mère, l'artiste, du moins celle que je crois être. Je décrirai Lynda Thalie en chair et en cœur, en passion et en tendresse.

Devant l'ampleur du projet, je me sens tout étourdie, l'air me manque. Je doute de ma capacité à mener à bien un travail si complexe, si exigeant et finalement si intimidant. C'est bien difficile de faire le tour de soi. Mais je le ferai, il le faut, je me le dois. Et vous êtes témoin, vous qui me lisez aujourd'hui, que j'ai réussi.

L'écriture de ce livre aura coïncidé pour moi avec la réalisation de mon quatrième album que je considère presque comme un au revoir. Ensuite, je partirai en tournée en Égypte, en Grèce et au Maroc, avec mes jumeaux de deux ans et tout ce que le fait de s'occuper d'eux en tournée implique de logistique et de complexités à gérer.

Le jour de cette rencontre avec mon éditeur, j'ai pris conscience de ce dans quoi je m'engageais. Alors, j'ai fermé les yeux et j'ai décidé de m'engager corps et âme dans ce tourbillon. J'avais le sentiment que c'était maintenant ou jamais : l'année prochaine, je n'en aurais peut-être plus la force.

C'est cette année que tout bascule, que tout se joue.

J'ai lancé les dés, je ne regretterai rien.

Si, dans un an, je décide d'abandonner la vie que je mène aujourd'hui pour en commencer une nouvelle, devenir boulangère en Italie ou massothérapeute en Afrique du Sud, je ne veux pas être encombrée de regrets. Je me serai au moins donnée tout entière à cette vie que j'aurai choisie, comme je le fais aujourd'hui, tous les jours, dans ma vie actuelle.

Voilà, vous savez tout.

Vous qui me lisez, sachez que je suis déjà touchée de l'intérêt que vous me portez. Vous réaliserez au fil de votre lecture que je suis simplement mais totalement une femme, qui se retrouve souvent au bord d'un précipice, d'un gouffre douloureux, mais qui choisit la plupart du temps de lui tourner le dos pour regarder plutôt vers le ciel. Vous verrez que je vacille parfois, prise entre des peurs qui me jettent à genoux et les espoirs qui m'animent, emportée par mes rêves et cette ferveur heureuse qui me fait chanter pour vous. Avec cette force que vous me donnez, mais que je puise aussi en moi.

Première partie
Le goût des figues

Chapitre 1
Mes premières années

La naissance, la vie à Oran, les femmes de mon enfance

Je suis née au bon endroit, j'en suis persuadée. En fait, je suis convaincue que l'on choisit toujours sa vie. Nous choisissons nos expériences, notre famille, nos rencontres et, finalement, la trajectoire que suivra notre vie. La vie, c'est comme un arbre : la naissance en est le tronc et devant nous, se déploient les branches de ce qui sera notre existence, avec les ramifications que sont les décisions et les chemins qu'il nous faudra prendre, jour après jour, année après année. Ce sont tous ces choix qui forment notre vie. Mais quoi qu'il arrive, c'est toujours vers le haut que les branches poussent !

Je pense avoir été une enfant très désirée. J'étais la bouée de ma mère, la petite princesse de mon père. Quand j'étais bébé, mon père avait formellement interdit à quiconque de m'embrasser ailleurs que sur les mains ou les pieds, de peur des microbes. J'ai vécu les cinq premières années de ma vie à Oran, la ville d'Albert Camus. C'est une ville superbe, je le sais, mais je n'en garde pas un grand souvenir : quelques images disparates devant lesquelles le temps, comme dans un vieux film, semble avoir placé un filtre jaune. Ces quelques images sépia défilent parfois en boucle dans ma tête. Des immeubles construits à la verticale, tous identiques, à la mode socialiste. Car nous étions alors en pays socialiste. Pas d'arbres ou alors, tout au plus un palmier, un arbre solitaire planté là, dans ma mémoire, mais dont je ne me rappelle pas exactement l'endroit où il avait poussé. Dehors, c'était terreux, sans âme. Notre appartement, mon royaume, était meublé d'un matelas jeté à terre, d'une belle plante verte qui nous suivra jusqu'à notre départ d'Algérie, plus d'une décennie plus tard, et d'un tourne-disque où jouaient constamment des chansons d'Elvis, de Donna Summer, Mireille Mathieu, Bob Marley, Demis Roussos ; je l'entends encore, ce vieux tourne-disque de ma petite enfance...

Quand j'y pense, ces chansons composent encore la bande sonore de cette période de ma vie : « *Ever and ever forever and ever, you'll be the one...* » En les évoquant, je danse dans ma tête, comme dirait Céline... « *You're my dream come true, my consolation...* ». Et voilà qu'aussitôt mon esprit repart ; il plane au-dessus de la plage d'Oran. Un soleil brûlant danse sur les flots si calmes, c'est le temps de la sieste. Je n'ai qu'à fermer les yeux pour entendre, au loin, la musique d'Oum Kalthoum ou de Warda El Djazairia. Il flotte sur la plage un parfum de sandwich aux poivrons grillés et à l'huile d'olive. J'aime beaucoup ce souvenir, doux comme les poivrons à l'huile d'olive, comme la musique de Warda, doux comme la serviette posée sur le sable, sur laquelle je suis couchée. Mes pieds dépassent de la serviette et un petit vent me saupoudre les jambes de quelques grains de sable... Doux, doux le souvenir, tout doux.

Je me revois en visite chez mon oncle maternel qui habitait également Oran. J'adorais ces visites, et heureusement pour moi, elles étaient fréquentes. Mon oncle était le grand ami de mon père, c'est par son entremise que mes parents s'étaient connus. À l'entrée de la cité militaire où il habitait, il y avait une ancre géante sur laquelle les enfants s'amusaient à grimper comme pour mieux se casser le cou, me semblait-il. Mais sur un sable déjà rouge naturellement, les quelques gouttes de sang qui pouvaient parfois jaillir d'une écorchure ne paraissaient qu'à peine.

Chez mon oncle, qu'est-ce qu'il y a au menu, ce soir ? Du poisson, bien sûr... Avec un oncle et un père dans la marine nationale, forcément, on mangeait du poisson souvent ! Ça rend intelligent, ça rend fort, paraît-il, et puis ça sent bon ! Les femmes s'affairaient dans la cuisine, mes cousins, mon frère et moi jouions dehors ; les enfants, ça ne reste pas en dedans quand il fait beau, ça ne rentre que pour manger ou pour aider au ménage quand on est une fille. Nous étions tous terriblement agités, nous courions partout. Mais on nous laissait être des enfants et pas des statues. Nous pouvions jouer, crier, sauter, courir partout... du moins jusqu'à ce que l'un des adultes décide de nous attraper par l'oreille pour nous asseoir ou que mon oncle lance sa phrase fétiche : « *Adrab madrab wegouâd* ! », ce qui veut dire : « Trouve-toi une place et assieds-toi ! » Le message était clair, prévisible, et même espéré. Alors, la course commençait pour se trouver les meilleures places. Et tout le monde se retrouvait assis sur le sofa pour obéir à tonton, cet homme que j'aimais tant... Ô souvenir heureux !

À la télé, je me souviens que passaient alors des messages publicitaires pour promouvoir la vaccination des enfants : trois mois, premier vaccin, quatre mois le deuxième, cinq mois le troisième... Et le rappel ? C'est à dix-huit mois, le rappel, c'est à dix-huit mois, le rappel... Ce calendrier prenait la forme d'une chanson en arabe, une chanson que je connaissais par cœur. Curieux, tout de même, que mes souvenirs soient si souvent associés à des chansons ! Comme si déjà la chanson tenait une grande place dans ma vie.

Et c'est sans doute de ce temps-là que me vient aussi mon amour des pubs ! Contrairement à bien des gens, je ne me lève pas systématiquement pour aller faire autre chose pendant les pauses publicitaires. Ce ne sont cependant pas toutes les publicités qui sont capables de me retenir devant l'écran ; j'aime celles qui sont intelligentes, celles qui réussissent le tour de force de nous faire retenir le nom du produit, son usage. Dans un monde où l'on parle sans cesse de la maladie d'Alzheimer, où l'on évoque la mémoire sélective que notre mode de vie tend à nous imposer, dans une vie où, personnellement, j'efface certains souvenirs à mesure qu'ils se forment, moi, je retiens des pubs ! Parfois je trouve que ma logique laisse un peu à désirer...

Je n'ai vraiment pas beaucoup de souvenirs d'enfance. Étrangement, ma mémoire fait bien plus qu'être sélective, elle ne me garde que très peu de matière. Elle a littéralement effacé des années entières, pas en continu, certes, mais par plages de temps qui, additionnées, donnent sûrement l'équivalent de plusieurs années. C'est ainsi que de ma petite enfance, il ne me reste que des bribes. Peut-être me suis-je ainsi donné sans le faire exprès un système de protection assez complexe qui filtre et sélectionne, je ne sais trop. Mais au moins, ce dont je me souviens me revient avec moult détails, couleurs et odeurs, bref, avec tout ce qui composait ce moment-là, y compris l'impression qu'il laissait sur moi. Mais j'imagine que c'est sans doute le cas de tout le monde.

Il me reste une photo de ma mère et de moi, bébé, sur la terrasse de l'appartement d'Oran. Chaque fois que je la regarde, je me sens tout attendrie de voir ma mère si jeune, mais le regard si triste. À quoi pensait-elle donc en tenant ainsi, dans ses bras, le nouveau-né que j'étais ? Qu'espérait-elle pour moi et pour elle-même ? Elle était souvent seule, puisque son mari passait ses journées au travail, seule avec son bébé sur les bras. Comment, au plus profond de ses espoirs secrets, imaginait-elle son avenir ?

Je sais qu'elle était heureuse de m'avoir, même si ma grand-mère paternelle, en apprenant la naissance d'une fille, lui avait déclaré : « C'est pas grave, va, la prochaine fois tu auras un garçon. » Je ne peux pas dire que ça me touche vraiment, allez, je raconte ça avec un sourire au coin des lèvres. C'est ainsi que les vieux pensaient, autrefois, dans ces pays-là.

Une fille, ça représentait de lourdes responsabilités et ça n'apportait que des tracas. C'est sans doute ce qu'elle voulait dire mais elle m'a aimée, par la suite, ma grand-mère paternelle, Djidess, comme nous l'appelions tous. C'est simplement qu'elle ne savait pas trop comment manifester son amour. La vie l'avait endurcie, car elle avait tellement souffert ! Son mariage n'avait pas été une partie de plaisir. Mariée très jeune, à treize ans à peine, elle avait été en permanence privée de sorties, même pour aller faire des achats. On m'a même dit que quand elle voulait prendre l'air et dérober furtivement quelques bribes de la vie qui se déroulait à quelques mètres à peine sous ses fenêtres, elle devait littéralement ramper sur le balcon... Oui, elle se traînait à plat ventre, de peur qu'un voisin ne l'aperçoive ou pire encore, n'aille rapporter ce geste audacieux à mon grand-père !

Je crois qu'en une quinzaine d'années, elle n'a jamais quitté sa demeure sauf pour aller accoucher ou pour assister à un mariage, mais à chaque fois, dûment escortée. Comme bien d'autres femmes de ce temps-là, elle avait été, dès le lendemain de son mariage, *mahdjouba* (cachée) par son mari, qui ne se gênait ni pour la battre, ni pour la tromper ouvertement et même sous son toit. Était-ce pour cela qu'elle ne trouvait rien de réjouissant à la naissance d'une fille, fût-ce sa propre petite-fille ?

C'est de mes premières années à Oran que date aussi cette photo de moi avec ma tante chérie, celle qui allait bientôt devenir ma meilleure amie ; elle avait seize ans à l'époque. Elle me tenait dans ses bras comme si j'étais pour elle une véritable révélation. Je sens, quand je regarde cette photo, qu'il y a entre nous un lien absolument inexplicable. Nous sommes toutes les deux unies au-delà des mots. Cette tante adorée aura pris soin de moi toute ma vie. Celle que j'appelle Moumou m'a lavée, bercée, aimée, conseillée, élevée... depuis toujours. Elle est mon roc solide et s'est toujours montrée attentive comme un ange gardien. C'est à elle que j'avoue même ce que j'ai du mal à m'avouer à moi-même. C'est vers elle que je me tourne quand je ne sais plus trop où j'en suis, quand mes yeux ne trouvent plus le ciel et ne voient que le précipice.

Nous étions très proches, ma mère, mon frère, ma tante et moi ; nous nous voyions si souvent que mon frère et moi appelions ma tante « mama ». Et cela n'offusquait en rien maman. Elles avaient toutes les deux pris l'habitude de se retourner dès que l'un d'entre nous appelait « mama ». Étonnant, non ?

Moumou n'était pas ma seule tante maternelle, il y en avait eu une autre avant elle. Elle se prénommait Yakouta, elle était actrice et fort belle. Elle est morte alors que je n'avais qu'un an. Elle a longtemps été le tabou de la famille parce qu'elle s'est enlevé la vie. Son cœur, je crois, était trop lourd. Trop lourd aussi, le rôle qu'elle devait jouer dans la série télévisée où elle interprétait une jeune fille au quotidien terriblement triste qui vivait, en pleine guerre d'indépendance, dans une famille pauvre, sans père, mais avec une mère d'une sévérité inimaginable, une mère qui avait la main leste quand il s'agissait de corriger sa fille. Au fond, elle interprétait à l'écran ce qu'elle vivait déjà à la maison.

Je ne sais toujours pas comment cette belle jeune femme, à l'avenir prometteur et au sourire à faire pâlir la Joconde, a pu s'avancer lentement, presque cérémonieusement, et traverser l'immense terrasse extérieure de l'appartement familial du centre-ville d'Alger, puis se tenir debout sur le minuscule rebord de la terrasse et se lancer dans le vide du haut des six étages de l'immeuble.

Elle est tombée dans la rue et ceux qui l'ont trouvée ont rapporté que son visage était caché par ses deux mains. Elle avait dû avoir si peur dans sa chute qu'elle s'était caché les yeux. Ses bras exprimaient encore sa peur, la chair de poule y était comme tatouée.

Aucun membre de ma famille ne m'a jamais parlé de ce terrible drame, ce sont des connaissances qui m'ont raconté tout ça, bien des années plus tard, et j'en ai fait une chanson. Il m'aura fallu plus de six mois pour l'écrire, avec mon amie, l'auteure Béatrice Richet. Tant d'émotions m'assaillaient quand je pensais à la pauvre Yakouta !

Voici le texte de cette chanson :

VU DU 6^e

Vu du 6e, le ciel nous ment,
Tout a l'air d'un soulagement
Alors qu'en bas,
À chaque pas
C'est presque novembre tout le temps.

Vu du 6e, le ciel lui ment
Et elle y croit comme une enfant,
Voit des diamants
Dans le ciment,
Voit des diamants
Dans le ciment.
Même le soleil, ce salaud,
Fait croire que là-haut, tout est beau.

Kalbi m'lribina dabli
M'lhouzna dballi
W'el amal daâli
Khallouni n'tir m'hmoumi
N'tir m'hroubi
N'tir men koulchi

Vu du 6e, le vent voyage,
Il suffit que ses yeux se cachent
Derrière ses mains,
La mer enfin,
La liberté sans lendemain.

Alors pourquoi plier ses ailes ?
C'est l'infini qui s'offre à elle,
Contre une vie
Trop à l'étroit.
Contre une vie
Un désespoir.
Comment pouvais-je faire le poids
Si petite contre un si grand pas ?

Kalbi m'lribina dabli
M'lhouzna dballi
W'el amal daâli
Khallouni n'tir m'hmoumi
N'tir m'hroubi
N'tir men koulchi

Ma belle gazelle du 6ᵉ,
Comme j'aurais voulu te connaître.
Une femme saute,
Un ange reste.

El chedda, l'initiation des fillettes, pour le meilleur et pour le pire (ou : les petites filles, reines et martyres)

J'ai cinq ans. Aujourd'hui, c'est jour de fête. Cette fête est pour moi, juste pour moi, et elle durera toute la journée. C'est une tradition des villes de l'ouest de l'Algérie, *el chedda* !

Dans mon souvenir, amies et membres de la famille se sont réunis à cette occasion, mais je ne pense pas que ce soit chez nous, ça doit plutôt se passer chez une amie ou une voisine. Je sens les mains de ma mère me soulever pour m'asseoir à côté du lavabo de la salle de bains. Elle finit de brosser mes cheveux pour qu'ils soient lisses comme de la soie, comme les cheveux de Mireille Mathieu. Elle maquille ensuite mes paupières de bleu, me met du fard à joues, du mascara et un léger rouge à lèvres, pour l'occasion. J'ai vraiment l'air d'une petite poupée, et je souris à pleines dents.

Toutes les femmes présentes ont apporté leurs plus beaux bijoux. Non pas pour les porter elles-mêmes, mais pour que j'en sois parée, de la tête aux pieds. Une cascade d'or, c'est si beau !

Des perles, de l'or pur... J'entends souvent autour de moi la formule « vingt-quatre carats ». Je me sens comme une princesse. Je porte une belle robe brodée de fils d'or, un énorme diadème, en fait, j'en porte même deux superposés ; ils sont lourds, très lourds. Des colliers, tellement de colliers, une broche, des bagues si grosses et si précieuses que je suis obligée de garder les doigts écartés. Tant de bracelets qu'ils remontent jusqu'en haut de mes coudes. Et ces bracelets font du bruit : au moindre soupçon de mouvement, on entend le cliquetis du précieux métal. À bien y penser, garnie comme je l'étais, j'aurais facilement pu perdre quelques morceaux, sans que cela paraisse trop ! Je valais vraiment mon pesant d'or, c'est le cas de le dire.

Les femmes ont fini de me préparer comme une grande, presque comme une mariée, en m'enjoignant de ne pas bouger, puis on m'a emmenée faire un tour de voiture. Tout le monde suivait, chacun dans sa voiture, c'était un vrai cortège au son des klaxons, digne d'une vraie célébration.

Lentement mais sûrement nous sommes arrivés à un studio de photo où l'on va immortaliser cette débauche de bijoux et je sens mon corps trembler sous le poids de tout cet or. Ma mère me dit de ne pas m'inquiéter. Toutes les petites filles trouvent cette tradition belle mais difficile. Certaines s'évanouissent, d'autres vomissent, mais moi, je tiendrai bon, je tiens bon, il le faut. Je suis trop fière. J'attends mon tour et je souris en prenant la pose pour les photos. C'est un peu forcé, c'est vrai, mais je n'en suis pas moins fière de moi : je suis plus capable que les autres filles, je suis forte et je ne me plains pas. Tout le monde me félicite pour mon endurance et les femmes poussent ces cris de joie typiques qu'on appelle des youyous, des *zrarit*, tout ça pour célébrer mon entrée dans la vie de... mais dans la vie de quoi, au fait, de femme ? De jeune fille ? De petite fille ? Après tout, je n'ai que cinq ans !

On entre dans quoi à cinq ans ? Eh bien, il me semble que c'est dans l'âge où l'on commence à être vraiment conscient de ce qui se passe, de ce qui nous arrive, du monde qui nous entoure.

Mais avec la conscience vient le questionnement et avec le questionnement arrivent quelques réponses... parfois, pas toujours. Les rares réponses, parfois claires et vraies, mais souvent vagues et fausses, apportent leur lot de déceptions, suscitent un sentiment d'injustice, éveillent la peur, l'incompréhension et, pire encore, font naître... d'autres questions !

Une chose est sûre, en tout cas, c'est que je n'ai jamais aimé l'or et c'est encore vrai aujourd'hui. À mes yeux la richesse n'est jamais qu'une autre occasion de se pavaner en espérant que l'autre n'en possède pas autant que nous. Cela dit, je ne crois pas que le sentiment de répugnance et même de dégoût que j'éprouve pour l'or ait été causé par ma *chedda*. Non, cela doit sans doute me venir d'une autre vie.

Ce n'est quand même pas mal, tout compte fait, comme tradition, la *chedda*. Il y a des façons bien pires de marquer ce passage à l'âge de la conscience. Au moins, en Algérie, on ne pratiquait pas l'excision. Enfin, pas à ma connaissance. Mais dans plusieurs pays du reste de l'Afrique, l'excision est encore répandue de nos jours. Et c'est une barbarie sans nom.

Rien qu'à y penser, j'en ai la chair de poule, de la nuque au bas des reins. Je ne trouve tout simplement pas imaginable que des êtres humains puissent faire ça à d'autres humains, si jeunes et si fragiles.

Pourquoi donc, dans certaines sociétés, cette obsession du plaisir de la femme ? Pourquoi vouloir l'en priver ?

Décider de couper le petit appendice qui procure jouissance aux femmes est une aberration. De toute façon, pour atteindre l'extase, les femmes n'ont pas forcément besoin d'un clitoris. Elles jouissent même par la pensée, les femmes ! Que tous les arriérés qui sévissent dans le monde, toutes cultures confondues, se le tiennent pour dit !

Je voudrais que, dans tous les pays, les gens se dressent en masse contre cette horrible coutume. Et le temps presse ! Des enfants, des jeunes filles demeurent traumatisées, physiquement et mentalement, par cette pratique inhumaine. Il faudrait que des hommes et des femmes se lèvent aux quatre coins du monde pour aider ces pauvres petites. Plus il y aura de gens pour dire « non » à cette horreur, plus on dénoncera cette pratique insensée, et plus ces malheureuses jeunes filles, partout dans le monde, sauront qu'il n'est pas acceptable de subir cette mutilation.

Et que l'on ne vienne pas encore me dire que c'est une obligation religieuse ! J'explose d'indignation quand j'entends des choses pareilles ! C'est absolument faux : nulle part dans les écrits sacrés de l'islam il n'est question de cette coutume archaïque.

Les religions ont le dos large ! Je ne supporte tout simplement plus les discours de ce genre.

D'ailleurs, le bon Dieu, s'il existe et s'il est vraiment « bon », n'exigerait jamais l'ignorance, la barbarie, la haine, la guerre et cette ineptie qu'est le racisme. J'en ai plus qu'assez de ces extrémistes, de tout acabit et de toutes les religions, qui collent tout simplement leurs fantasmes de violence et de destruction, leur machisme et leur xénophobie sur le dos de leur Seigneur, souvent en dépit du véritable message de leur religion. Assumez donc votre ignorance ! Vous en êtes les seuls responsables.

Et dire que j'ai commencé toute cette diatribe en évoquant ce moment heureux qu'a été ma *chedda*.

Je vous le disais bien qu'il m'est presque impossible de vivre de belles et bonnes choses sans aussitôt penser à ceux et celles qui souffrent.

C'est vraiment un problème chez moi. Mais que voulez-vous, je suis comme ça. Quand je vais dans un beau grand restaurant pour un repas gastronomique à plusieurs étoiles, même une galaxie d'étoiles, eh bien, il vient toujours un moment où je me surprends à penser à tous ces gens qui vivent dans des bidonvilles, à tous ces enfants qui pataugent dans des montagnes de déchets, en quête de nourriture, à toutes ces fillettes et tous ces jeunes garçons qui sont victimes d'inceste, partout dans le monde... Et me voilà aussitôt repartie dans des images à vous lever le cœur, à vous tordre le ventre ; des images qui pompent à gros bouillons le sang dans mes veines. Mais comment expliquer ça aux gens qui m'entourent sans passer pour une fille incapable d'apprécier le moment présent, sans qu'on me prenne pour une rabat-joie ?

Mais c'est plus fort que moi : j'ai du mal à me blinder contre la souffrance des autres humains, partout sur la terre. J'ai du mal à m'en détacher, à dire d'un air pénétré : « Ah oui ! T'as vu ? C'est moche, hein, ce qui se passe au Darfour ? Tu me passes le beurre ? »

Vraiment, ça m'est impossible ! Mais ceux et celles qui font vraiment une différence, qui travaillent justement à atténuer ces misères et à y remédier autant que faire se peut, ceux-là sont quand même capables, eux, de garder malgré tout un certain détachement ; c'est indispensable pour être efficace. On ne peut pas aider les autres en passant son temps à pleurer sur eux, à se lamenter sur leur sort. Je le comprends très bien ; mais j'ai beau comprendre, mon cœur, lui, n'a pas l'air de vouloir suivre.

Je ne saurais dire combien de fois par an, par mois, même, il m'arrive de vivre cette expérience qui me désespère. Je ne sais pas non plus combien de fois par jour je pense à tout ça. Facilement une bonne dizaine de fois, me semble-t-il ; mon cœur se pince, ma gorge se serre, mais aux yeux des gens qui m'entourent et qui ne savent pas ce que je vis en dedans, j'ai seulement un peu l'air triste, un peu déprimée peut-être.

Mais c'est la vérité, ma vérité. Et ça me tue à petit feu.

Chapitre 2

Le déménagement
à Alger : l'école, le rejet

Nous déménageons à Alger, dans la cité... militaire !

Mon père partait tôt le matin, en même temps que tous les autres militaires de la cité. Qu'il était beau, mon père, dans son uniforme de capitaine ! Il avait vraiment « de la gueule », comme on dit. Il était grand de taille – c'était probablement un des plus grands officiers de toute la cité – et marchait d'une démarche si assurée et fière ! Qu'il était beau, avec ses magnifiques yeux bleus de Kabyle, sa peau si blanche. On l'aurait facilement pris pour un officier suédois en visite en Algérie.

Nous habitions au quatrième étage. Les cités militaires se ressemblent à peu près toutes, mais celle-là avait de superbes arbres verts. Nous étions entourés de grands eucalyptus odorants, il y avait plein d'arbustes de romarin en bas de notre immeuble, c'était beau et ça sentait bon. Et en plus, merveille des merveilles, j'allais aller à l'école.

Quand je suis arrivée à Alger, je connaissais à peine quelques mots d'arabe. Je parlais français, moi, comme une vraie petite princesse à sa maman, comme les privilégiés de la société, les *tchitchi*, les snobs. C'est du moins ce que certains pensaient à l'époque. Mais je n'étais pas snob du tout, je parlais français, c'est tout. D'ailleurs, j'ai vite appris l'arabe, à l'école ; j'étais intelligente quand même, j'en avais mangé, moi, du poisson !

Je suis rapidement devenue une des meilleures de ma classe. Je n'avais pas besoin d'être poussée pour étudier, j'aimais étudier. En plus, j'étais très compétitive, j'étais rarement satisfaite. Quand j'avais neuf sur dix à un examen, je pleurais sur le malheureux petit point perdu. Quand j'arrivais deuxième au classement, j'étais triste à mourir de ne pas être la première.

Allez hop ! encore du poisson ! Il fallait être la première, toujours.

Mais le poisson ne vous aide pas à vous faire des amis.

J'ai toujours été celle que les autres enfants montraient du doigt à l'école, la marginale. On me traitait comme une « bibitte », un insecte nuisible. Je me souviens que tous, filles et garçons, m'évitaient. Ils attrapaient parfois de petites bonbonnes de « Flitox », un insecticide domestique de l'époque, pour faire semblant de m'en vaporiser... Et mon pauvre petit frère qui se faisait un devoir de me défendre ! J'avais plus de peine pour lui que pour moi. Mais au fond de moi, ces tracasseries ne me faisaient absolument RIEN. Je ne voudrais pas paraître hautaine, mais j'avais vraiment l'impression que tout ça, c'était trop bas pour me toucher vraiment. Je me disais que j'étais bien au-dessus de ces bassesses, même à sept ans, même à neuf ans. Jusqu'à ce qu'enfin je devienne plus populaire, un peu plus tard, au CEM (l'équivalent du premier cycle du secondaire au Québec).

À part mes bonnes notes, une activité que j'ai pratiquée de six à dix ans me donnait aussi un sentiment d'importance. Au lieu de jouer comme les autres enfants, je faisais des fouilles archéologiques dans la cité militaire. Munie d'une brosse à dents et de couteaux pour gratter la roche calcaire, je déterrais de tout petits fossiles, des coquillages la plupart du temps. Ces petits trésors me rendaient très fière et contribuaient à me donner cette conscience de ma valeur que les autres pouvaient prendre pour de l'arrogance. Et cette mission que je m'étais moi-même confiée pouvait me prendre des journées entières ! Au début, les jeunes de mon âge riaient de moi. Mais j'ai fini par en entraîner plusieurs dans cette passion. Nous avons d'ailleurs travaillé en équipe sur ce qui fut sans doute le plus beau fossile de ma vie ; je prétendais que c'était un œuf de dinosaure. Et peut-être était-ce le cas, qui sait ? Il nous avait fallu un mois, tout un mois, pour le sortir de terre. Il était tout fissuré et avait vraiment l'air d'une antiquité préhistorique. J'étais très fière, et aux yeux des autres, je n'étais plus si folle que ça, finalement.

Les amies

J'avais quand même des amies, pas beaucoup, mais quelques-unes. En fait, ma première véritable amie fut une petite voisine, Amal, qui habitait le même immeuble que moi, trois étages plus bas. Elle était si maigrichonne que le seul endroit dodu de son corps était l'arrière de son genou qu'elle me montrait régulièrement du doigt en me disant : « Tu vois, j'ai grossi, c'est du gras ça... Je commence à grossir. » Je ne répondais pas, je ne voulais pas blesser ses espérances.

Elle jouait de la derbouka les soirs de ramadan quand tous les enfants, après une journée complète de jeûne, sans eau ni nourriture, avaient le droit de sortir jouer dehors jusqu'à vingt-deux heures. Moi, à cette occasion, vous vous en doutez bien, je chantais et dansais. Chez Amal, les enfants avaient comme collation un morceau de pain baguette tartiné de harissa, cette sauce piquante typiquement maghrébine qu'on utilise avec toutes sortes de plats. C'était plutôt spécial ! Son petit frère dévorait ça comme si c'était un biscuit au miel. Je n'ai jamais pu comprendre comment il pouvait faire, moi qui ne supportais pas le piquant.

Le père d'Amal était un haut gradé de l'armée, toujours affable ; sa mère aussi était gentille. Mais ils venaient toujours quémander quelque chose : du lait, du shampooing, des œufs, du sucre... C'est dans notre culture d'aider le voisin, de le dépanner si nécessaire, mais eux, vraiment, c'était un cas d'exception !

Ils étaient tout de même adorables. Le grand frère d'Amal a été mon copain, quelques années plus tard. J'avais alors treize ans, il en avait dix-sept et notre rupture lui a brisé le cœur.

Ma mère était l'infirmière de service. Dès que quelqu'un dans la cité était malade et avait besoin d'une injection, on faisait appel à elle. Et cela arrivait tout le temps parce qu'en Algérie, quand on a un virus, une grippe, ou quoi que ce soit, on vous prescrit une injection. C'est le remède universel. Alors, maman donnait des piqûres, comme on disait. Et en échange, pour la remercier, on lui offrait un gâteau ou une assiette de quelque bon plat dont nous héritions... C'était un peu de cette façon, avec des victuailles et d'autres présents, que l'on payait le docteur Baker, dans *La petite maison dans la prairie*.

Grandeurs et misères des femmes d'Algérie et d'ailleurs

Un des pôles de notre famille était ma grand-mère maternelle. Elle s'appelait Aïcha, mais je l'appelais tendrement Mani, ou Manina. C'était une femme toute petite, qui ne faisait pas plus de cinq pieds de haut, mais quel caractère et quelle énergie !

Ma grand-mère Mani était une boîte à surprise. On ne savait jamais quand elle allait exploser. Elle avait perdu son mari très jeune et s'était retrouvée monoparentale avec une dizaine d'enfants à sa charge, certains provenant d'un précédent mariage de son défunt mari. Elle était alors sans le sou et sans autre moyen de subsistance que la mendicité qu'elle pratiquait à l'occasion et faisait pratiquer à ses enfants. En ai-je entendu des histoires sur ma grand-mère ! Surtout sur les dures raclées que mes oncles et mes tantes avaient reçues de sa main. La plus jeune de mes tantes, Moumou, avait été épargnée : elle était la dernière de la famille, la chouchoute, ce qui lui conférait une certaine immunité. Mais les plus vieux ont mangé bien des claques !

Mani a toujours été indépendante : débrouillarde, jamais à court d'initiatives, elle était constamment en mouvement. Dans une Algérie qui se relevait de la guerre, celle de 1954 à 1962 qui avait permis au pays de se libérer du colonialisme français, Mani avait dû, toute seule, faire vivre sa nombreuse famille, gérer le petit monde qui gravitait autour d'elle. Ce monde tournait autour de l'appartement du sixième étage, au centre-ville d'Alger, et de la petite maison qu'elle possédait dans le village de Larabâa, à trente kilomètres de la capitale.

Le trajet entre les deux, elle le faisait, comme si de rien n'était, en autobus. Et je ne parle pas ici d'un autobus Greyhound avec toilettes au fond, climatisation et sièges inclinables, oh ! que non ! Dans la guimbarde en question, on était souvent debout dans un air suffocant, sans aucune place pour les bagages ni pour les jambes. Il est vrai que les jambes de Mani n'étaient pas particulièrement longues et qu'elle ne se serait pas gênée pour faire se lever n'importe qui en le tirant par les oreilles. À l'époque, d'ailleurs, on cédait systématiquement la place aux personnes âgées, sans qu'on ait besoin de vous tirer les oreilles. C'était dans la culture du pays. Mais Mani n'était pas si vieille. Quoi qu'il en soit, il régnait dans cet autobus une chaleur accablante et une odeur acide faite d'un mélange de sueur, d'un souffle de sommeil et de tous les effluves désagréables que produit une promiscuité non désirée.

J'adorais la maison de Larabâa. La porte d'entrée peinte en vert était vraiment basse et en franchir le seuil, c'était comme traverser un mur : on se retrouvait dans une cour intérieure à ciel ouvert. Juste à droite une toute petite chambre, à gauche une autre, tout aussi petite, et au fond à droite, la cuisine, elle aussi minuscule. Plus loin, par un étroit passage, on pouvait entrevoir le jardin. Mais pas n'importe quel jardin, celui de Manina !

Tout se passait dans le jardin de Mani, le jardin aux figuiers. Que j'aimais ce jardin ! Il était toute mon enfance ; tout mon amour pour ma grand-mère s'y trouvait concentré, comme en miniature.

C'était l'endroit où se déroulaient toutes nos célébrations, toutes nos réunions, où l'on dégustait nos meilleurs cafés au lait. C'est là qu'on venait chercher l'ombre d'une sieste volée au temps, là qu'on dégustait les fruits fraîchement arrachés aux bras chargés des arbres.

Quel bonheur de voir ma Mani grimper avec légèreté aux arbres pour nous en lancer les fruits. Elle le faisait si souvent pour me faire plaisir ! De toutes les figues, celles que je préférais étaient souvent les plus hautes, les plus mielleuses et les plus noires. Alors, Mani y allait pour moi. Souvent, elle me préparait un panier décoré de fleurs et de figues et faisait tout le trajet depuis Larabâa jusqu'à la cité militaire où nous vivions, rien que pour me gâter de mon fruit préféré. C'était ma Mani à moi.

Sur elle aussi, et son jardin, j'ai écrit une chanson. Avec Béatrice Richet, encore une fois.

Elle s'intitule : *Comme un matin à Larabâa.*

COMME UN MATIN À LARABÂA
Comme un matin à Larabâa,
Comme chacun de ces matins-là,
Comme une enfance presque parfaite
Sous le figuier de Manina.

Par les persiennes, le soleil
Loin de l'aurore frôle mon oreille,
Le même réveil, de miel et d'or,
Mon frère dort encore.

Les mêmes parfums, chaque matin,
L'eucalyptus et le jasmin,
La rosée sucrée du jardin,
Mon plus beau trésor...

Manina mienne, es-tu dehors ?
Déjà debout, bientôt à genoux,
Le chant du minaret se lève
Et l'ordre s'élève.

Mes six ans se demandent bien
Pourquoi les hommes chantent-ils si loin,
Toujours plus fort, chaque matin ?
Quand les cris ne mènent à rien.

Mani, Mani, Manina,
Cueille-moi la figue noire,
Celle que l'arbre a gardée,
La plus mielleuse,
Celle que l'arbre a cachée,
La plus précieuse,
Comme dans tes yeux, cette liberté.

Le pain pétri, le four est prêt,
Assise à terre, le café au lait,
La faim se creuse. La prière est faite,
L'enfance presque parfaite.

Et puis, mes dix ans courent nu-pieds
Vers la merveille de février,
Ma grand-mère sous le figuier.
Rani madjiah mani !
Mani, Mani, Manina,
Cueille-moi la figue noire,
Celle que l'arbre a gardée,
La plus mielleuse,
Celle que l'arbre a cachée,
La plus précieuse,
Comme tes yeux, cette fierté.

Rassure-toi, homme de foi,
Ta mosquée grandit plus vite que moi.
Si vivre en silence, c'est trahir
Et qu'il n'y ait plus mots à dire
Comment vivre ?

Plus mes quinze ans rêvent d'être libres,
Plus le chant assombrit nos vies
Jusqu'à voiler de noir le ciel,
Jusqu'à s'enfuir sans elle.

Mani, Mani, Manina,
Pardonne-moi les larmes noires,
Celles que j'ai dû cacher.
Les plus menteuses,
Celles que tu as gardées,
Les courageuses,
Comme dans mes yeux, cette liberté.

Ma grand-mère faisait les prières rituelles cinq fois par jour, et portait un *hayek*, du moins au temps de mon enfance. Le *hayek* est un vêtement pour femme d'origine turque, je crois, mais c'était aussi alors, incontestablement, une tradition bien algérienne. Les femmes s'enveloppaient pour sortir de ce grand tissu léger, de couleur blanche ou crème. Et très étrangement, ce fameux *hayek* était à mes yeux, même s'il couvrait entièrement le corps de la femme, de la tête aux pieds, un vêtement particulièrement sexy.

Les femmes pouvaient le porter sur une longue robe, une jupe, un pantalon ou même sur... rien du tout ! Il était si léger que le jeu de la séduction devait en amuser plus d'une.

J'imagine très bien les jeunes filles de l'époque laisser découvrir la naissance des cheveux, parfois même jusqu'à la nuque, puis remonter brusquement le voile, d'un geste vif. J'imagine aussi que ces *hayeks*, balancés par le pas rapide des femmes revenant du marché et doucement agités par la brise légère qui souffle de la Méditerranée, laissaient parfois entrevoir une cheville et même une partie de la jambe. Je revois tous ces jeunes hommes attablés au café du coin, en train d'essayer d'intercepter du coin de l'œil l'une de ces délicieuses... inadvertances.

Ma grand-mère me montrait la technique pour s'en enve-lopper avant de sortir et elle me disait : « Un jour, tu vas le porter, toi aussi, Lynda ! » et j'espérais sincèrement que cela arrive. Toutes ces femmes étaient si belles, avec leur *hayek* !

Avec son *hayek*, Mani portait parfois un *adjar*, petit tissu triangulaire souvent brodé, qui cache le visage et ne laisse voir que les yeux. Pour passer une commande au marché ou pour s'engueuler entre elles, les femmes baissaient leur *adjar* sur le cou. C'était d'un comique ! Mais le plus drôle, c'était encore de voir ma Mani manger un fruit avec son *adjar* : elle préparait un morceau dans sa main, soufflait fort sur son voile pour le faire se soulever, comme un drapeau agité par le vent, puis, avec une adresse digne d'un ninja, se lançait adroitement le morceau dans la bouche avant que le voile retombe. Et le mouvement de la mastication qui faisait bouger le vêtement m'amusait aussi énormément.

Au fil des années, le port de ce superbe *hayek* qui hante mes souvenirs a cédé la place au voile islamique qui cache le corps tout autant, mais qui, avec ses épingles, ne laisse aucune chance au caractère « sexy » du déploiement. Le port du voile, de plus en plus répandu, a effacé à mes yeux la sensualité de la femme algérienne.

À mon grand regret, ma grand-mère a, elle aussi, troqué son *hayek* pour le hidjab. Je me rappelle lui avoir alors témoigné ma déception. Mais elle était trop vieille pour combattre le vent du changement, même si ce vent ne soufflait pas dans le bon sens.

Thiska et les fêtes religieuses

Une des plus importantes fêtes religieuses de l'islam est l'*Aïd al-Adha*, la fête du sacrifice du mouton. À cette occasion, ceux qui le peuvent achètent un mouton, le sacrifient le matin de la fête et se doivent ensuite de partager la moitié de la carcasse avec ceux qui n'ont pas la chance d'en avoir un. Tous les enfants rêvent que leurs parents achètent un mouton parce que, lorsque l'espace leur permet d'héberger l'animal à la maison – quand ils habitent dans un immeuble, sur la terrasse ou dans des débarras extérieurs –, ils peuvent sortir promener la bête dans le quartier.

C'est alors l'occasion de faire toutes les comparaisons : on se dispute pour savoir qui a le plus gros mouton et, comble de fierté, qui a l'animal dont les cornes sont les plus spectaculaires. On croirait assister à un défilé de mode ovin : les futurs sacrifiés ont du henné sur le front, des rubans autour des cornes et on leur passe des colliers autour du cou, rien n'est trop beau.

On mettait aussi un peu de teinture de henné sur le front de Thiska à chaque célébration religieuse. Nous croyions depuis le tout premier jour que Thiska, notre caniche nain blanc, était une femelle, mais c'était un mâle et il avait une particularité étonnante pour un chien : il adorait le couscous.

Quand j'y pense, un caniche nain ! En Algérie ! Mais à quoi avait bien pu penser mon père ? Lui et son amour des chiens... Remarquez bien, bon nombre de nos voisins nous avaient suivis dans cette petite folie. Il y avait désormais toutes sortes de caniches dans la cité, et c'était de notre faute. La première chose que leurs jeunes maîtres leur apprenaient, c'était à attaquer. Alors, dès que j'entendais crier « Attaque ! » – ce qui arrivait régulièrement –, je prenais mes jambes à mon cou. Caniche ou pitbull, un chien est fait pour protéger... de tout et de rien. Et ceux-là avaient été dressés à protéger leurs maîtres, même contre des enfants hauts comme trois pommes.

Comme tous les enfants, j'adorais l'*Aïd al-Adha*. En fait, c'est l'ambiance qu'on aime, l'air de fête, les visites familiales et, bien sûr, le congé scolaire. Deux jours sans école, quel enfant n'en voudrait pas ?

Nous ne ressentions aucune aversion pour l'acte d'égorger un mouton. Dans les pays musulmans, toutes les viandes proviennent d'animaux égorgés, c'est ce qu'on appelle la viande hallal. Tirer une balle ou assommer une bête avec un bâton ? Je n'avais jamais entendu parler de ça.

Pour exécuter l'acte du sacrifice, il faut une personne habilitée à le faire dans le respect du rituel : l'animal est tourné face à La Mecque, on invoque Dieu selon une formule précise, et la main qui tient le couteau doit être capable d'expédier le sacrifié d'un seul geste habile et précis. Cette personne est tout bonnement appelée « l'égorgeur ». Par respect pour lui et sa noble fonction, nous les enfants l'appelions « tonton l'égorgeur ». Avoir pour voisin un égorgeur était une chance inouïe. C'était se retrouver en tête de liste le jour de l'*Aïd*. En effet, on compte, au mieux, un égorgeur par quartier, alors bonjour la file d'attente ! Ça pouvait prendre la journée entière avant que notre tour arrive et on baignait tout ce temps-là dans les effluves de tajines de mouton qui s'échappaient déjà des appartements voisins plus chanceux. Bien souvent, pendant que le père et les enfants attendaient encore leur tour, la maman avait déjà pilé l'ail et préparé sa concoction d'épices...

J'étais souvent avec les gens qui s'affairaient autour des moutons. Je n'étais pas insensible à cet acte, mais je le comprenais. Je comprenais qu'il fallait tuer ce mouton pour s'en nourrir et en donner aux pauvres. C'était clair depuis toujours. En fait non, pas depuis toujours, c'était clair depuis le jour où j'avais vu un des adorables lapins que ma grand-mère gardait dans des cages sur sa terrasse se faire passer le couteau sous la gorge. Ce soir-là, je n'avais pas regardé ce petit plat exquis que me faisait Mani de la même façon. J'avais pensé, pendant des années, que cette viande délicieuse était du poulet et non ces si jolis petits lapins que j'allais regarder sur la terrasse. Mais j'ai fini par m'y faire et par manger du lapin.

La vérité est dure à avaler, parfois, c'est le cas de le dire, mais quand elle est bien assaisonnée, ça passe plus vite !

De toutes les fêtes religieuses, celle que je préférais, c'était le Mouloud, la fête de la naissance du prophète Mahomet. L'équivalent de Noël, mais sans dinde et surtout sans alcool, parce que l'alcool est péché. À l'occasion du Mouloud, on allumait partout de minces et longues chandelles, une odeur d'encens planait dans l'air et embaumait jusqu'au-dehors. Tout le monde en faisait brûler. J'ai toujours trouvé cette odeur réconfortante.

Les enfants veillaient tard au Mouloud, les adultes nous achetaient des pétards, comme pour le nouvel an chinois.

Ça pétait de partout ! Nous en avions des dizaines et des dizaines, on les achetait même au kilo.

Le soir venu, les feux d'artifice se mêlaient aux pétards. C'était dans toute la ville un véritable festival de lumières et les enfants étaient heureux. La musique, les chants n'arrêtaient jamais. On jouait du tabla dehors en chantant, les adultes se réunissaient autour de quelques desserts, d'un café bien serré, d'un thé à la menthe et d'une cigarette, en gardant un œil sur les mômes qui jouaient et en s'amusant de leurs plaintes quand un pétard leur explosait dans la main, sur le dos, sur la tête, alouette !

De ces fêtes religieuses, je tirais les principes que je voulais et j'oubliais les autres. J'en retenais la générosité, la foi en la bonté, la justice, l'amour, surtout l'amour. C'était le principal à mes yeux.

Et je priais beaucoup dans mon cœur. À l'adolescence, j'ai beaucoup prié la Vierge Marie. Pourquoi elle ? Parce qu'elle m'apparaissait en rêve et que ça me consolait. Jésus aussi m'apparaissait en rêve : une nuit où je m'étais endormie triste et le cœur lourd, je l'ai même entendu me dire : « Ne t'inquiète pas, tout va bien aller. » Je l'avais cru et je m'étais sentie bien.

Ces rêves-là, je ne comprends toujours pas pourquoi je les faisais : personne, en effet, ne m'enseignait la foi catholique ou ne me dirigeait vers elle, bien au contraire. Mais c'était ainsi au plus profond de mon être, allez savoir pourquoi.

Les documentaires à la télé

Je ne regardais pas souvent la télévision à l'époque. Pourquoi s'asseoir devant la télé quand on peut aller jouer dehors ? Mais quand c'était le cas, je regardais surtout des documentaires. J'avais la chance que tout le monde autour de moi ait des antennes paraboliques qui permettaient de capter les chaînes européennes, surtout françaises. Alors, je regardais des documentaires sur tout, absolument tout. En fait, j'étais une vraie *nerd* ! Entre un film d'amour et un reportage sur les babouins d'Afrique, je choisissais toujours les babouins.

Tandis que les enfants de mon âge se régalaient des dessins animés, que j'aimais aussi d'ailleurs, moi, je jubilais en apprenant les plus récentes découvertes sur les anciennes civilisations ou en suivant les recherches entreprises pour trouver l'Atlantide.

J'étais passionnée par la vie des gens dans les temps reculés et par ce qu'ils nous ont laissé. Je m'imaginais même avoir des conversations avec eux. Je leur apprenais des choses, je leur parlais de nos technologies avancées.

Je me voyais demandant aux habitants du fabuleux site de Nazca de me dire enfin la vérité. Comment avaient-ils pu créer sur le sol, à aussi grande échelle, des dessins aussi grandioses et impressionnants ? Et les pyramides ? Qui les avait construites, comment, pourquoi ? Je voulais tout savoir.

Tandis que mes copines rêvaient de se trouver un bon mari, d'avoir un beau mariage avec beaucoup de changements de vêtements lors de la célébration, sans oublier la joie d'avoir une ribambelle d'enfants, moi, je souhaitais découvrir des manuscrits perdus expliquant la vie sur terre dans des temps reculés. Je rêvais de trouver sous l'océan le pourquoi des disparitions qui s'étaient produites dans le triangle des Bermudes, ou l'explication du regard mystérieux des statues de l'île de Pâques ou des apparitions d'ovnis dans le ciel.

J'ai aussi énormément appris sur l'être humain en regardant le monde animal. En fait, j'ai sans doute compris la base de la sexualité humaine en regardant des documentaires sur les chimpanzés et la faculté qu'ont les femelles chimpanzés de ressentir du plaisir.

Je rêvais aussi, souvent, de me faire enlever par Superman. Rien de mieux pour oublier la folie qui règne sur la terre.

Spiritualité et super-pouvoirs

Je me souviens de cette petite fille que j'étais, que je suis encore, forte et craintive. Peureuse et instinctive. Il se passait tant de choses en moi que je ne pouvais expliquer ! Dès mon plus jeune âge, j'avais l'impression de posséder des pouvoirs que les autres ne pouvaient même pas soupçonner. J'avais, en particulier, la certitude de pouvoir entendre murmurer des mots dans l'eau, toutes les eaux, depuis l'eau de la douche jusqu'à celle de la mer. Des voix me parlaient dans le mouvement de l'eau. C'est toujours le cas, d'ailleurs. Ce phénomène est discret, mais il reste encore très présent dans ma vie.

J'étais, à une certaine époque de mon enfance, très sensible au bain. Quand l'eau était à une certaine température, le plus souvent l'hiver, j'étais envahie d'une grande tristesse, une tristesse bien trop grande pour une enfant. J'expliquais mon humeur à ma mère en lui disant qu'elle provenait de « mon sentiment de passé triste ». Il n'y avait pas d'autres mots pour décrire ce qui se passait dans ce petit corps frêle. Une fois, j'ai vu, comme en *flash-back*, ce qui me rendait si malheureuse. J'étais quelqu'un d'autre, une femme adulte, et je tenais dans mes bras un enfant mort, mon enfant ; j'avais perdu mon enfant et je le pleurais. Encore faut-il croire pour cela en la réincarnation, mais je ne connaissais ni le terme ni le concept. Ces moments de grande peine, en revanche, eux, je ne les connaissais que trop bien. À une autre occasion, je me suis vue également prendre une boîte ornée d'un superbe camée en relief. Cette personne qui n'était pas la vraie moi, mais une de mes autres moi, ouvrait cette petite boîte, en sortait des pilules et les avalait ; je ne sais si c'était pour se sentir mieux, pour s'enivrer ou pour en mourir, mais l'image est toujours vivante en moi.

Je vous surprends sans doute, mais tout ce que je vous raconte là est vrai : c'est mon histoire, j'ai effectivement vécu cela, mais dans une tout autre vie.

Les esprits, les êtres qui vivent dans d'autres dimensions, les djinns, appelez-les comme vous voudrez, j'y ai aussi toujours cru. Ce doit être une question de culture. Il est parfaitement normal, quand on est Africain, d'admettre l'existence des apparitions fantomatiques. En fait, une des règles essentielles pour un *mouamen* (un vrai musulman) est de croire en la cohabitation des êtres humains et des djinns. Cette cohabitation, je n'en ai, pour ma part, jamais douté. Autour de moi, il y a toujours eu du mouvement, des bruits de pas ou de vaisselle, des lumières qui s'allument toutes seules ; j'ai souvent le sentiment d'être observée, de ne pas être seule, d'avoir quelqu'un, homme ou femme, qui vient s'asseoir sur le coin de mon lit.

Non, ne croyez pas que je me sois échappée du film *The Sixth Sense*. Je ne vous ressortirai pas la phrase désormais célèbre : « Je vois des morts. » Ce n'est pas le cas. Mais je suis sensible, sensitive, même, et ces choses-là existent vraiment, j'en suis persuadée.

Il m'arrive aussi parfois, brusquement, d'éprouver des peurs subites et inexplicables. À une certaine époque de ma vie, je sentais même assez fréquemment une main invisible me toucher le pied ou la main, la nuit. J'ai aussi reçu, à quelques reprises, de petites tapes. Une fois, j'ai même été pincée. Mais il y a longtemps que ce n'est plus arrivé... Et je crois même que cela n'arrivera plus ! C'est de l'histoire ancienne, tout ça.

Ce qui reste toujours vrai, en revanche, c'est que j'accorde encore autant d'importance à l'invisible qu'au visible. Quand j'entre quelque part, je salue ceux que je vois avec mes mots, et par la pensée ceux dont je sens seulement la présence.

C'est là et ça fait partie intégrante de ma vie de tous les jours.

Je me fie aussi énormément à mon instinct. Il m'arrive souvent de répondre : « Je ne sais pas pourquoi, mais je le sens comme ça » ou « Ne me demandez surtout pas comment ça va se faire, mais cela va se faire ». Je fais parfois des choses spontanément, en me fiant uniquement à un pressentiment ou à une intuition. Et je dois dire que cela me mène généralement dans la bonne direction.

J'ai l'impression de pouvoir distinguer les bonnes personnes de celles qui le sont moins, de reconnaître les méchantes des gentilles. C'est un instinct que beaucoup de gens possèdent, mais auquel très peu se fient.

Je ne déteste personne, du moins, je n'ai jamais rencontré quelqu'un qui m'ait déçue ou se soit montré exécrable au point de m'inspirer de la haine.

Remarquez, je n'ai jamais rencontré un tueur en série ou un de ceux qui ont perpétré le génocide rwandais, enfin, je ne crois pas... On ne sait pas toujours à qui on a affaire.

Mais ceux et celles qui m'entourent sont souvent des êtres d'exception, bons et aimants. Pour le reste, comme dirait cette publicité que j'aime beaucoup : « Pour le reste, il y a MasterCard ! »

Chapitre 3
Plaisirs et malheurs de la tradition

Le hammam

Une des coutumes chères à mon cœur est le passage au hammam ou bain turc. On l'appelle aussi le bain maure ; une fréquentation quasi hebdomadaire pour moi. On y va en famille, entre amis, pour des occasions spéciales comme un mariage, ou simplement pour socialiser. On comprendra que, pour des raisons évidentes, les femmes et les hommes n'y vont pas en même temps. Jamais !

On ne va pas au hammam comme on irait prendre une douche ; il faut en profiter au maximum, prendre son temps et y savourer quelques fruits pour étancher sa soif. Dès la porte d'entrée, on se sent privilégié d'être là. Les boiseries et les tapis de l'aire de repos annoncent la beauté de la salle chaude, un immense espace que des voûtes divisent en plusieurs sections. Une fois accoutumé à voir dans ce brouillard humide, on découvre la beauté des lieux. Partout, de la faïence et des arabesques aux couleurs typiques. Le rituel du hammam commence au moment où la femme se déshabille complètement et couvre son corps d'une fouta, un voile qui va de la poitrine aux cuisses. On reconnaît les jeunes mariées à la beauté de leurs foutas toutes neuves, parsemées de fils d'or ou d'argent. Autrefois, certaines mettaient des mules en plastique, à l'époque on n'avait pas encore de « Crocs » (comment avons-nous pu vivre sans « Crocs » ?). Une fois dans la grande salle, la femme dépose sa trousse de toilette à côté de son lavabo, plie sa fouta en quatre et s'assied dessus, dos aux autres femmes. Généralement, elle va s'allonger sur un grand carré en marbre surélevé. Il s'agit de se détendre et de suer, surtout suer généreusement, pour bien préparer la suite des opérations : l'exfoliation. Il ne s'agit pas ici de petits grains de noyau d'abricots version tube acheté en pharmacie, non. Plutôt d'une peau aux pores béants frottée à la kassa, véritable objet de torture sous la forme d'un gant de crin. Un exfoliant qui n'a pas son pareil ! Et si on ne veut pas se donner la peine de s'exfolier soi-même, il y a dans chaque hammam deux ou trois femmes prêtes à s'exécuter, moyennant pourboire. On les appelle les kiyassates ; cherchez un dérivé du mot kassa là-dedans et ça donnera : les « exfolieuses » à la kassa. Elles sont généralement bien bâties, douées d'une force titanesque. Qui d'autre serait capable de rester des heures dans cette chaleur, à exfolier une vingtaine de femmes par jour ? Quand on sort finalement de leurs mains, on a la carcasse d'un homard cuit et la force d'un chiffon mouillé. Jeune, j'en avais peur. Je les regardais frotter des femmes bien plus corpulentes que moi et elles les faisaient tourner comme une crêpe. Et vlan ! Quelques mouvements bien vigoureux sur les seins : elles n'y allaient pas avec le dos de la kassa ! Sur le coup, tonton l'égorgeur en devenait presque sympathique.

Une fois rincée, nous voilà prête à passer à toute la panoplie des pâtes de savon, des crèmes, des huiles. La chose se passe dans une sorte de corridor situé entre l'aire de repos et la salle humide et c'est là que l'expression « téléphone arabe » prend tout son sens. C'est l'endroit, en effet, où les disputes se règlent ou se déclenchent, là d'où partent les rumeurs, là où elles aboutissent. Mais surtout, c'est là que les femmes trouvent la candidate idéale pour épouser un fils, un neveu ou un cousin. Quel meilleur cadre pour jauger la marchandise qu'un lieu où le corps se montre nu et le visage sans fard ? « Maman, j'aimerais épouser la fille du voisin » – « Pas de problème, mon fils, je vais voir ça pour toi au hammam, jeudi prochain. » A-t-elle une belle peau ? De bonnes cuisses, de belles fesses, de jolis seins bien fermes, des petits, des gros ?... Toutes ces questions trouvent leur réponse d'un seul coup d'œil dans ce lieu magique. Pratique, non ? Et une transaction humaine, une ! Aujourd'hui, les jeunes suent ensemble et à l'horizontale pour découvrir leurs affinités.

Moi, je n'aimais pas le marché humain qui se déroulait au hammam. Ce que je préférais par-dessus tout, c'était de m'y trouver pendant qu'on célébrait un mariage. La star du jour était alors prise en mains – c'est le cas de le dire – par deux ou trois femmes qui la lavaient, l'exfoliaient, la massaient ; puis on servait des gâteaux de miel et du thé à la menthe... Que c'était beau ! En fait, la cérémonie du hammam était probablement la seule chose qui me donnait envie de me marier.

Je n'étais pas comme toutes les filles de mon âge, je ne voulais pas forcément me marier, et même, je ne voulais alors absolument rien savoir du mariage, surtout pas avec un Algérien. Et pourquoi donc, me direz-vous ? Eh bien, parce que j'avais été un peu traumatisée par le mariage de ma cousine Nassima. Je devais avoir neuf ou dix ans. Laissez-moi vous raconter tout ça, vous allez comprendre l'horreur de la chose.

Le mariage de Nassima

Nassima se marie. Elle est belle comme une petite princesse, fine, fragile et sans expérience aucune. D'Alger, la capitale, elle va aller vivre chez ses beaux-parents dans une ville éloignée, à la campagne, avec la mentalité qui y règne à l'époque.

Tout se fait selon la coutume et les traditions respectées et incontestées. Après la fête à Alger, un cortège d'une dizaine de personnes accompagne la mariée à sa nouvelle demeure (qui est aussi, ne l'oublions pas, la demeure de sa belle-famille).

J'ai toujours été proche de ma cousine et de ses deux sœurs dont une, Leila, a presque le même âge que moi. Dans mon souvenir, ce mariage se déroule plus comme un test d'aptitudes que comme une fête donnée pour accueillir un nouveau membre de la famille. Chaque jour, en effet, et ce, pendant quelque trois jours, la belle-famille lui demande de préparer des plats, comme ça, à brûle-pourpoint. On lui commande tel ou tel mets et elle s'exécute. Ils y goûtent pour voir si le plat est bon et conviendra à leur petite merveille de fils.

Mais ce fameux mari, il était où, lui, au juste ?

Jamais vu ! Ah ! non, je me trompe : je l'ai entrevu une fois, le petit prodige de mari. Le deuxième jour, si je me souviens bien. C'était à l'heure du midi et les invitées étaient attablées pour un excellent couscous. J'étais là moi aussi, assise par terre, avec ma mère et ma cousine Leila. Un peu comme de petites geishas.

La mère de la mariée (et de Leila), Tata comme je l'appelais, est arrivée pendant que nous commencions à manger. Elle était allée arranger une petite table pour Nassima, dans sa chambre, afin que son mari et elle prennent une petite bouchée ensemble, en tête-à-tête. Je me disais : « Oh ! un peu de romantisme dans ce brouhaha, Nassima doit être vraiment contente. »

À peine Tata s'était-elle assise pour parler un peu à la plus jeune de ses filles qui s'ennuyait de sa grande sœur, qu'on entendit de longs youyous. J'ai déjà évoqué ces cris de joie que l'on pousse pour marquer les moments de bonheur ; donc, on entendit des youyous et devant nous, à la hâte, est passé... Monsieur le Marié ! Le regard fuyant, comme s'il ne se sentait pas à sa place du côté des « femmes ». La mère du marié, elle, arpentait à grands pas le corridor de la maison en faisant des youyous et en tenant, à bout de bras, un drap blanc taché de sang. À mes yeux, c'était une scène d'horreur. Comment du sang pouvait-il se concilier avec un youyou de joie, c'était incompréhensible, c'était contradictoire. Tata s'est levée d'un bond : elle semblait comprendre ce qui se passait. Elle était hors d'elle et lançait de tous côtés des regards à la fois incrédules et enragés.

Elle s'est finalement tournée vers ma mère pour lui lancer : « Ils l'ont fait, ils l'ont fait, cette bande de sauvages ! »

La petite Leila, n'y comprenant rien, en avait tout simplement déduit qu'ils avaient égorgé sa grande sœur. Elle s'est mise à pleurer à chaudes larmes. Moi aussi.

Ce n'était décidément pas un déjeuner en tête-à-tête qui avait été prévu pour Nassima, c'était sa première relation sexuelle avec son mari. Là, dans cette chambre, par terre, sur ce drap blanc qui allait porter la tache de sang destinée à prouver à toutes et à tous sa virginité.

C'est là, en quinze minutes chrono, qu'il fallait que Monsieur Mari « performe », tout en sachant que sa mère était juste là, derrière la porte, à attendre la bonne nouvelle. Et pourquoi fallait-il donc qu'elle reste collée à la porte ? Mais pour veiller à ce qu'il n'y ait pas de trucage, voyons ! Que le sang ne vienne pas d'ailleurs !

Ma mère ne m'a rien expliqué. Elle m'a répondu que Nassima avait fait quelque chose qui avait rendu sa mère et tout le monde très fiers.

Sur le moment, je m'en fichais pas mal de ce qu'elle avait fait. Mais j'ai fini par comprendre ce qui s'était passé et je me suis fait une promesse : si je me mariais un jour, je ne serais certainement pas vierge, tant pis pour les tenants de traditions révolues.

Pourquoi cette fixation sur la virginité ? L'honneur de toute une famille ne reposerait donc que sur un hymen, un mince et fin petit hymen ! Une membrane pas plus épaisse qu'une pellicule de plastique d'emballage, pas plus épaisse qu'une peau de clémentine ou d'oignon, vous savez, ces petites peaux très fines qu'on trouve à l'intérieur des oignons et qu'on observe au microscope dans les cours de biologie. Pas plus épaisse que ça ! Ce petit hymen de rien du tout n'est pas plus lourd qu'une larme et pourtant, il en aura fait couler, des larmes ! Bien des larmes de honte, une honte que je trouve injustifiée, injuste même, et mal placée.

Il me semble que ces gens devraient plutôt avoir honte de voir tant de femmes battues et les droits humains bafoués de façon aussi flagrante que de savoir que leur fille s'est envoyée en l'air. Et puis, qu'est-ce que ça peut bien faire, après tout ? Et qu'est-ce que ça change, au juste ?

De toute façon, bien des filles s'envoient en l'air de bien des manières et trouvent toujours des façons de déjouer cette tradition archaïque de la virginité gardée jusqu'au mariage.

Des médecins se sont même spécialisés dans la reconstitution de l'hymen. Souvent, d'ailleurs, c'est par révolte qu'ils ont choisi de pratiquer cette opération. J'en connais un, de ces médecins-là, il habite maintenant au Québec. Il pratiquait la reconstitution de virginité et disait que ça le rendait heureux de savoir que, selon ses propres mots, « ces cons n'allaient y voir que du feu » !

Des médecins font ces opérations-là même en France. Comme quoi, quand les choses sont vraiment ancrées dans les mentalités et dans les mœurs, il est très difficile de leur échapper, même en changeant de pays.

J'ai appris, par exemple, comment certaines jeunes filles de mon entourage lointain (genre amie d'une amie d'une amie...) avaient simulé la virginité lors de leur nuit de noces. Parfois, les maris le savaient et étaient complices, d'autres fois, ils tombaient dans le panneau.

Elles allaient à la salle de bains, se coupaient avec une lame de rasoir à l'intérieur des cuisses ou ailleurs pour qu'il reste une petite trace sur les dessous. Ça pouvait suffire parfois. Après tout, toutes les femmes ne saignent pas forcément à leur première relation sexuelle.

J'ai aussi connu une jeune fille (encore une amie d'amie, bien sûr) qui s'était livrée à cœur joie aux folies de l'amour avec son petit ami. Il avait fini par la demander en mariage. Ils s'étaient alors tous les deux amusés à badigeonner le drap avec le sang d'un steak acheté bien frais chez le boucher du coin. Ils étaient tout fiers, le lendemain matin, de remettre l'œuvre d'art à la famille et d'entendre des youyous de célébration tandis qu'ils riaient sous cape.

Si un petit drap barbouillé de sang peut faire célébrer les gens et leur faire boire un bon thé à la menthe accompagné de biscuits, qui sommes-nous pour les en priver ? « *Steak it is !* » À vos steaks, les filles !

Et puis, c'est si fragile un hymen, ça peut se perforer d'un rien. Ça l'est déjà un peu, d'ailleurs. Les femmes me disaient qu'on pouvait perdre sa virginité rien qu'en montant à cheval, en faisant des acrobaties, des grands écarts, de la gymnastique ou du vélo.

Je ne connaissais aucune fille, à Alger, qui faisait du vélo, c'était bien trop risqué, et pas à cause des chutes ! On ne sait jamais...

Qu'arrivait-il lorsque, dans une famille attachée à des traditions archaïques, la jeune mariée n'était pas vierge ? Ou qu'elle n'avait pas eu la chance de saigner la nuit de ses noces ? Eh bien, il arrivait qu'elle soit battue. Et il n'était plus question de mariage, on ne voulait plus d'elle : elle avait été gâchée par un autre homme. Ce n'est jamais la faute de l'homme, bien sûr, c'est toujours celle de la femme, la tentatrice, Ève la première pécheresse !

Il n'y a pas de test de virginité version masculine ! Mais comment font-ils donc pour s'exercer, tous ces beaux maris qui veulent des femmes vierges ? Avec qui le font-ils, si toutes les jeunes filles refusent les rapprochements parce qu'elles craignent de ne pas arriver vierges au mariage ? Imaginez la frustration que peuvent ressentir ces jeunes hommes, imaginez les pulsions qui les travaillent et qui peuvent devenir malsaines. Ce n'est pas pour rien que dans certaines sociétés, autant de viols se produisent, que les violences faites aux femmes sont si répandues. La répression des pulsions ne peut pas conduire à la tranquillité, à la satisfaction, à l'équilibre, mais seulement à la rage.

Ces jeunes hommes ne peuvent pas connaître les plaisirs de la chair parce qu'on leur a dit que la religion interdit d'avoir des relations sexuelles avant le mariage, que le « bon Dieu » va les fouetter en enfer ou qu'ils mériteront cent coups de fouets sur terre. Alors ils ne connaissent que la frustration en regardant des films pornographiques *made in USA* et en fantasmant sur ces femmes agiles, faciles, blondes, professionnelles !

Une fois la séance de fantasme terminée, ce sont des insultes que les mêmes jeunes hommes vont faire pleuvoir sur ces mêmes femmes.

Ce sont des pécheresses ! Qu'elles aillent brûler en enfer, ces incroyantes ! Ces putes du diable !

Que de frustrations subies ! Que de violence dans les yeux et dans les cœurs, que de violence dans les demeures !

Violence conjugale

À quoi peut bien penser une enfant qui voit sa mère se faire battre sous ses yeux ?

Cette enfant hait son père, en veut à sa mère de ne pas pouvoir se défendre, s'en veut de ne pas être assez forte pour défendre sa maman ; elle souffre de ne pas être la grande sœur qui évite à son petit frère de vivre une chose aussi doulou-reuse ; elle se sent coupable quand, après avoir entendu des cris incessants traverser la porte de la chambre de ses parents, elle éprouve encore au fond d'elle un certain amour, malgré tout, pour son père.

J'imagine ce que peuvent penser les psychologues qui viennent de lire ce paragraphe et j'en prends moi-même conscience : je me protège de la douleur de revivre ces instants terribles que je sens encore comme une déchirure dans ma chair, en parlant de moi à la troisième personne, comme s'il s'agissait d'une autre. C'est vrai, je le sais bien. Mais on fait ce qu'on peut, et on essaie de continuer sa vie comme si de rien n'était.

Il faut dire que ça se passait aussi de cette façon pour beau-coup d'autres enfants autour de moi ; oui, les voisines aussi se faisaient battre parfois. Et en entendant l'une d'entre elles crier, les autres voisines, au lieu d'accourir aussitôt, se demandaient ce qu'elle avait bien pu faire pour mériter une raclée.

Les femmes sont si dures entre elles, si impitoyables, si injustes ! Dans un petit monde comme celui-là, avec ce que chacune d'elles subit, elles trouvent encore le moyen d'accabler les autres femmes.

C'est fou ce qui peut se passer dans les maisons... Toutes les intrigues, tous les mensonges, les cachotteries... À l'abri des volets fermés, derrière les portes closes se cachent des tourments inimaginables.

Mon père pourtant n'avait jamais levé la main sur moi, sauf, c'est vrai, une fois : il m'avait giflée, mais rien de plus. Il se contrôlait. Sauf quand il s'agissait de ma mère.

J'ai encore mal rien que d'y penser. Que pouvait-elle ressentir à ce moment-là, quand elle recevait des coups ? Elle ne devait même pas les sentir, j'en suis sûre. Tout ce qu'elle voulait, c'est que mon frère et moi n'en souffrions pas. Elle ne voulait pas qu'on la voie se faire frapper. J'entendais ses supplications : « S'il te plaît, pas devant les enfants... Pour l'amour de Dieu, pas devant les enfants ! » C'est ce que j'entendais avant qu'il ne la fasse disparaître dans la chambre.

Je n'ai jamais plus entendu l'expression « Pour l'amour de Dieu » de la même façon que tout le monde, après ça. « Pour l'amour de Dieu » me bouleverse, me rend triste, me met en colère, me révolte.

J'ai même du mal, aujourd'hui, à chanter la comptine *Au clair de la lune* à mes enfants à cause de la fin : « Ouvre-moi ta porte pour l'amour de Dieu. » Ma gorge se serre, ma voix tremblote et trahit ma blessure. Bien qu'il n'y ait que moi qui le sache, je fais une véritable fixation là-dessus. Parce que je n'aime pas être faible, je déteste ce qui me fait courber l'échine.

J'essaie parfois d'imaginer ce qui se produirait chez les hommes si cette impunité des batteurs de femmes prévalait en Occident, si le fait de donner « une bonne correction » à son épouse y était considéré comme normal, comme c'est encore le cas dans certaines sociétés. Combien d'entre les hommes que nous connaissons profiteraient de cette liberté-là ?

Je ne voudrais pas semer le doute dans vos esprits, messieurs, mais lequel d'entre vous ne brandit pas ce poing dans le secret de son âme ?

Je crois sincèrement que nous serions toutes et tous fort surpris de la violence toujours possible qui se cache, maligne, vicieuse, enchaînée et ligotée dans la noirceur de notre rage intérieure.

Il y a quand même, en effet, beaucoup de cas de violences domestiques dans les pays dits développés. On y trouve beaucoup d'associations de femmes battues, de femmes internées à la suite d'années entières d'abus, de femmes qui se retrouvent à la rue parce qu'elles n'en pouvaient plus.

Imaginez un instant ce qui se produirait si la violence faite aux femmes devenait un peu plus commune, s'il arrivait encore plus souvent aux femmes d'Occident de se faire battre par leur compagnon, leur époux, leur frère, leur père... Imaginez le chaos ! Ce serait l'anarchie, le temps de toutes les vengeances.

Mais peut-être pas, non plus. Je m'emporte peut-être. Tous les hommes ne sont pas des batteurs de femmes en puissance, je le sais. La situation ne déborderait peut-être pas autant que je le crains.

J'espère d'ailleurs ne jamais le savoir, je souhaite ne jamais connaître la réponse à cette question.

À vrai dire, j'ai longtemps hésité à parler de tout cela dans mon livre. J'ai vraiment peur de gêner ma mère ou mon frère avec ce douloureux secret familial étalé ainsi au grand jour. Je ne voudrais surtout pas me montrer égoïste et me libérer d'un poids en le collant sur le dos des autres.

Mais je pense que dire tout haut ce qui m'a profondément blessée, et que d'autres lecteurs et lectrices ont peut-être eux aussi vécu, pourrait les aider à se sentir un peu moins seuls avec leurs écorchures.

Sachez, vous qui lisez ces lignes, que c'est avec confiance que je vous livre tout ceci. Parce que j'ai confiance en la capacité humaine d'être bon, de respecter les autres et de se montrer compatissant.

Ce n'est pas une mince affaire que d'exhiber ainsi une cicatrice gênante, mais je ne puis m'empêcher de penser que trop d'enfants continuent, encore aujourd'hui, à être témoins de violences familiales et même à en subir eux-mêmes. Aussi bien sur le plan physique que verbal.

Plus nous prendrons conscience de l'étendue de l'horreur, plus notre conscience collective s'élèvera et plus nous aurons de chances de mettre fin à ces terribles injustices.

J'y crois fermement.

À propos de fessées et de taloches, j'ai assisté toute jeune à une correction royale, pauvre petite fille ! Non, pas un crime d'honneur mais, mettons, une fessée d'honneur qui aurait très bien pu tourner au crime.

Laissez-moi vous raconter.

Ça s'est passé dans l'immeuble juste à côté du nôtre, pendant le mois du ramadan, c'est-à-dire le mois du jeûne interminable.

Les femmes donnaient des petites soirées les unes chez les autres. Après une journée entière de jeûne, rien de mieux que la danse, des gâteaux de miel et de bonnes conversations entre femmes.

Une voisine, en rentrant chez elle après l'une de ces soirées entre femmes, avait trouvé sa fille de sept ans couchée nue avec un voisin du même âge, lui aussi nu comme un ver, dans le lit de la petite. Le petit voisin avait vu ça dans un film de son grand frère et voulant imiter les acteurs, s'était retrouvé innocemment enlacé avec sa petite voisine.

Nous avons entendu les cris de la mère depuis notre appartement. L'enfant a été battue si violemment que les voisins sont tous accourus pour la sauver.

On m'a dit par la suite que la petite n'avait rien compris de ce qui lui arrivait. Elle ne comprenait pas le mal que sa mère avait vu dans tout ça. On a finalement réussi à calmer la maman comme on a pu, mais sa fille était à ses yeux souillée à tout jamais. Sa fierté et son honneur avaient été jetés aux poubelles.

Pauvre petite ! Elle est sortie de chez elle quelques semaines plus tard arborant encore sur le corps les terribles traces d'une punition qu'elle ne comprenait même pas. Elle avait encore des bleus au visage et elle avait été griffée, comme avec les dix doigts, mais de façon continue, sur tout le visage, du front jusqu'au cou.

Quelle horreur ! Comment peut-on faire ça à sa propre princesse, sa petite fille pure et innocente ? J'aurais voulu la prendre dans mes bras et l'embrasser, la pauvre enfant, pour lui dire que ce qu'elle avait fait n'était pas si grave, mais elle n'aurait probablement pas compris mon geste.

J'aurais quand même dû le faire. Je regrette, encore aujourd'hui, cet élan que je n'ai pas eu. La fillette avait vieilli de plusieurs années en quelques semaines. Elle portait sur ses frêles épaules le poids de la rigidité de toute une société, le poids de l'ignorance de plusieurs générations, et elle marchait la tête basse.

Chapitre 4
1988

La brisure

C'est à l'âge de dix ans que mon enfance a pris fin. Jusque-là, ma vie s'était déroulée au rythme des présences et des absences de mon père que des missions appelaient souvent à l'étranger, en Russie, en Suède ou en France. Nous l'avons suivi quelques fois, en fait, trois fois seulement, à Moscou, à Kiev et à Stockholm, où nous en avons profité pour prendre des vacances en famille.

Je garde de ces voyages le souvenir d'un premier amour, un hindou que j'avais rencontré à Moscou, alors que je n'avais que cinq ans. Ne me demandez surtout pas son nom, j'ai beaucoup de difficulté à retenir les noms. Je suis capable de me souvenir de toutes sortes de choses, mais pas des noms.

De Moscou me revient un autre souvenir assez surprenant : je me revois, avec papa, en train de jeter une souris par la fenêtre pour la voir atterrir sur la tête d'une nonne horrifiée qui se trouvait à passer par là. Il faut dire que l'appartement où nous vivions à Moscou en était infesté : ces petites bestioles toutes blanches, toutes mignonnes, couraillaient tout autour.

Nous avions mis des souricières partout, avec de petits morceaux de fromage, comme dans les dessins animés de Tom et Jerry. Nous étions tous des Tom, et le sort des pauvres petits Jerry de nos vies me causait beaucoup de peine, je ne voulais absolument pas qu'on leur fasse du mal. Quelle mort atroce que la noyade dans la cuvette des toilettes ! Une mort indigne de tout être vivant, si nuisible soit-il.

La Suède fut toute une découverte pour moi. Tout y semblait simple et net. Nous avions pris un superbe traversier depuis Copenhague, et passé là les trois mois des vacances d'été. J'avais alors huit ans, mon frère en avait sept. Tous les appartements de l'endroit où nous logions partageaient la même salle de bains, au rez-de-chaussée. Pour pouvoir l'utiliser il suffisait d'inscrire son nom sur une liste et de respecter l'horaire qu'on avait indiqué. Et c'était toujours si propre !

Et puis, il y a eu un grand carnaval : un vrai délire pendant quelques jours, partout dans les rues. Mais ce qui m'a le plus surprise de la Suède, c'est la discipline et la gentillesse des gens.

Au parc, nous avions l'habitude, mon frère et moi, d'aller tous les jours nous amuser, comme tous nos petits amis, à dévaler une colline dans un chariot. Il faisait chaud et les femmes se faisaient bronzer en monokini. Nous passions notre temps à supplier ma mère d'ôter son haut de bikini, comme les Suédoises, mais rien n'y faisait.

C'est au cours de ce séjour que j'ai découvert les kiwis. Mon frère et moi les avions baptisés « les patates vertes ». C'est drôle, tout de même, comme notre mémoire sélectionne certains détails, comme ceux-là, et en élimine d'autres, peut-être plus importants. Je me souviens des patates vertes, mais j'ai oublié bien des moments qui pourtant auraient dû me marquer.

J'efface, au fur et à mesure, des situations, des moments, des douleurs, des gens, pour ne garder que l'essentiel, les patates vertes, ma famille, mes amis et mon chien. Mais je n'effacerai jamais le souvenir de ce jour où mon enfance heureuse a tout simplement basculé.

Mon père nous a quittés le 17 juillet 1988. Il n'est pas mort, il nous a quittés, il a arrangé toutes ses affaires, a sorti son argent de la banque, a ramassé quelques vêtements, et il est parti en mission. Le militaire qu'il était se retrouvait souvent en mission auprès des représentants de l'Algérie à l'étranger, alors ce jour-là, il partait simplement une fois de plus en mission. C'est du moins ce qu'il nous avait dit ce matin-là, tandis que mon frère et moi dressions la liste des choses que l'on espérait qu'il nous ramène de son séjour à l'étranger.

Mais, cette fois-là, sans que nous le sachions, c'est pour très longtemps qu'il nous disait au revoir.

Il le savait, lui, qu'on allait en baver. Mais il ne savait peut-être pas à quel point la vie allait nous malmener. Je me demande à quoi il pensait, ce matin-là. Est-ce qu'il a pleuré ?

Je ne peux pas m'imaginer, moi, devoir quitter mes enfants sans verser une larme. J'espère qu'il a pleuré, qu'il a eu mal, vraiment très mal et qu'au fond de lui, il a voulu mourir tellement il avait honte, qu'il a beaucoup souffert tant on lui manquait, tant je lui manquais. Il m'aimait, j'en suis certaine. Il m'a toujours aimée, même si à une époque, j'étais plutôt devenue pour lui un moyen de punir ma mère. À ce moment-là, il refusait de signer mes examens, il ne me serrait plus dans ses bras. Il disait préférer mon frère parce qu'il lui ressemblait.

Moi, je ressemblais trop à ma mère, même si je ne le voulais pas. Je ne veux d'ailleurs toujours pas. Je ne veux ressembler à personne, même pas à moi-même parfois.

Je veux ressembler à l'eau, une eau calme, doucement agitée par un léger mouvement, à peine perceptible, à la surface. Je ne veux plus être troublée ni trouble, pas de cascades, pas de rapides. Un ruisseau, je veux être un petit ruisseau d'eau douce et limpide qui serpente calmement jusqu'à la mer. Mais je ne veux pas être salée, comme la mer, ça donne soif. J'ai trop souvent eu soif dans ma vie, maintenant je veux me sentir désaltérée.

Mon père est parti, mais moi, je l'aime encore. Je reste assoiffée de cet amour paternel unique. Assoiffée d'être la petite princesse à son papa.

Je me dis qu'il ne savait certainement pas quelle galère nous attendait en cette maudite année 88 : les manifestations, les bombes lacrymogènes, les chars d'assaut dans les rues, les filles qui se font enlever pour devenir esclaves sexuelles dans les montagnes pour des fous de Dieu, le manque d'eau, le manque d'amour, le manque d'argent, le manque de tout ; les files de deux heures pour avoir du pain et la peur au ventre, chaque jour. Surtout, le fait de se retrouver sans père dans une société d'hommes où une femme seule ne peut avoir la tutelle de ses propres enfants. Car la fuite de mon père nous avait automatiquement placés, mon frère et moi, sous la tutelle du gouvernement. C'était vraiment génial comme idée ! Comme si ma mère ne pouvait pas s'occuper de nous ! Mais, au fond, je ne devrais pas trop me plaindre, il y en a qui ont connu bien pire et que je plains de tout mon cœur. J'ai déjà tant de mal, moi, à vivre avec mon petit bout d'histoire et pourtant ce n'était pas si terrible, finalement, par rapport à d'autres.

J'y pense chaque fois que j'entends des gens se plaindre pour des bêtises, alors qu'ils ont pratiquement tout eu, dans le confort de leur petit chez-soi, au Québec.

Ma mère n'a dévoilé qu'à moi la vérité sur le départ définitif de mon père. Elle jugeait mon frère trop jeune pour comprendre. J'ai gardé le secret aussi longtemps que j'ai pu, que je m'y suis sentie obligée, mais j'enviais mon frère, j'enviais son ignorance à ce sujet. Ça me semblait plus facile à vivre pour lui. J'aurais préféré, moi aussi, ne rien savoir. Je me serais moins sentie coupable de n'avoir pas été assez forte, assez importante pour retenir mon père.

Mais laissez-moi vous raconter ce qui s'est passé, ce fameux 17 juillet 1988.

Nous étions en vacances au bord de la mer. C'était à peine à une vingtaine de kilomètres de la maison, mais des vacances, c'est des vacances, même si on les passe juste à côté de chez soi ! Nous avions pris une chambre à l'hôtel El Marsa (« le port », en arabe), dans le coin de Sidi Fredj. En fait, nous prenions chaque année un petit appartement ou une chambre d'hôtel pour une ou deux semaines, pendant les vacances d'été.

Cet été-là, c'était donc au El Marsa et mon frère et moi avions un plaisir fou ! J'ai même une photo de moi plongeant dans la piscine de l'hôtel.

Mon père est arrivé à un moment donné dans la chambre pour nous dire qu'il avait reçu un appel lui ordonnant de partir le lendemain pour une mission à l'étranger. Nous étions tous très déçus de ne pas pouvoir finir nos vacances, mais quand il s'agissait des missions à l'étranger, on ne rigolait pas et il n'était pas question de négociations, vraiment pas question.

Nous avons donc ramassé nos affaires bien gentiment, fait nos adieux à nos nouveaux amis, garçons et filles, et nous sommes rentrés à la maison.

Le lendemain, très tôt, nous avons accompagné mon père à l'aéroport. Rien de différent de la façon de faire habituelle. Nous sommes restés dans le stationnement, dehors il faisait beau, l'aéroport était inondé de soleil.

Mon frère et moi avons fait plein de demandes de cadeaux à mon père et nous lui avons souhaité un bon voyage. Un bisou pour la route, et nous lui avons dit que nous avions hâte de le revoir, onze jours plus tard. Il a mis ses lunettes de soleil, nous a fait promettre de bien prendre soin de notre mère, et il est parti. Mais alors qu'il contactait toujours ma mère dès son arrivée à destination, cette fois-là, ce fut le silence.

Quelques jours plus tard, le téléphone a retenti en pleine nuit, c'était lui ; ma mère lui parlait, enfermée dans la salle de bains, en larmes. Il lui annonçait qu'il ne reviendrait plus jamais. C'est du moins ce que j'ai compris.

Par la suite, mon père étant considéré officiellement comme un déserteur, nous sommes tombés en disgrâce auprès des autorités. Dès que l'absence de mon père a été remarquée ont commencé pour nous plusieurs années d'incertitude. Nous étions surveillés et notre téléphone était sur écoute.

Voyez-vous, l'Algérie, pays aux valeurs socialistes (ça sentait le cigare cubain à plein nez) ne pouvait concevoir que l'on veuille fuir pour essayer de mieux vivre ailleurs : on ne peut pas quitter le meilleur pays du monde ! Un pays dont les valeurs sont celles de l'égalité entre tous (pas toutes, juste tous). La devise du pays était d'ailleurs *Mina el chaâb wa ila el chaâb*, ce qui veut dire « du peuple au peuple ».

C'est noble et beau, tout ça, mais la réalité était tout autre.

Ils – je ne sais même pas qui ils étaient – ne pouvaient imaginer non plus que nous puissions, ma mère, mon frère et moi, avoir été nous aussi trahis par mon père. Nous ne pouvions qu'être complices. Alors ils écoutaient toutes nos conversations téléphoniques, même si, à l'époque, elles devaient se résumer à nos problèmes financiers.

Une voiture nous suivait partout. Nous étions vraiment espionnés sans relâche.

Ma mère était parfois emmenée en voiture, les yeux bandés, pour subir un interrogatoire dans un endroit inconnu. Ils pensaient peut-être qu'en lui faisant peur, elle avouerait tout, mais il n'y avait rien à avouer, rien à dévoiler, elle ne savait rien du tout. Elle nous racontait toutes ces péripéties à son retour et je la voyais un peu comme une héroïne.

En écrivant ces lignes, j'ai comme l'impression de revivre un film de suspense. Heureusement, cet espionnage n'a duré que quelques mois. L'Algérie a sombré, en 1988, dans bien trop d'autres perturbations politiques et sociales pour qu'ils continuent à faire grand cas de nous.

Comment dire tout ce que cette année-là a pu représenter dans ma vie ?

Un choc après l'autre, des bouleversements incessants, aucun répit, voilà ce qu'il m'en reste.

Pour ajouter au stress, ma mère perdait peu à peu sa douceur. La vie l'ensevelissait dans la douleur, alors elle perdait patience avec nous. Ce n'était pas tellement de sa faute, je ne pense pas, mais ce qu'elle ne faisait jamais avant, la peine le lui a fait faire ces années-là. Elle ne se contrôlait plus et la moindre gaffe nous faisait mériter de bonnes corrections.

Ça faisait mal... Bien plus au cœur qu'à la chair. Je passais mon temps à défendre mon frère en essayant de lui éviter les raclées, pour me retrouver à prendre les coups à sa place. Je ne pouvais même pas en vouloir à ma mère qui, à tout coup, prise de remords aussitôt, venait s'excuser, le cœur déchiré, en pleurs, inconsolable d'avoir osé lever la main sur ce qu'elle avait de plus précieux au monde, nous.

Je me souviens d'une fois en particulier. J'étais dans le salon, avec de gros écouteurs, version 1980, sur les oreilles. J'écoutais de la musique, je me détendais. Mon frère arriva et décida de jouer du piano avec enthousiasme. Il a vite abandonné toute délicatesse et s'est mis à jouer avec force. Il voulait sans doute me faire rager, mais ce n'était pas par méchanceté, il n'avait aucune méchanceté en lui, en fait, mon frère a toujours eu un cœur d'or. En fait, il s'amusait juste à jouer super bien son rôle de petit frère chiant à ses heures.

Donc, le voilà qui se met à jouer du piano fortissimo. J'ai voulu lui demander d'arrêter de jouer – j'étais quand même là, moi aussi et j'y étais avant lui –, mais avec les écouteurs sur les oreilles, je ne me suis pas rendu compte que j'étais loin de murmurer.

J'ai dû crier plutôt fort, sans le vouloir, et puis vlan !

Je me souviens d'avoir vu ma mère apparaître brusquement à l'entrée du salon. Elle s'est penchée pour ramasser quelque chose sur le sol. Puis, j'ai vu soudain sa pantoufle approcher à la vitesse grand V de mon visage. C'est drôle, je sais que ça allait vite, mais en même temps, je voyais tout comme au ralenti. Un peu comme dans le film *The Matrix* dans la scène où Keanu

Reeves évite la balle de son adversaire en se penchant vers l'arrière, dou-ce-ment.

Avant d'avoir eu le temps de dire ouf... paf ! La pantoufle en plein visage ! Ce n'était même pas de ma faute, et voilà que maintenant, j'avais terriblement mal au nez !

Ma mère est repartie aussitôt, sans un mot.

Ça avait réglé le cas.

C'était clair, ça l'a toujours été... Maman n'aimait pas le BRUIT. Il ne fallait pas faire de bruit en marchant, en mangeant, il ne fallait pas respirer trop fort, ne jamais attraper une chaise un peu brusquement, mais la soulever sans bruit et ne pas la reposer trop violemment.

Et que dire du *chewing gum* ? Ne vous avisez surtout pas de mâcher du *chewing gum* devant maman...

Le pire, avec tout ça, c'est qu'après avoir tant souffert de ce silence forcé, je suis maintenant devenue comme ma mère : les bruits, surtout les plus petits, les plus infimes, me rendent complètement dingue. Il faut vraiment que je me concentre, que je respire profondément pour m'empêcher de sauter sur les gens qui en sont l'origine.

Au fond, il s'agit toujours de savoir garder son contrôle. Je me dis souvent : Lynda, vivre et laisser vivre. Puis je pense à autre chose comme la plage, la mer, les mouettes... Mais Dieu que ça en fait du bruit, des maudites mouettes !

Ma mère, mon frère et moi étions malgré tout très proches, tissés serrés comme on dit au Québec.

Et nous n'étions pas que trois à former le tissu du cocon familial, nous étions quatre à être tissés serrés... Il y avait aussi ma tante, Moumou, le quatrième maillon de notre petit réseau, le plus solide de tous. Une chance qu'elle ait été là dans ces moments de chaos.

Ce même été 88, c'est avec elle que nous l'avons fini. Ma mère était si mal qu'elle prenait des calmants pour oublier sa peine et les durs coups de la vie. Moumou l'a convaincue de reprendre un petit appartement au bord de la mer où elle nous emmenait nager et voir des spectacles, le soir, dans le superbe Théâtre de verdure. Pendant que ma mère, elle, passait ses journées à pleurer et dormir. Il est dur de se ressaisir quand, en plus de toutes les difficultés de la vie, on se sent aussi profondément trahie.

Le 5 octobre 1988

Dans une cité militaire, comme celle où nous habitions, tout se sait plus vite que dans aucun autre microcosme.

Alors quand ma mère, au matin du 5 octobre 1988, juste avant de nous envoyer, mon frère et moi, à l'école, nous a assis pour nous parler de la situation sérieuse dans laquelle se trouvait le pays, nous avons bien écouté. Elle nous a dit que des gens étaient mécontents, vraiment fâchés, et qu'il se pouvait qu'ils fassent du bruit, qu'ils manifestent. Alors, s'il y avait le moindre danger, il fallait absolument qu'à l'école, mon frère et moi, nous nous retrouvions pour rester ensemble. Surtout ne pas quitter l'école, quoi qu'il arrive. Elle nous répétait que quoi qu'il arrive, quels que soient les délais, elle trouverait le moyen de venir nous chercher.

Sa prédiction s'est vite réalisée. Le jour même ! Notre classe a soudain été interrompue par des cris lointains et des bruits que je ne connaissais pas à l'époque, mais que j'ai vite appris à craindre, des bruits auxquels on ne s'habitue jamais : le son des balles qui déchirent l'air. Et j'ai senti monter en moi cette peur panique de perdre tous ceux que j'aime. Le professeur nous a demandé de nous coucher par terre, sous les bureaux, ce que nous avons fait ; mais en moi, je portais la promesse faite, ce matin-là, à ma mère : trouver mon frère, prendre soin de mon frère. Il devait avoir tellement peur, le pauvre ! Ma salle de classe était au niveau de la cour de récréation, elle était indépendante du grand immeuble de l'école. Notre fenêtre donnait sur la rue et pour la première fois, ce n'étaient pas des pigeons que je voyais prendre leur envol, mais des cocktails Molotov que nous voyions passer devant nos vitres. Une vision d'horreur que je garde encore en moi.

J'ai réussi à convaincre mon professeur de me laisser aller chercher mon petit frère : ça sert d'être la chouchoute des profs, l'élève modèle. Il a acquiescé, effrayé. Je suis partie en trombe, j'ai trouvé mon frère terrorisé et je l'ai gardé avec moi.

Je ne sais combien de temps nous sommes restés là, tous seuls dans cette frénésie, cette tornade sonore incompréhensible. Tout était comme suspendu dans les airs, les cris, les balles, l'odeur du caoutchouc des pneus qui brûlaient par dizaines dans la rue ; j'étais absolument terrorisée, mais prise d'un sentiment tout nouveau, une excitation face au danger qui m'était jusque-là parfaitement inconnue.

Je priais pour que ma mère arrive, pour qu'elle nous trouve et nous ramène à la maison. Soudain, la maison, cet endroit où j'avais entendu tant de cris, connu tant de tristesse et d'angoisse me semblait un refuge, un abri calme, presque un havre de paix. Je voulais vraiment plus que tout me retrouver avec mon frère et ma mère à la maison, en sécurité.

Mais ma mère, elle, était-elle en danger ? Allait-elle arriver à nous retrouver ? J'étais désemparée, je cherchais du regard, partout autour de moi, les visages familiers, mais je devais sans doute avoir moi-même les yeux effrayés d'une proie, une proie menacée par un monstre invisible. Je me demandais comment allait ma tante, elle aussi. Était-elle en sécurité ? Voyait-elle, au même moment, ce que nous étions en train de voir ? Allait-elle venir nous rejoindre à la maison ? Allions-nous y arriver vivants ?

Mais où était donc maman ?

Alors est montée dans mon âme la prière de toutes les prières : Seigneur, faites que ma mère soit encore en vie !

Enfin, maman arrive. Mais ce n'est pas maman, c'est une louve ! Elle se faufile parmi les gens, n'a pas le temps de nous serrer dans ses bras, elle doit d'abord nous sauver la vie. Elle nous tire, nous happe, nous pousse vers notre minuscule voiture. Mais il n'est pas question, non plus, de laisser là les quelques enfants qui habitent aussi la cité. Nous nous entassons donc à plusieurs dans l'auto. Ma mère lance les sacs à dos, ramassés rapidement autour de nous, dans le coffre de la voiture et nous voilà partis vers chez nous.

En chemin, nous découvrons, pour la première fois, cette scène qui se reproduira maintes fois dans les années qui suivront. Des gens qui courent dans toutes les directions, des voitures à moitié brûlées, quelques commerces aux portes arrachées et aux fenêtres cassées, des policiers qui donnent des coups de matraque à des gens, sans même savoir qui ils sont, au hasard, à l'aveuglette. Et par-dessus tout ça, le hurlement quasi constant des sirènes.

Mais quelle est donc cette folie ? D'où vient-elle ?

Il n'y a plus d'ordre, le calme a disparu pour faire place à une étrange latence. Tout le monde attend que quelque chose se passe. Que cela éclate ou que la situation se règle.

En arrivant à la cité, nous nous sommes réfugiés à la maison et ma mère a pris aussitôt la poudre d'escampette pour aller chercher quelques denrées à la coopérative militaire, à deux pas de chez nous. Tout le monde semblait s'être donné le mot, il ne restait plus grand-chose mais nous aurions au moins de quoi nous nourrir pour la semaine suivante sans avoir à quitter notre château fort. Ce ne serait pas le grand luxe mais nous ne crèverions pas de faim. Nous ne crevions jamais de faim, d'ailleurs, quelles que soient les circonstances, mais là, nous en aurions pour quasiment une semaine de lentilles et de mijotés de pommes de terre, ce plat qu'on appelait *chtitha batata* (la petite danse des patates). Les légumes et les fruits frais du marché auxquels nous étions habitués ne seraient pas du menu, cette semaine-là. Qu'importe ! Tout plutôt que de sortir de la cité, j'avais vraiment trop peur.

Pendant quelques jours, pas d'école ; cette situation ne faisait pas mon bonheur, moi qui aimais tant l'école. Je me suis résignée à jouer avec les enfants de mon âge en attendant le retour à la normale.

Ce retour se fera attendre. Et même, on peut dire qu'il n'arrivera jamais. C'était une illusion de croire qu'il y aurait un retour à la normale, je le sais aujourd'hui, mais sur le coup, cela faisait du bien d'y croire.

Seul petit îlot de normalité, dans le désordre et la folie ambiants, ma voisine Leila qui venait nous demander des œufs. Comme quoi, la vie était plus forte que tout...

Ma mère a pris le téléphone pour appeler ma grand-mère, ma petite Mani. Elle était inquiète, car elle venait d'apprendre qu'il y avait des manifestations en plein centre-ville d'Alger, à la Grande Poste, là où ma Mani habitait, seule. Ma mère n'a fait ni une ni deux et hop ! nous voilà déjà à nouveau dans l'auto, en chemin vers chez elle. En route, c'était le chaos, et c'était encore pire à l'arrivée chez Mani.

Il y avait tant de cris ! Je ne sais pas ce qu'ils disaient, mais le vacarme était épouvantable. Parmi les cris indistincts, un mot se détachait, un mot clair comme de l'eau de roche et tranchant comme du corail. Un mot que j'entendrai souvent à partir de ce jour-là. Un mot qui voulait tout dire, trop, peut-être. Un mot qui semblait exiger beaucoup, même si ce qu'il demandait n'était finalement pas si compliqué. Un mot que j'entends encore avec l'accent de ce jour-là : « *Dimocratiya* », démocratie !

Nous nous sommes retrouvés devant le grand immeuble de Mani et c'est à toute vitesse que nous avons grimpé les six étages qui menaient chez elle. Au dernier étage, dans son petit appartement, nous avons trouvé ma grand-mère fort agitée. Une abeille bourdonnante ! Elle avait peur, c'est sûr, mais elle nous assurait ne rien craindre. Après tout, elle avait connu la guerre d'Algérie, la vraie, celle qui avait libéré le pays du joug français. Il lui en fallait plus que ça pour être troublée. Elle semblait cependant oublier qu'elle avait vieilli depuis ce temps, et que se retrouver seule était devenu très lourd pour elle.

Sur ce, un de mes oncles maternels est arrivé, presque sur nos talons. Il avait éprouvé les mêmes inquiétudes que nous, je crois. Ma grand-mère nous a proposé de prendre un café avec elle... Je ne me souviens plus de ce que nous avons fait ensuite. L'avons-nous pris, son sublime café ? Et quoi d'autre encore, des crêpes au beurre et au sucre tant qu'à y être ? Les crêpes au sucre et au beurre de Mani, quel délice ! Un vrai plongeon dans le plaisir. Que ne donnerais-je pas pour me retrouver attablée devant une de ces merveilles qu'étaient les baghrir de Mani... En compagnie de la merveille des merveilles, ma Mani elle-même.

Mon oncle a réussi à convaincre maman de rentrer à la maison avec nous. Nous ne pouvions rien y faire, disait-il. Pensions-nous donc pouvoir calmer les centaines de personnes qui vociféraient en bas, dans la rue ? Il avait raison, mais Mani ? Mon oncle nous a rassurés, il prendrait soin de Mani et ne la laisserait seule que si tout rentrait dans l'ordre. Et puis, il y avait toujours les voisins. Jamais les voisins ne laisseraient quoi que ce soit arriver à la hadja, comme tous l'appelaient.

Nous nous apprêtions à partir quand des bruits sourds se sont fait entendre. Comme des balles, mais en plus sourd. C'était quoi ça ? Nous avons rampé furtivement sur la terrasse pour voir ce qui se passait en bas. Nous avons alors compris que ces bruits provenaient de grenades lacrymogènes. L'odeur a tout de suite commencé à nous prendre à la gorge, mais pas assez pour nous inquiéter.

Mon oncle nous a accompagnés jusqu'à la voiture pour notre sécurité et est ensuite retourné rejoindre grand-mère.

C'est là que pour la première fois, j'ai senti toute la puissance du gaz lacrymogène : je n'arrivais plus à respirer, j'avais la gorge et le nez en feu. Jusqu'à aujourd'hui, si je me concentre, j'arrive encore à sentir cette odeur, tant elle est restée imprégnée dans ma mémoire.

Mon oncle, voyant la souffrance qui se peignait sur mon visage, a exhibé un mouchoir en tissu imbibé de vinaigre qu'il m'a fait placer sur mon nez. Je crois que des gens autour de nous avaient prévu le coup. Mais je n'y voyais strictement rien, tant mes yeux étaient brouillés de larmes.

Ça brûlait tant et si fort que l'effet a duré au moins deux heures.

De retour à la maison, j'étais terriblement inquiète pour ma grand-mère restée chez elle. Elle était seule au centre-ville, au cœur des manifestations, au milieu de la peur. Elle me semblait si vieille, j'avais peur qu'elle ne s'étouffe et perde la vie, abandonnée dans son sixième. J'avais peur que des fous ne défoncent – sans trop de mal, sans doute – sa porte pour faire irruption chez elle et la terroriser.

Nous avons fini par l'appeler et, oh soulagement ! mon oncle y était encore et prenait soin d'elle. Mani allait bien.

Tout bien réfléchi, si quelqu'un avait débarqué chez elle... bonne chance à lui ! Mani était une battante, pleine de ressources surprenantes. Je suis persuadée que le malheureux n'aurait pas survécu !

Depuis cette mésaventure qui a marqué mon enfance, je n'ai plus jamais pensé aux manifestations de la même façon ; j'ai toujours gardé dans ma mémoire olfactive l'odeur du gaz lacrymogène. Et aujourd'hui, quand je vois aux nouvelles des gens, n'importe où dans le monde, qui manifestent pour une raison quelconque et sur lesquels on lance des grenades lacrymogènes, je tressaille et suis prise aussitôt de nausées.

En ce temps-là, les événements malheureux liés aux manifestations ou aux attentats terroristes étaient quasi hebdomadaires.

Et le virage à l'islamisme radical a été fulgurant !

De plus en plus de femmes portaient le voile. Pourtant le puritanisme arabe faisait déjà en sorte qu'en Algérie, les femmes étaient quand même vêtues, en règle générale, plus que décemment. On était vraiment très loin de l'exhibitionnisme. Dès que l'on sortait le moindrement des grandes villes, les femmes portaient souvent la djellaba, une longue robe traditionnelle avec ou sans capuchon.

N'était-ce pas être déjà assez couvert ?

Mais non, ce n'était pas encore assez, il fallait désormais cacher le visage au complet !

Chaque jour apportait son nouveau lot de têtes voilées, à l'école. Même les profs les plus coquettes succombaient à la pression, à cette mode insensée de croire que le Seigneur nous demande de nous cacher. Parce que nous, femmes, sommes tentation, que la tentation, c'est celle du sexe et que le sexe, c'est sale, c'est le mal, c'est l'ennemi !

Mais comment avons-nous pu en arriver là, à faire que la femme, rien qu'à être ce qu'elle est, naturellement, sans provocation, soit automatiquement associée au mal ?

De plus en plus, les regards qu'on lançait aux femmes qui n'étaient pas voilées, même les plus discrètes, devenaient haineux. On nous haïssait parce que nous ne cédions pas, que nous ne nous soumettions pas. Du moins, pas encore.

L'oppression à l'école

Un changement d'administration avait eu lieu dans mon école. Le nouveau directeur, clairement d'allégeance intégriste, nous avait fait savoir à toutes (étudiantes comme professeures) qu'avec lui, nous allions en baver : on ne tolérerait plus les jupes courtes – court, pour lui, voulait dire au genou – ou les leggings. Nous nous sommes réunies, plusieurs copines et moi, pour en parler dans la cour de l'école. Pas question de céder à ce vieux rétrograde qui voulait nous empêcher de vivre. La solution ? Toutes en jupes ou en leggings demain ! Les jupes les plus courtes possibles !

Le lendemain, je crois bien qu'il a failli avoir une crise cardiaque, le vieux censeur qui voulait régenter notre façon de nous habiller et d'être nous-mêmes ! La consigne avait été suivie : nous étions plusieurs en jupes courtes et nous le voyions rager dans son immense barbe de taliban.

Cette petite victoire nous a fait tellement plaisir ! Hélas, une bataille n'est pas la guerre et nous allions, malheureusement, perdre bien des combats dans les quelques années à venir.

Mésaventures urbaines – trois inconscients dans les rues

Malgré la gravité de la situation, au début de cette calamité terroriste, nous ne prenions pas encore la chose avec trop de sérieux. Peut-être était-ce l'innocence de la jeunesse, la naïveté propre à cet âge, mais je n'avais pas l'impression que cette folie allait durer.

Même quand l'armée a envahi les rues, je n'y ai pas cru : c'était tellement surréaliste que nous prenions ça, mes amies et moi, à la rigolade.

Je revois encore cette arrivée de l'armée qui avait suivi le soulèvement d'octobre 1988.

Pendant la nuit, un grondement infernal, un bruit que nous n'avions encore jamais entendu, avait réveillé la plupart des habitants de la cité. Mon frère et moi n'avions pas bougé, nous dormions sans doute à poings fermés. Mais on nous a raconté la scène.

Tous les chars d'assaut qui allaient occuper la capitale semblaient être passés, cette nuit-là, dans la rue qui longeait notre cité. Les gens n'avaient jamais vu un tel défilé. C'était à la fois menaçant et rassurant, effrayant et captivant.

Car nous avions beau être effrayés par le déploiement d'une telle armée, nous nous disions que nous ne risquions rien, que nous étions à présent protégés et que les gens « fâchés » dont ma mère nous parlait ne pourraient pas nous toucher, tout cela finalement nous rassurait.

Mais le lendemain de l'arrivée des chars, la route n'était plus qu'une passoire. Les chenilles des tanks avaient dessiné de tristes dunes sur l'asphalte. Elles formaient des bosses qui rendaient la circulation automobile cahoteuse.

Notre cité était littéralement entourée de tanks !

Dieu merci, nous étions ainsi effectivement à l'abri dans une quasi-forteresse. Le gouvernement n'allait tout de même pas laisser des militaires et leurs familles en situation de vulnéra-bilité ! Il n'y avait aucun moyen pour quiconque de franchir la barrière de ces soldats, mitraillette à l'épaule, dans la tourelle de leurs tanks.

Nous n'avions pas le droit de leur parler, ç'aurait été les détourner de leur mission. Mais ils ne se gênaient pas pour reluquer les filles et passer des commentaires.

Je crois qu'au début, des femmes de la cité leur avaient mijoté des petits plats, mais ces délicates attentions ont pris fin à un moment donné : les soldats craignaient, semble-t-il, de se faire empoisonner. Il faut dire que c'était peut-être une crainte légitime.

Ces hommes-là auraient pu tuer père et mère si on leur en avait donné l'ordre. Exactement comme les terroristes. D'ailleurs certains terroristes avaient effectivement massacré des membres de leur famille.

Quoi qu'il en soit, on ne sortait de la cité que si l'on ne pouvait pas faire autrement.

Mais l'être humain s'habitue à presque tout, même à vivre dans la peur. Alors, au fil du temps, nous avons un peu oublié la situation exceptionnelle dans laquelle nous étions pris.

Ma mère écoutait constamment les nouvelles à la radio. Un jour, elle nous a annoncé qu'il y avait une manifestation du FIS (Front islamique du salut) à Bab El Oued, le quartier peut-être le plus populaire d'Alger. Et elle a ajouté : « On va voir ? »

Nous sommes allés voir... C'était à peu près le pire endroit où aller faire un tour d'auto, quand on est une femme au volant avec deux enfants !

Mais dans ma tête, je voulais tellement savoir de quoi avaient l'air ces rassemblements d'extrémistes que j'aurais été partante, même si j'avais mieux su ce que nous risquions.

Alors nous voilà partis, trois parfaits insouciants, dans une petite Renault 5. Peut-être était-ce une Fiat, d'ailleurs, je ne me souviens plus. Mais peu importe la marque, c'était, en tout cas, une toute petite voiture, quelques planches de métal sur roues.

L'auto filait vers l'objet de notre curiosité, nous étions tout excités.

Nous sommes arrivés à destination, c'était une grande place avec un énorme rond-point au centre, mais on ne le voyait pas, tellement c'était noir de monde. La chaussée, elle, était complètement déserte. Pas une seule voiture à la ronde. Qui aurait été assez fou pour venir se fourrer dans un tel guêpier, à part nous ?

Nous nous sommes retrouvés très vite entourés d'extrémistes. C'était pour moi une véritable vision d'horreur ! Il y avait des hommes à longues barbes et des femmes couvertes d'un voile noir de la tête aux pieds. Même leur visage était caché !

Et de cette foule émanait une telle énergie de rage !

Notre petite auto blanche roulait tranquillement au milieu de ces débordements de haine quand ma mère, brusquement, a ouvert sa fenêtre, sorti la main et s'est mise à saluer la foule à la façon de Lady Di, avec un large sourire. Certains des manifestants, les plus excités, voyant passer une femme au volant, et qui en plus avait le culot d'attirer l'attention sur elle, ont commencé à hurler vers nous, les yeux remplis de haine.

Prenant conscience de la réaction qu'elle avait involontairement déclenchée, ma mère a vite appuyé sur l'accélérateur et aussitôt nous voilà loin de tous ces excités, loin de la mort, même, peut-être.

Mais, cette journée-là, nos mésaventures ne faisaient que commencer.

Nous avions pris l'habitude, quand mon père était encore parmi nous, de passer en arrière du ministère de la Défense nationale pour rentrer à la maison. Une petite rue sinueuse, comme beaucoup d'autres à Alger, mais qui nous faisait économiser du temps. Or voilà qu'à cause du regroupement d'excités qui s'agitait plus loin, on avait dressé un barrage militaire à l'embranchement et notre petite rue était barrée.

Sur un signe de l'officier en charge, ma mère a commencé à ralentir ; nous étions plusieurs voitures en ligne pour une vérification de papiers, je crois. Mais tout d'un coup, je ne sais pas ce qui s'est passé, ma mère avait dû décider qu'elle n'en ferait qu'à sa tête et que rien ne pouvait nous arriver. Toujours est-il qu'au lieu de s'arrêter, elle a accéléré de nouveau pour contourner la barrière et reprendre la route qu'elle avait l'habitude d'emprunter.

Les soldats faisaient de grands signes pour qu'elle s'arrête. Ils lui criaient à tout rompre d'arrêter, mais rien n'y faisait.

Mon frère criait, je criais, tout le monde criait...

Et tout d'un coup, des balles se sont mises à siffler autour de notre petite voiture. Mon frère et moi étions tétanisés. Je le regardais, assis sur le siège arrière, il était vert, on aurait dit qu'il allait vomir tellement il avait peur.

Que s'est-il passé après ?

Eh bien, rien ! Nous avons tout simplement poursuivi notre route. Les militaires ne nous avaient pas poursuivis.

Nous avons fini par en rire, mais sur le coup, c'était loin d'être drôle.

Le hidjab à l'école

Les jours se suivaient, mais ne se ressemblaient pas du tout. Tout changeait. Tous changeaient.

Comme je l'ai dit plus haut, de plus en plus de femmes, de jeunes filles et pire, de fillettes, se voilaient.

Elles se voilaient graduellement.

Les cheveux d'abord. Quelque chose de discret. Un petit voile coquet qui ne changeait en rien l'accoutrement que l'on portait pour aller à l'école. Je dis accoutrement parce que forcément, quand on est jeune et qu'on est obligé de porter un tablier, comme ceux des chercheurs dans les laboratoires, on finit par en avoir assez de ressembler à la fille d'à côté. C'est d'une monotonie, tous ces étudiants avec des tabliers ! C'était un autre effet de l'esprit socialiste : tous pareils, tous au même point. Aucune originalité. Conformité, égalité, ennui.

Alors ça a commencé par un petit voile coquet. Puis un voile un peu plus sobre et plus austère dans ce qu'il peut inspirer. Et on a fini par ajouter le vêtement long qui cache tout le corps.

C'est ainsi qu'est arrivé le djilbab. Un tissu de couleur sombre, presque d'une seule pièce, qui va de la tête aux pieds. Pour moi, le djilbab est un vêtement infiniment triste. Je ne vois pas une femme en dessous du djilbab, je vois un être humain qui ne s'aime pas.

Au djilbab déjà très couvrant, se sont ajoutées bientôt quelques options pour prouver encore plus à ceux et celles qui nous entouraient que nous étions dans la voie du Seigneur ; j'ai nommé le cache-menton et les gants.

On dit que la femme doit se cacher pour ne pas tenter le sexe opposé. Mais de là à cacher un simple menton ! Il aura beau être le menton le plus sexy du monde, je ne vois vraiment pas qui pourrait s'exciter devant un menton.

Les mains, c'est autre chose. Il existe, c'est vrai, un fétichisme des mains, mais il est très loin d'être aussi répandu que la bêtise humaine. Pourtant, les imbéciles, eux, on ne les cache pas !

Au moins le fétichisme des mains et des pieds a-t-il une certaine classe, enfin, je le crois. En tout cas, moi, je comprends ce genre de fétichisme !

Mais au fait, nous devrions peut-être aussi voiler les chèvres pour qu'elles n'excitent pas tous les zoophiles de la planète. Pas la peine de faire la grimace, tout le monde sait que la zoophilie existe et que c'est un phénomène même assez répandu.

Quoi qu'il en soit, cacher les chèvres ne servirait à rien et puis, on n'en finirait plus de cacher des choses si l'on devait masquer tout ce qui est susceptible d'éveiller le désir. Ce n'est pas la solution : les gens parviendront toujours, par la force de l'imagination, à se trouver des sources d'excitation, même les plus inattendues.

Mais revenons à nos moutons, ou plutôt à nos chèvres.

Après l'option cache-menton et gants, il y a eu le niquab. C'est un petit voile foncé qui vient cacher tout le visage de la femme sauf ses yeux.

Sans doute la chose peut-elle s'avérer pratique en pleine tempête de sable, dans le désert, ou lors d'une grosse tempête de neige au pôle Nord, mais dans la vie de tous les jours ! Je ne peux pas supporter, quant à moi, d'avoir quelque chose sur le visage. Le moindre cheveu sur la joue ou la bouche m'énerve au plus haut point, alors un voile ? Non merci, sans façon !

La ligne est mince, très mince, après ça, pour atteindre enfin la perfection aux yeux de ces intégristes qui voient en la femme un péché. Quand je parle d'intégristes, je parle de ceux que connaissent, malheureusement, toutes les religions : il y a des extrémistes dans toutes les doctrines. Aucune n'y échappe.

Quoi qu'il en soit, chez nous, cette ligne, ce pas à franchir prenait la forme du voile intégral.

De la femme on ne voit plus rien. Plus rien qu'une ombre qui marche.

Sans identité, sans histoire, un corps sans forme. Ça pourrait même être un homme qu'on ne le saurait pas.

Une honte sur deux pattes. La honte d'être femme.

Une peur sur deux pattes. La peur de déclencher le désir.

Une responsabilité sur deux pattes. La responsabilité de l'honneur de la famille.

Ces femmes voilées mènent une existence censée ne déranger personne. Sans demandes, sans exigences, sans avis ni point de vue. Il faut qu'elles soient de bonnes filles, de bonnes épouses et de bonnes mères.

Et puis qu'elles meurent sans laisser d'autre trace que le fait d'avoir été la fille de... la femme de... la mère de...

Sur les photos elles seront le fantôme qu'on voit là, à droite ou l'autre, là, à gauche.

Incroyable, dites-vous ?

Et n'oubliez pas que nous sommes en 2011, pas en 411 !

Je m'inspire de cette chose que je considère comme une infamie, en ce moment même, pour écrire une chanson. J'espère qu'elle finira par voir le jour. Si c'est le cas, je l'appellerai *Ni putes ni soumises*, du titre de l'organisation française qui militait pour les droits des femmes dans les années 80. Vous aurez été témoins sinon de la naissance de cette pièce, du moins de son origine. Cette chanson sera le fruit de ma colère, de mon indignation.

J'ouvre ici une petite parenthèse, histoire de vous ramener par la pensée au moment de ma vie où je suis en train d'écrire les lignes que vous lisez présentement.

En ce moment, donc, j'écris ces lignes dans un lieu bien particulier, un lieu que je visite pour la seconde fois. Je suis au Parlement, à Ottawa. Nous sommes le 29 juin 2010, j'ai trente-deux ans depuis quatre jours. Nous sommes en répétition pour la fête du Canada et, comme cela m'arrive souvent, je suis arrivée trop tôt, de peur d'être en retard. Dans deux jours, je chanterai devant la reine Élisabeth II, pour la seconde fois. Pas mal, tout de même, pour une ancienne réfugiée politique !

Pourquoi vous ai-je tant parlé du hidjab, du voile islamique dans toutes ses déclinaisons (comme on dit en cuisine) ? Pour que vous compreniez à quel point voir une femme voilée me fait mal, même si aujourd'hui plusieurs des femmes de mes oncles portent le voile islamique. C'est viscéral, ça me chavire, ça me bouleverse.

Alors, quand dans le cours de mon histoire personnelle, j'ai dû porter le voile pour aller à l'école, j'ai ressenti cette obligation comme un échec. Comme si ma résistance avait été vaincue. Comme si je m'étais soumise.

Un jour, un bout de papier était apparu, en guise d'avertissement, sur la porte de la mosquée située juste en bas de notre cité. L'annonce disait, en gros, que les femmes et jeunes filles qui ne portaient pas le voile se mettaient en danger de mort. Ce qui signifiait que finalement, nous n'avions pas d'autre choix que de plier. Enfin, à vrai dire, non, on a toujours le choix, mais celui qui nous restait s'avérait assez déchirant, à cause de ses conséquences et de ce qui semblait, à l'époque, une issue inéluctable.

Alors, le voile ou la mort, mesdames ?

J'ai choisi le voile. Et pendant un certain temps, j'ai mis un voile léger sur ma tête pour aller à l'école et en revenir. Un voile que je m'empressais d'ôter, une fois arrivée en classe.

Une de mes amies s'était fait attaquer au couteau sur le chemin de l'école. Ses agresseurs lui avaient demandé si elle n'avait pas encore compris qu'il fallait porter le voile islamique. Ils l'avaient prévenue que ce n'était pour l'instant qu'un simple avertissement, mais que la prochaine fois, le couteau qu'elle voyait là allait lui trancher la gorge.

C'est en fait cette agression qui m'a convaincue de porter le voile. J'ai vraiment eu peur : je ne voulais pas mourir. J'avais trop à faire dans ma vie, trop de choses à vivre pour choisir la mort.

Heureusement, au bout d'un certain temps, le fameux bout de papier a été retiré des portes de la mosquée et le voile a mis... les voiles bien vite.

Des jeunes filles ont cependant continué à se faire enlever et d'autres, même, à se faire tuer.

L'histoire d'une fille en particulier, Katia, avait complètement chaviré le peuple algérien. Elle s'était fait tuer rien que pour une histoire de hidjab.

L'histoire de toutes ces femmes, filles et fillettes que l'on voile me déchire encore. Elles s'appellent Nadia, Hakima, Sabrina ou Selma, Hannane, Radia, Amina, Yasmine ou Sandra, Nassima, Leila... Elles s'appellent les oubliées.

Chapitre 5
Une jeunesse entre deux feux

Ma voisine Bachira, la crique, la discothèque, et encore la violence

Une des seules raisons qui me faisaient aimer la cité militaire, c'était ma voisine d'en haut, Bachira. Elle était de quelques années mon aînée et c'était un peu la sœur que je n'avais pas.

Pendant des années, elle m'a emmenée à la plage avec son groupe d'amis ; elle me donnait les vêtements qu'elle ne portait plus, et même les bijoux ! Elle me conseillait, m'écoutait lui parler de l'école, des bobos et problèmes qu'il y avait à être une jeune fille en Algérie... Toutes ces choses qu'elle connaissait déjà et qu'elle réécoutait, cette chère Bachira, simplement pour que j'aie quelqu'un à qui parler. J'ai eu beaucoup de chance de l'avoir !

Ensemble, nous allions à un endroit au bord de la mer appelé « la crique », une baie absolument extraordinaire. Tous les amis de Bachira étaient cool, ils parlaient cool, écoutaient de la musique cool. Moi, je ne me sentais pas cool du tout, mais c'était peut-être contagieux, qui sait ? Alors je mettais toutes les chances de mon côté pour essayer d'attraper le virus du cool, la moindre petite éruption de décontraction qui viendrait à passer près de moi.

Les rares personnes qui avaient la chance de connaître la « crique » étaient presque toutes des jeunes très ouverts et modernes. Toute une différence avec les plages populaires bourrées de jeunes frustrés et de femmes qui nageaient avec leur djellaba.

À la crique au contraire, on portait des maillots de bain très échancrés, les amoureux se collaient sans vergogne et les radios déversaient joyeusement de la musique actuelle, qui appelait à rire et à danser.

C'est avec Bachira, Babiche, comme je l'appelais, que j'ai découvert Tracy Chapman ! Aujourd'hui encore, entendre la chanson *TalkiN' 'Bout a Revolution* me replonge dans la voiture en direction de la belle crique avec Babiche qui chante à tue-tête en me traduisant les paroles.

C'est aussi avec beaucoup d'émotion qu'il m'arrive encore de chanter : « *You got a fast car, I want a ticket to anywhere...* » Une autre des nombreuses chansons qui composent l'album de ma vie !

Avec Babiche, ma mère, mon frère et sa bande d'amis, nous sortions dans des discothèques, le soir. Jamais très tard, mais assez pour que je me sente vivre à un rythme qui n'était pas le mien.

Ces discothèques étaient toutes à l'extérieur ; en fait, c'étaient des pistes de danse extérieures. Nous prenions du Coke et dansions sans arrêt. La musique était entrecoupée de cris et de hurlements de joie que les gens lançaient pour se défouler. Ils s'extériorisaient vraiment et je faisais comme eux. Dieu ! les bons souvenirs !

Cette frénésie de sorties avait commencé au cours des derniers mois où mon père était encore parmi nous, mais elle s'est amplifiée ensuite et a duré longtemps après sa disparition. En fait, avant de partir, mon père était sans doute tellement pris par les préparatifs de sa fuite qu'il n'a même pas dû se rendre compte que nous sortions tout le temps. Et son départ n'a fait que renforcer les liens qui nous unissaient, Babiche et moi. Car sa famille et elle nous soutenaient et nous consolaient souvent. Tous, sauf sa mère. La pauvre femme s'était fait tout un cinéma dans sa tête : elle était devenue excessivement jalouse de ma mère. Il faut dire que la mère de Babiche avait de gros problèmes de santé... mentale. Mais on ne pouvait pas trop lui en vouloir. Car qui ne développerait pas de problèmes mentaux dans un pays aussi difficile pour les femmes et où si peu de soutien psychologique était disponible pour celles et ceux qui en auraient eu besoin ? Ce qui est étonnant, dans ces conditions, c'est plutôt de réussir à rester sain d'esprit.

La malheureuse se retrouvait souvent à l'hôpital pour de longues périodes et elle a fini par divorcer et aller vivre je ne sais où.

Mais du temps qu'elle habitait dans la même cité militaire que nous, je me souviens d'avoir entendu des disputes interminables et des cris atroces provenant de chez elle, juste au-dessus de chez nous. En fait, la chambre de Babiche était juste au-dessus de ma chambre et malgré le béton, j'entendais chaque mot, chaque pleur et j'étouffais de tristesse à mon tour.

Un jour, un grand silence avait suivi les cris de Babiche.

Je pensais le calme revenu, mais j'étais bien loin du compte.

Bientôt, en effet, une ambulance était arrivée en bas de l'immeuble et des ambulanciers étaient accourus pour emporter Babiche. Elle venait de s'ouvrir les veines.

Triste sort que celui des jeunes filles dans les pays arabes : l'adolescence, surtout, ce temps où l'on aime tant s'amuser, se dépenser, faire toutes sortes d'expériences, y est particulièrement difficile à vivre, surtout si l'on est une fille. Dans ces pays-là, l'espoir et la patience de la jeunesse sont vraiment mis à rude épreuve.

Heureusement, Babiche a survécu.

J'étais, certes, soulagée de la retrouver, mais j'étais encore plus perturbée par ce dont elle venait de nous montrer qu'elle était capable. Je me disais que la prochaine fois, si elle devait le refaire, elle ne se raterait pas.

Après son divorce, nous espérions, mon frère et moi, que notre mère épouse le papa de Babiche. Tous nos problèmes se seraient ainsi évaporés. D'ailleurs, depuis un bon moment, Babiche avait pris l'habitude d'appeler ma mère « ma petite maman ». Cela ne me rendait pas du tout jalouse, bien au contraire, j'en étais ravie... C'était comme si elle était devenue ma sœur.

Mais ce rêve ne se réalisa pas. Son père épousa quelqu'un d'autre, à notre grand regret à tous. Nous étions un peu tristes, le jour des noces, mais nous y avons quand même assisté, politesse oblige.

Babiche ne s'entendait pas plus avec sa belle-maman qu'avec sa mère, alors elle passait toujours autant de temps avec nous, ce qui n'était vraiment pas pour nous déplaire.

Un abuseur dans la cité

Ma position ferme en ce qui a trait aux droits des femmes et des enfants et le ton plutôt vif que j'adopte toujours à ce sujet doivent peut-être sembler un peu exagérés. J'en ai conscience et d'ailleurs je n'hésite pas moi-même à me critiquer sur ce point. Je le fais, parfois, quand j'ai peur d'être jugée de l'extérieur. Quoi qu'il en soit, j'évoque souvent cette question des droits des femmes dans mes chansons et lorsque je donne des entrevues.

Il remonte à loin dans mon enfance, ce sentiment d'impuissance face aux femmes battues et aux enfants maltraités. D'aussi loin que je me souvienne, cette horreur de l'injustice et de la violence a toujours été présente en moi.

Mais il faut dire aussi qu'entre onze et douze ans, j'ai été... comment dire, afin que ce ne soit pas trop dramatique ?... disons harcelée par un voisin pervers, ou disons carrément le mot, un pédophile.

C'était un militaire haut gradé qui avait femme et enfants et qui était, en plus, devenu, avec son épouse, un ami de la famille.

Nous allions à la plage ensemble, je donnais des cours de piano à leurs enfants et ce monsieur, en plus, rendait souvent le service à ma mère de nous accompagner, mon frère et moi, à nos cours de solfège et de piano qui se déroulaient en même temps que ceux de ses enfants. Mais, comme je l'ai appris à mes dépens, il avait une bonne raison de se montrer aussi serviable.

Il ne se gênait pas pour me chatouiller la nuque, m'arranger mon chemisier ou me glisser la main sur la cuisse. Bien sûr, je repoussais sa main et, bien sûr, je faisais tout ce que je pouvais pour ne pas me retrouver près de lui, pour ne pas lui donner d'occasions de me toucher ou même simplement de me frôler.

Il n'attendait que ça, une occasion. Il était à l'affût de la moindre brèche pour s'approcher de moi et me murmurer à l'oreille des mises en scène détaillées de ce qu'il ferait avec moi, si je le voulais. C'était horrible !

Je devais croiser ce salaud plusieurs fois par semaine, me retrouver avec lui dans son auto pour des déplacements pendant lesquels nous étions souvent coincés dans des embouteillages, fréquents à Alger. Un vrai supplice !

Je me souviens plus particulièrement d'un après-midi à la plage où nos deux familles s'étaient retrouvées ensemble sur le sable. Ce loup de voisin me regardait du coin de l'œil, mine de rien. J'étais très mal à l'aise.

J'avais demandé à ma mère de venir nager avec moi et j'insistais pour qu'elle vienne, car je n'en pouvais plus d'être à côté de cet homme. Mais ma mère n'y voyait que du feu, elle n'aurait jamais pu imaginer ce qui était en train de se passer. Elle discutait innocemment avec l'épouse du loup. Quant à celle-ci, je suis persuadée aujourd'hui, au plus profond de mon cœur, qu'elle devait bien savoir ce qui se passait, la nunuche... Elle devait bien savoir que son époux était un malade, mais elle ne disait rien.

Ma mère, pour se débarrasser de moi et avoir une conversation tranquille avec son amie, m'ordonna alors, carrément, d'aller nager avec « tonton ». NON ! Je ne voulais pas, surtout pas lui, dans l'eau avec moi. Il aurait eu toutes les excuses du monde pour me tripoter partout et Dieu sait quoi encore...

Je lui ai répondu que je ne voulais plus nager, ou alors rien qu'avec elle, mais tout le monde insistait, y compris le loup, surtout le loup. Ma mère me faisait les gros yeux. Si je n'y allais pas, je risquais de devoir en subir les conséquences, de retour à la maison.

Donc, finalement, je cède et me précipite dans la mer, au plus grand bonheur du « tonton » pervers.

Je nage vite, je nage si vite qu'il n'arrive pas à me rattraper. Il m'appelle, mais rien n'y fait, je l'ignore, j'ai le courage de l'ignorer. Il essaie de m'attraper par le maillot, mais il ne parvient qu'à me frôler. Sitôt commencée, sitôt finie, ma baignade ! Je sors de l'eau, tout essoufflée. Ma mère réagit en me disant : « Quoi, déjà fini ? » Je lui réponds que je suis très fatiguée et c'est vraiment le cas : j'ai nagé vraiment très vite, de toutes mes forces. C'est épuisant de fuir un loup-garou !

Je m'allonge à côté de ma mère, si proche que nous sommes elle et moi cuisse contre cuisse. En voyant « tonton » sortir de l'eau, j'ai comme une nausée, mais je finis par m'endormir là, tout contre ma mère, en sécurité.

Quelque temps plus tard, ayant vu ma mère descendre les escaliers de l'immeuble, mon harceleur de voisin décroche son téléphone et m'appelle. Il vient de signer son arrêt de mort.

Il avait eu l'audace de me téléphoner à la maison ! En entendant sa voix à l'autre bout du fil j'ai cru mourir de peur. Je me suis sentie si seule, si vulnérable ! Mais je me suis dit aussi que cette fois, il était allé trop loin et qu'il allait me le payer. Je l'ai écouté encore une fois, une ultime fois, me dire comment il m'embrasserait et me caresserait. Il me demandait de descendre le rejoindre chez lui, son épouse n'était pas là, nous serions seuls.

Je n'en pouvais plus ! Je me suis mise à crier à tue-tête dans le téléphone que jamais plus il ne me toucherait, que j'allais tout dire à ma mère. Pour la gamine timide que j'étais, c'était un acte de courage immense dont je faisais preuve. J'étais enragée, et en même temps, j'étais fière de moi.

Ma mère est revenue à la maison peu après et avec toute la rage et toutes les larmes que j'avais cachées pendant tout ce temps, je lui ai tout raconté, absolument tout.

Elle était bouleversée. Elle n'arrêtait pas de me répéter à quel point elle était désolée de ce qui s'était passé. « Ça n'arrivera plus jamais, ma chérie, tu vas voir, plus jamais. Je vais le tuer, ce salaud, je vais le tuer ! » me disait-elle, en me serrant dans ses bras.

Elle a pris le téléphone et l'a appelé. Ce n'était plus ma mère que j'avais en face de moi, c'était une lionne prête à déchiqueter un loup.

J'écoutais, soulagée, tout ce qu'elle lui crachait au téléphone : « Salaud, pervers, tu es un homme mort si tu t'approches de ma fille. Tu n'auras plus rien, je te ferai dégrader, tu perdras tes galons. Tout le monde va le savoir et tu seras un homme mort ! Tu ne regardes plus mes enfants, tu changes de trottoir dans la rue quand tu les vois, t'as compris ? Tu ne lèves pas les yeux sur eux ou t'es mort ! »

J'étais si heureuse que ma mère m'ait crue ! Je ne lui avais jamais menti, il fallait qu'elle me croie. Nous nous sommes serrées longuement dans nos bras.

Cet épisode n'avait duré que quelques mois, mais ce fut suffisant pour que j'en reste marquée, jusqu'à ce jour. Il ne m'était rien arrivé de grave, enfin, rien de physique, mais dans ma tête, je suis demeurée comme brûlée un bon moment.

C'est ainsi qu'encore aujourd'hui, je sais pertinemment qu'il me sera toujours très difficile de confier mes enfants à un étranger. J'aurais trop peur de les jeter sans le faire exprès dans la gueule du loup !

Il m'est tout simplement difficile de faire confiance, point à la ligne.

Les loups sont partout ; et ils sont passés maîtres dans l'art du déguisement et de la manipulation.

La plage, mon petit ami et les sorties nocturnes

Peu importait la situation du monde autour de nous, j'avais quatorze, quinze, seize ans et j'étais habitée par cette soif de vivre propre aux adolescents. J'avais aussi l'inconscience déconcertante des jeunes qui n'ont peur de rien, quand les prend l'appel de la vie, le désir insensé de vivre toutes les expériences.

À l'époque, mes journées, mes semaines se déroulaient au rythme de l'école. J'étais si studieuse, si sérieuse ! Je voulais faire tant de choses ! J'étais compétitive, je l'ai dit : je voulais être la meilleure en tout, avoir des notes parfaites dans toutes les matières. En plus, je suivais des cours privés de chimie, de physique et de mathématiques, souvent en soirée.

Donc chaque jour, j'allais à l'école. Si je me souviens bien, les cours commençaient à huit heures ou huit heures trente et duraient jusqu'à seize heures trente ou dix-sept heures, et les cours privés se donnaient de dix-huit heures à vingt heures.

Avec un tel emploi du temps, il ne me restait plus beaucoup de temps pour les activités sociales ni pour les loisirs. Mais à l'époque, je ne pense pas qu'on pouvait même y songer quand on était une jeune Algérienne. On étudiait, c'est tout. Dans la semaine, on ne pensait pas à autre chose. Mais le week-end, par exemple...

Quand les devoirs étaient terminés, je me retrouvais souvent chez ma meilleure amie ou chez mon petit ami. Je passais souvent la nuit chez l'un ou chez l'autre. Oh ! n'allez rien imaginer... rien ne pouvait être plus innocent que ça.

Mais quand j'allais chez Souhila, ma meilleure amie de l'époque, nous passions nos soirées à écouter de la musique et à nous promener dans les environs. Sa famille habitait une belle maison avec un jardin plein de néfliers. Souhila avait sa chambre au deuxième étage et il n'y avait rien d'autre à cet étage-là, à ce moment du moins. Je crois qu'il était destiné à son petit frère quand il prendrait épouse un jour et devrait alors venir y habiter avec sa petite famille. En Algérie, les garçons ne s'en vont jamais très loin de la maison familiale.

Donc, Souhila habitait seule en haut et quand nous n'avions pas la permission de sortir, parce que les filles de bonne famille ne sont pas toujours dehors, nous passions notre temps à jouer au volley-ball dans le grand espace vide qu'était le salon.

Nous nous offrions aussi de longues séances de maquillage ou d'épilation à la cire, pour passer le temps. Nous écoutions des classiques pop copiés sur cassettes, des chansons des Eagles ou d'autres groupes de ce temps-là.

J'ai bien dû écouter *November Rain* de Guns N' Roses au moins cent fois !

Mais il nous arrivait aussi de sauter discrètement par-dessus le mur qui nous séparait des voisins d'à côté. Le jeune voisin était le cousin de mon petit ami – appelons-le Sam – et quand Sam était de passage chez son cousin, j'étais la première à vouloir sauter la clôture, comme on dit.

Nous nous rejoignions en secret, en bas du mur, pour nous embrasser. Encore un souvenir bien doux !

L'été, nous allions tous ensemble à la plage. Je n'ai aucun souvenir des personnes qui nous y conduisaient. Nous nous retrouvions souvent nombreux sur le sable. Sans le sou, mais une cigarette au bec, la plupart du temps.

Car même la sage fille que j'étais fumait déjà, en cachette. D'où venaient les cigarettes ? Je n'en ai pas la moindre idée, c'est le genre de détail insignifiant que je ne retiens jamais.

Nous passions nos journées d'été à la plage, à boire des Fanta à l'orange ou au citron et à parler, interminablement. Nous ne nous embrassions pas en public, jamais. Mais le seul fait d'être avec son petit ami était déjà en soi appréciable.

Quand ma mère m'autorisait à aller chez lui pour passer la nuit, elle n'avait nul besoin de me prévenir de ne pas jouer avec ma virginité. Je ne pouvais pas me permettre de folie. Je savais que dans certains endroits, on pouvait humilier, battre, et pire encore peut-être, une jeune femme qui n'était pas vierge le soir de son mariage. Et même si je ne comptais pas me marier, je n'en étais pas moins prudente. Du moins pour ça !

Pour le reste, en y repensant, je ressens un certain malaise et même un bon mal de ventre.

Voyez-vous, Sam était d'une témérité à toute épreuve et en plus, il avait une descente surprenante pour son âge, et je ne parle pas ici de Fanta.

Ses parents nous faisaient totalement confiance, surtout à moi. Ils nous laissaient sortir le soir pour aller en discothèque et revenir aux petites heures du matin. Et il y avait toujours des amis qui sortaient de je ne sais où, pour nous accompagner où nous voulions aller.

Le chemin vers la discothèque était long d'une bonne vingtaine de kilomètres et pouvait cacher bien des dangers. En fait, nous l'avons souvent échappé belle ! Nous aurions pu être arrêtés par un faux barrage, comme ceux que montaient les terroristes, au hasard sur les routes, pour y sélectionner des femmes à violer ou à enlever. Ils y tuaient aussi indistinctement hommes, femmes, enfants et vieillards.

Les barrages de militaires et de policiers présentaient, eux aussi, des risques. Comment, en effet, expliquer que l'on se trouve dans la même voiture quand nos cartes d'identité disaient clairement que nous n'appartenions pas à la même famille. Nous avons dû mentir une fois, arrêtés par les policiers, pour dire que Sam était mon cousin du côté de ma mère et que nous voulions juste sortir nous changer les idées. Je voyais clairement leurs regards d'oiseaux de proie sur moi. Je me souviens de cette fois-là en particulier, parce que j'avais l'impression qu'ils allaient me dévorer tout rond, dans ma petite robe d'été, avec le sel de la mer encore dans mes cheveux en guise de condiment. Leurs yeux affamés me faisaient peur.

Une de nos mésaventures restera à jamais gravée dans ma mémoire.

Nous allions danser et, ce soir-là, nous avions, les filles et moi, pris un peu trop de temps à nous préparer. C'était donc la course contre la montre : il nous fallait en effet arriver à temps pour pouvoir entrer dans la boîte de nuit avant le début du couvre-feu. Celui ci débutait à vingt-deux ou vingt-trois heures – mon souvenir me trahit sur ce point – et il se terminait à quatre heures du matin.

L'homme qui nous conduisait, pris de stress à cause du peu de temps qu'il nous restait, fonçait à vive allure sur l'autoroute. Je ne le connaissais même pas, cet homme, mais il devait être riche, car sa voiture était digne des magazines qui font rêver. Une autre voiture, prise de la même frénésie, s'était collée à la nôtre et entre le bruit infernal du moteur, le tintamarre de la musique qui jouait à fond et moi qui criais « ralentis, ralentis... », les deux bolides se sont mis à faire la course.

Sans qu'on en comprenne trop la raison, l'autre automobiliste s'est mis à serrer sur la droite et à essayer ainsi de nous faire sortir de la route. Nous n'en revenions tout simplement pas ! Pourquoi une telle rage ?

Par deux fois notre voiture a été poussée hors de la route. Par deux fois elle a réussi à y revenir. Finalement, l'automobiliste fou a disparu comme il était apparu. Nous avons respiré un bon coup en arrivant à destination sains et saufs.

Une fois à l'intérieur des discothèques, quoi qu'il arrive, il fallait y rester jusqu'à la fin du couvre-feu, en prenant seulement bien soin de se tenir loin de tout personnage suspect, de tout fauteur de troubles. Et Dieu sait s'il y en avait !

Dans ces endroits-là, les gens ne savent pas boire de l'alcool. Ils en sont tellement privés en tant normal que boire avec modération est pour eux quasi impossible, aussi ils en abusent et finissent par se saouler. Quand ils sont ivres, ils deviennent facilement violents, la soirée tourne alors au vinaigre et les bagarres se multiplient. Par chance, je n'ai jamais étais prise dans ce genre de situation.

Moi, tout ce que je voulais, c'était danser. La musique était si stimulante, je voulais juste danser et chanter. C'était quand même très sage, comme désir. Je n'étais intéressée ni par le sexe, ni par l'alcool, ni par la drogue. Rien de tout cela ! Pas question ! Mais danser, danser et encore danser ! Comme dans la chanson de Nanette Workman : « Et pour l'instant tout ce que je peux faire, et c'est nécessaire, c'est danser, danser. »

Le prix d'entrée de la discothèque nous donnait droit à une consommation alcoolisée. C'était en général un whisky coca. Oh mes amis, l'horreur ! Heureusement que, comme je l'ai dit, je n'étais pas là pour boire, mais pour danser. Je donnais tout de suite mon verre à Sam et je sautais sur la piste pour... quelques heures. Lui ne se gênait pas pour consommer plusieurs whiskies coca durant la nuit. Je n'en avais pas conscience alors, mais ce jeune homme avait déjà un faible pour l'alcool. Il avait un vide en lui qu'il remplissait de whiskies coca.

Le matin finissait par arriver. Épuisés, nous rentrions chez Sam. Nous étions plusieurs à dormir dans la même chambre ou sur la terrasse, quand il faisait chaud. Nous avions une copine, appelons-la Naila, qui était tout le temps avec nous et une autre jeune fille aussi que les membres de la famille de Sam avaient prise sous leur aile parce qu'elle n'avait personne dans la vie et que sans eux, elle se serait retrouvée à la rue. Elle était logée, nourrie, habillée et, en échange, elle les aidait dans les travaux ménagers. Ils disaient que c'était leur cousine.

Nous, les trois filles et Sam, sortions souvent ensemble pour aller en discothèque ou à la plage. En toute innocence. Dans un monde qui ne voulait pas de l'innocence et qui nous ramenait toujours à l'amertume et au danger. Il nous éloignait trop vite de l'enfance, de son allégresse et de son insouciance.

Un des moments qui m'aura le plus choquée, qui aura laissé une marque quasi physique dans ma chair, c'est la mort d'un des jeunes de ma cité. Laissez-moi vous raconter brièvement comment tout cela s'est produit...

Le fils du voisin déchiqueté par les balles

Une journée parmi tant de jours noirs de ce début des années 90, on entend des cris venant d'un des immeubles d'à côté. J'ai des cousines dans cet immeuble-là ; ce sont des cousines éloignées – leur mère était la sœur de la femme de mon oncle – mais la famille, c'est la famille, en Méditerranée. J'ai donc peur que quelque chose soit arrivé à un membre de ma famille.

Plein de gens accourent pour voir ce qui se passe. Moi, je reste figée à mon balcon. Je veux savoir, mais je ne veux surtout rien voir. J'attends les nouvelles et après quelques minutes, finalement on m'en donne.

Une famille voisine venait de perdre son seul garçon. Il était dans l'armée tout comme son père qui était commandant, je crois bien. Jeune soldat engagé dans la lutte antiterroriste, il s'était fait cribler de balles : il était évidemment mort sur le coup.

Le malheur dans tout ça, en plus de la perte d'une âme, c'est que ses parents étaient en voyage en Asie et ne pourraient assister à l'enterrement de leur unique fils. Leurs deux jeunes filles, un peu plus vieilles, étaient donc seules dans ce malheur.

Les pauvres parents ont reçu un appel leur annonçant que leur fils était mort assassiné ! Pouvez-vous imaginer leur vol de retour à la maison ? Une atrocité ! Personne ne devrait avoir à vivre une chose pareille.

J'ai fini par prendre mon courage à deux mains : je suis allée saluer les deux sœurs du malheureux et leur offrir mon soutien. Il y avait beaucoup de monde dans le petit appartement. Tout le monde pleurait, moi y compris. Tout le monde, sauf les deux sœurs. Je les avais toujours trouvées d'une grande beauté, mais ce jour-là, elles étaient ternes, sans vie, littéralement éteintes. Elles ne pleuraient pas, elles ne parlaient pas. En fait, depuis ce jour-là, je n'ai plus jamais entendu leurs voix. Je crois que le choc avait été si grand qu'elles en avaient perdu la parole.

Le terrorisme et ses histoires d'horreur

De façon régulière, des histoires affreuses venaient polluer notre vie. Où que l'on aille, des tueries nous étaient rapportées, des crimes et des monstruosités nous étaient racontés avec toutes sortes de détails sordides. On ne s'habitue pas à l'horreur, mais sans trop s'en rendre compte, on se retrouve à dire des choses du genre : « Il a reçu une balle dans la tête ? Au moins, ils ne l'ont pas torturé. » « Oh ! ils ont tué telle jeune fille ? Au moins, ils ne l'ont pas violée devant toute sa famille. »

L'être humain peut faire de si belles, de si grandes choses, mais il est aussi capable, malheureusement, d'actes de barbarie sans nom.

Les terroristes s'amusaient à attaquer en nombre de petits villages qu'ils occupaient aussi longtemps que l'armée n'intervenait pas. Ils attachaient fréquemment tous les membres d'une famille et, utilisant leur méthode de prédilection pour tuer, l'égorgement (les gens égorgés étaient ainsi purifiés et pouvaient malgré tout aller au ciel, pensaient-ils), ils les éliminaient un à un devant les yeux horrifiés de celles et ceux qui étaient encore en vie. On gardait aussi parfois les femmes pour en disposer de la façon que vous imaginez.

À l'école, on me parlait de bébés dont les terroristes avaient fracassé la tête contre les murs. De femmes enceintes éventrées. On m'a aussi parlé de cette femme qui avait reçu un sac contenant la tête de son mari.

Et les fameux linceuls ! Ces linceuls, ces fous les déposaient devant la porte des gens qu'ils comptaient éliminer. C'était le signe que l'on était les suivants. C'était devenu une phobie en ouvrant la porte... Et si j'allais y trouver un linceul ?

C'est avec toutes ces histoires enfouies quelque part dans des zones obscures de ma mémoire que je vis aujourd'hui. Chaque jour, je combats le côté sombre de l'humanité en souriant à mes enfants. Mais il m'est impossible d'oublier. Impossible de passer la moindre journée sans qu'une de ces images me traverse l'esprit et me gâche un moment de joie.

Mais il faut aller de l'avant, je le sais. On ne peut pas vivre en regardant toujours dans son rétroviseur, je le sais aussi. Et je ne veux surtout pas devenir un être triste, chargé de drames. Je ne veux pas être le rabat-joie qui rappelle sans cesse aux gens qu'ailleurs, ça va mal. Je veux plutôt que les gens prennent conscience de la chance qu'ils ont de vivre en sécurité et dans une abondance relative. Ce désir est profondément ancré en moi. Cependant, je ne peux pas empêcher la tristesse de souvent me monter aux yeux, je ne peux pas contrôler ma gorge qui parfois se serre. Je n'arrive pas toujours à maîtriser ces émotions négatives, du moins pour l'instant, mais j'y travaille. Et j'y arriverai, j'en suis sûre, un sourire à la fois.

Dans le contexte de l'époque, aller visiter la petite maison de ma grand-mère à Larabâa était quasi suicidaire. Le village était devenu au fil des ans un des fiefs des terroristes, des tueries s'y produisaient fréquemment. Alors nous n'y allions plus, à mon plus grand regret.

Un de mes oncles y habitait : il n'avait nul autre endroit où aller, alors il prenait le risque d'y vivre avec sa famille.

Le couvre-feu y était souvent instauré. Une fois, mon petit cousin, qui était alors tout bébé, avait fait une grosse fièvre durant la nuit. Mon oncle n'avait plus le choix, il devait absolument l'emmener voir un médecin malgré l'interdiction de sortir. C'est en tenant son fils à bout de bras qu'il a marché vers les chars en criant : « Ne me tuez pas, mon fils est malade, ne me tuez pas, je l'emmène voir un médecin. » Heureusement, personne ne leur a tiré dessus. Une bonne étoile veillait sur eux. Dieu merci !

La dure vie dans la cité

Notre vie au sein de la petite communauté de la cité militaire se déroulait au rythme des diverses menaces qui pesaient sur nous. Et d'abord, celle de perdre notre chez-nous.

Certes, quand on est la famille d'un militaire, le gouvernement nous fournit un logis gratuitement. Même si elle n'est accessible au robinet qu'à certaines heures, la consommation d'eau est également gratuite, ce qui n'est pas le cas partout dans le monde ; ici, au Canada, nous sommes des privilégiés et nous sommes probablement les seuls au monde à tenir l'eau pour acquise.

Il ne restait plus qu'à payer l'électricité et le gaz, ainsi que tout ce qui concernait la consommation personnelle. L'électricité coûtait cher, mais pas le gaz naturel que l'on utilisait l'hiver pour chauffer notre appartement, avec la vieille chaudière qui trônait dans le passage entre les chambres ; on se servait aussi du gaz pour cuisiner. L'Algérie possède dans son sous-sol une des plus grandes réserves de gaz naturel au monde.

Mais quand le militaire de la famille déserte, alors, comme on dit : « Plus rien ne tient ! »

Combien de fois avons-nous été menacés d'être jetés dehors et risqué de nous retrouver à la rue ? Quatre, cinq fois ?

Nous recevions de temps en temps des documents nous ordonnant de plier bagages et de libérer l'appartement pour une autre famille. Ces lettres nous annonçaient que le gouvernement et l'armée n'étaient plus responsables de mettre un toit sur nos têtes.

À chaque fois, ma mère a dû faire des pieds et des mains, des genoux et des clavicules, même, pour que nous puissions rester. Nous avions quand même un oncle dans l'armée ! Et ce qui arrivait n'était nullement de notre faute, nous la subissions, nous aussi, cette désertion de mon père. Où serions-nous allés ? Avec l'effroyable crise du logement qui sévissait en Algérie, à cette époque-là, et qui sévit d'ailleurs encore aujourd'hui, je crois, nous aurions été obligés de nous trimbaler entre Blida, chez ma tante, et l'appartement de ma grand-mère. Et en plus, la question de l'école se posait de façon particulièrement aiguë. Comment vivre en nomade et continuer à faire ses études ? C'était proprement inimaginable !

Chaque fois, ma mère réussissait par je ne sais quel tour de passe-passe, et grâce à quelques connaissances familiales, à faire lever l'ordre de libération des lieux. Mais Dieu seul sait dans quel état de panique nous étions à chaque fois. C'était vraiment humiliant ! Tout le monde savait qu'on menaçait de nous jeter dehors ! Tout le monde devait se dire : « Pauvre famille... On n'aimerait pas être à leur place ! » Et la petite princesse à son papa que j'étais toujours dans ma tête en voulait encore plus à son père de nous avoir placés tous dans cette situation où nous avions sans cesse à subir la pitié des gens.

Tout au long de ces durs moments, je ne cessais de hurler dans ma tête : surtout, n'ayez jamais pitié de moi, ça me donne la nausée ! N'ayez pas de peine pour moi, je ne suis ni une malheureuse ni une faiblarde ! Je suis forte, j'ai de grandes capacités ! J'ai un incroyable avenir. Vous verrez, un jour, vous allez tous m'admirer ; un jour, vous allez tous vouloir être MOI !

Alors nos difficultés s'évanouissaient.

Les voisins se questionnaient à la moindre acquisition que nous pouvions faire. Que ce soit de nouvelles chaussures, une nouvelle robe ou une voiture.

À un moment, notre petite Fiat (ou était-ce une Renault ?) a fini par rendre l'âme après des années et des années de bons et loyaux services. Il nous fallait absolument une nouvelle voiture pour nos déplacements. Ne serait-ce que pour ma mère qui devait aller donner ses cours à l'université : après avoir été secrétaire et avoir exercé plusieurs petits boulots, elle avait en effet réussi à réaliser son rêve d'enseigner en commerce international. Et puis mon frère et moi avions encore des cours privés le soir et de temps en temps nous devions aussi aller voir ma grand-mère et le reste de la famille, en dehors d'Alger.

À l'époque, le coût d'une voiture était faramineux : toutes les autos venaient d'Europe et la situation économique du pays était telle que l'on devait payer quasiment le double du prix de la voiture rien que pour la transporter par bateau jusqu'à la capitale.

Mais ma mère, débrouillarde comme elle l'était, avait réussi à nous faire avoir une belle Renault 19 toute neuve. Eh oui !

Pour avoir droit au transport gratuit du véhicule jusqu'au pays, il fallait appartenir à une famille de martyrs de la guerre d'Algérie, la guerre d'indépendance contre les Français, qui s'était déroulée de 1954 à 1962. C'était l'un des privilèges que le gouvernement avait accordés aux familles de ceux et celles qui avaient donné leur vie pour la libération.

C'est un lointain membre de notre famille qui, lui, n'aurait jamais pu se permettre l'achat d'une auto, qui nous fit obtenir le précieux papier nous autorisant à faire entrer un véhicule neuf au pays.

Il fallait voir les visages de nos voisins quand nous sommes arrivés avec notre nouvelle monture toute blanche ! Ça valait de l'or, je ne vous dis que ça !

La voiture était blanche, c'est vrai, et je l'aurais préférée rouge ou noire, mais le blanc était plus pratique en cas d'accident. La peinture à auto blanche était, en effet, assez facile à trouver, alors qu'il fallait absolument importer toutes les autres couleurs, ce qui voulait dire des frais considérables. Alors, en Algérie, à l'époque, la majorité des voitures étaient blanches.

Mais qu'importait sa couleur ? Nous avions vraiment de quoi être fiers !

À une autre époque, le manque de pièces de rechange pour les voitures était devenu si criant que presque chaque nuit, des voleurs venaient se servir dans la collection d'autos de la cité. Tout y passait, roues, essuie-glaces, et évidemment radios... tout ce qu'on pouvait trouver dans l'auto, y compris le moteur !

Au début, nous avions tous installé un système d'alarme sur nos voitures. Mais les voleurs avaient vite raffiné leur technique : ils les déclenchaient à plusieurs reprises pendant la nuit pour que les gens, las de se déplacer pour vérifier leur bien (il n'y avait pas encore de télécommande), finissent par se résoudre à les déconnecter. Les voleurs n'avaient plus alors qu'à se servir. Pas bête, n'est-ce pas ?

Par la suite, avec la montée du terrorisme, les gens ont tout simplement eu peur de descendre au déclenchement des alarmes. Ils ne les armaient même plus et se contentaient d'espérer qu'on ne leur volerait rien.

Notre radio était amovible et nous l'enlevions chaque fois que nous sortions de la voiture. C'était vraiment très drôle de voir tant de monde sortir de sa voiture avec sa radio sous le bras !

Mais le plus hilarant, même si sur le coup c'était loin d'être drôle pour ceux à qui cela arrivait, c'était de voir une voiture installée sur des briques, le matin. C'est que, pour pouvoir voler un pneu, les voleurs devaient surélever la voiture au moyen de briques superposées. Alors les gens arrivaient le matin et trouvaient leur voiture exactement au même endroit, mais à la place d'une des roues, il y avait... un bel échafaudage de magnifiques briques rouges.

Une fois, notre voisin M. S. s'était retrouvé face à quatre piles de briques. Un record dur à battre !

En racontant tout cela, j'ai vraiment l'impression de parler d'une autre vie ! Et c'est bien d'une autre vie qu'il s'agit, d'ailleurs.

Cours de musique

La vie suivait son cours, amenant son lot de craintes, mais aussi de bons moments.

Je vivais entre l'école et les cours du soir de chimie, de physique, de mathématiques et de musique. Même si je suis douée pour le chant et le solfège, prendre des cours de piano était pour moi d'un ennui mortel. En fait, ma mère m'avait obligée, depuis aussi longtemps que je me souvienne, à prendre des cours de piano au conservatoire d'El Biar, non loin de la maison de ma grand-mère paternelle. Je dis que j'étais douée non pas par prétention, mais parce que mes différents professeurs s'entendaient tous sur la qualité de mon oreille qu'ils disaient très musicale. En fait, personne ne comprenait comment j'arrivais à faire des dictées musicales aussi parfaites.

Souvent, un de mes profs me faisait faire la dictée avec les autres élèves et une fois la dictée achevée, me demandait de lire ce que j'avais noté sur la portée. Il disait alors aux autres élèves : « Prenez vos crayons et corrigez à mesure », ou encore : « Vous avez entendu ? Maintenant corrigez. »

Chaque fois qu'il me demandait comment je faisais pour savoir les notes et ne pas me tromper je ne pouvais que répondre que les notes me parlaient, qu'elles me disaient leur nom. Il n'y avait aucune autre façon pour moi de voir la chose. Les notes me parlaient, tout simplement.

Après quelques concours de piano, déçue par un cas flagrant de favoritisme, j'ai pris la décision de ne plus jouer et depuis, les notes ne m'ont jamais plus parlé. Je porte encore le deuil de ce silence, mais je me dis qu'un jour, la paix finira par se faire entre la musique et moi. C'est drôle à dire, quand même, n'est-ce pas ? Pour quelqu'un qui vit de musique ! Mais il arrive parfois que même ceux que l'on aime le plus nous boudent. Ils finissent toujours cependant par revenir vers nous, avec le temps.

Nous avions un piano qui nous avait été offert par un ami de ma mère. Ce piano traînait chez lui et ne servait à rien parce qu'il en avait un neuf. Le jour de l'arrivée de ce vieux piano à la maison, on est venu nous l'ajuster. Il sonnait si faux, mais si faux que c'était une véritable torture auditive ! En faisant son travail, l'accordeur a trouvé dedans un vieux crayon qui ressemblait à un tube métallique, avec une vis pour faire sortir la mine, cachée à l'intérieur. Le piano avait aussi deux porte-chandelles qu'on devait déplier. C'est dire s'il était vieux... Sur un document trouvé lui aussi à l'intérieur, il était écrit dix-sept et deux autres chiffres illisibles, sans doute l'année 1700 et des poussières... Une antiquité, incontestablement ! Il y avait encore des traces de vieille cire sur le bois, c'était une vraie merveille !

Pour quelques dinars, je donnais des cours de piano sur ce vénérable instrument à des voisins débutants, les enfants du loup. Cela me donnait à peine de quoi m'acheter une barre de chocolat, quand j'en avais la chance.

Le mariage de ma tante et la mort du président
La situation en Algérie était vraiment devenue explosive.

Ma tante adorée habitait Blida, une ville située à une heure de route de chez nous.

Depuis qu'elle y habitait, seule dans son appartement, nous la voyions tous les mercredis. Elle avait fait preuve d'un grand courage pour oser habiter seule, ainsi. Une jeune femme dans la vingtaine, habiter seule ? Ça ne se faisait pas, culturellement parlant. Mais elle avait du cran, comme on dit, elle en a toujours, d'ailleurs.

Elle travaillait du samedi au mercredi à Blida et arrivait le mercredi soir à la maison, pour passer le week-end avec nous.

Après quelques années de fréquentation, elle s'était fiancée avec un homme d'une gentillesse extrême qui était son collègue de travail. Leur mariage était prévu pour le 29 juin 1992.

Les coûteux et éprouvants préparatifs allaient bon train et nous étions tous fort heureux de cette union.

Un mariage est toujours une grande affaire. Il faut louer une salle, un orchestre complet avec un chanteur, faire préparer la nourriture, un « couscous royal », pour les centaines d'invités, les cinq-six-sept sortes de gâteaux tous différents les uns des autres, les sodas et des jus de fruits pour tous les goûts ; il faut faire garnir entièrement la voiture de la mariée de fleurs fraîches. En plus de cela, il faut évidemment faire faire sur mesure tous les vêtements de la mariée pour la tasdira, une sorte de grande parade qu'elle devra présenter lors de la soirée. Il s'agit d'un défilé grandiose de costumes traditionnels, principalement des robes brodées de fils d'or et d'argent. Un énorme trou dans le portefeuille ! Il est ici question de cinq à dix toilettes sublimissimes que les invitées se feront une joie de critiquer, telles des chroniqueuses du magazine *Vogue*.

Et il y a la soirée de la henna, qui n'a rien à voir avec la soirée du mariage en salle.

La henna est une cérémonie qui a lieu dans la maison familiale de la mariée. La tradition veut que la famille du marié s'y présente les bras chargés de cadeaux, en témoignage de bienvenue dans la famille. On met du henné dans la paume de la main de la mariée. On écoute de la belle musique orientale. C'est, sincèrement, le moment que je préfère dans les mariages. Cette cérémonie est particulièrement émouvante parce que cette nuit-là est souvent la dernière que la jeune femme passera sous la protection de sa famille avant de passer sous celle de la famille de son époux.

La henna de ma tante Moumou s'est déroulée chez nous, dans notre petit appartement. Les voisins d'à côté nous prêtaient volontiers leur appartement pour l'occasion, afin d'y héberger les hommes qui devaient rester séparés des femmes.

J'ai passé le plus clair de la soirée à laver la vaisselle et à servir les plats avec ma meilleure amie de l'époque, Radia, qui était fille de militaire, elle aussi. Radia était une de celles qui ne nous ont jamais laissé tomber dans la dure situation où nous nous trouvions. Ah ! nous avons vraiment fait les quatre cents coups ensemble, elle et moi : nous passions notre temps à danser et à improviser des chorégraphies sur les chansons de Salt-N- Pepa ou de Kylie Minogue. Pour ma belle amie, l'entraide était chose naturelle. Elle était si bonne en tout. Ce n'était donc pas une punition d'être de corvée de vaisselle, cette soirée-là, oh non ! Bien au contraire ! J'étais très fière : nous recevions en grand pour un événement heureux. Et c'était aussi un succès pour nous de pouvoir montrer aux gens de la cité que même nous, une famille de déserteur, et malgré nos difficultés, nous avions des raisons de célébrer et trouvions aussi les moyens de le faire.

Le lendemain matin, ma tante partait pour le salon de coiffure passer quelques heures à se faire belle avant la grande célébration qui se déroulerait en salle durant la soirée.

Mais ce matin-là, j'ai entendu pleurer dans les escaliers de l'immeuble.

Je ne sais plus comment nous avions appris la nouvelle, mais le président bien-aimé de l'Algérie était mort : il venait d'être assassiné.

Nous étions tous anéantis ! Vraiment anéantis !

Cet homme-là était l'espoir de l'Algérie ! En quelques mois de présidence, il avait su redonner foi en l'avenir à un peuple au dos courbé par des années de fraudes et de magouilles gouvernementales. Il avait donné espoir aux femmes algériennes à qui il promettait des changements dans le code de la famille. Des avancées importantes venaient d'être réduites à néant, comme dynamitées.

Aux nouvelles, nous pouvions voir en boucle les images de son assassinat, de ses dernières paroles, de l'horreur qui se lisait sur le visage de son secrétaire, assis à ses côtés. Le président Boudiaf était à Annaba, une ville proche de la frontière tunisienne, en train de donner une conférence, quand un homme assis au premier rang avait tout simplement lancé une grenade sous la table. Enfin, c'était la version officielle.

Dans la cité, les gens habitués aux questions militaires disaient plutôt que le président Boudiaf avait été placé, pour cette conférence, dans une situation contraire à toutes les règles de sécurité : il y avait un rideau derrière lui. C'était une erreur ! Il faut toujours avoir un mur en arrière de soi, pour ne pas être attaqué par derrière.

Et en revoyant la vidéo, on se rend compte qu'il entend un bruit derrière lui et donc qu'il a peut-être été tué par derrière. On parlerait alors de complot, ce qui est plus qu'évident.

Nous voyions aussi des images de gens en deuil, des femmes surtout, en larmes, et même prises de véritables crises d'hystérie, dans les rues. Notre espoir de renouveau venait de nous être enlevé. Nous étions tous orphelins de Boudiaf.

Ma tante était revenue de chez la coiffeuse, belle comme un ange. C'était le jour de son mariage. Elle l'avait imaginé, elle avait travaillé pendant des mois pour que tout soit parfait ce jour-là et voilà qu'en rentrant, elle apprenait que le pire venait de se produire.

Des journées de deuil national ont été décrétées. Toutes les célébrations et les manifestations de joie ont été interdites. Nous étions en pleine panique. Nous ne pouvions pas annuler le mariage, ç'aurait été une énorme perte d'argent, un gaspillage de nourriture et de toutes sortes de choses. C'était effroyable !

Finalement, nous avons demandé conseil autour de nous et décidé d'aller quand même de l'avant avec les festivités.

Mais le cortège de la mariée, formé d'une douzaine de voitures, devrait se faire sans musique et sans coups de klaxons. Habituellement, il y a dans le cortège une auto ouverte à l'arrière, comme un pick-up, où vient s'asseoir un groupe d'instrumentistes traditionnels qui jouent, tout au long de la promenade de la mariée dans la ville, de la belle musique folklorique, très animée, très intense. Nous avons dû nous en passer.

En outre, dans la salle de réception, l'orchestre de la soirée a dû baisser le volume au maximum. Nous pouvions fêter, mais pas au point d'être entendus de l'extérieur.

C'était normal, au fond, le pays était quand même en deuil et nous aussi par le fait même. Mais nous avions une union à célébrer, alors il fallait que la fête se donne ! « *The show must go on* », dirait le groupe Queen.

Lorsque je suis sur scène, j'éprouve parfois un sentiment semblable : il faut que je donne mon spectacle, que je chante de toute mon âme, malgré une douleur, une tristesse, une lourdeur qui m'écrasent le cœur, qui me serrent la gorge.

Quoi qu'il en soit, c'est aujourd'hui jour de réjouissances, ma tante se marie. Je suis déjà à la salle des fêtes pour préparer les lieux avec ma mère, mettre la dernière touche aux plats et aux gâteaux à servir aux invités. Une foule de personnes sont aussi là pour mettre la main à la pâte, c'est le cas de le dire.

Ma mère court en tous sens comme une poule sans tête. Elle a tellement maigri durant les préparatifs de ce mariage qu'elle semble cadavérique. Ma tante aussi avait beaucoup maigri, il a même fallu retoucher à plusieurs reprises ses toilettes pour qu'elles soient encore seyantes lors de la soirée. C'est fou !

Les gens ont commencé à arriver par dizaines dans la salle.

L'orchestre s'est installé et comme le veut la coutume, on a servi aux musiciens toutes sortes de sucreries, des confitures et des biscuits au miel, les plus beaux morceaux, afin de leur « adoucir la gorge », comme on disait.

Aujourd'hui encore, moi aussi, je prends toujours un petit quelque chose de sucré juste avant d'entrer en scène. Du miel, un bonbon Ricola ou une autre petite gâterie. Comme quoi, ce que l'on vous enseigne dans votre jeunesse, vrai ou faux, vous suit toute votre vie.

Nous avions préparé la petite chambre où ma tante devait se changer et se faire divine à faire pâlir de jalousie les jeunes et les moins jeunes. Nous avions étudié son parcours, nous l'avions répété nous-mêmes à plusieurs reprises, histoire de visualiser tous les obstacles qui pouvaient se présenter lors de son « défilé ». Je parle ici des escaliers, de la petite marche à franchir pour rejoindre son superbe siège, sur la scène, des passages parmi les chaises et les tables quand elle traverserait la salle pour se faire admirer. Tout était calculé, tout avait été passé au peigne fin.

Cela semblera peut-être un peu excessif comme cérémonie, mais pour la plupart des jeunes femmes, le mariage représente un de ces rares moments dans la vie où l'on a toute l'attention pour soi seule et où l'on n'est guère critiquée, sinon par les envieux. Certes, dans la vie de tous les jours, on préfère généralement passer inaperçue, mais ce jour-là, on peut se permettre de briller et les jeunes filles ne lésinent sur rien, mais absolument rien, pour vivre, le jour de leurs noces, les heures les plus étincelantes de leur existence.

Ma tante arrive finalement avec son cortège et sitôt rentrée, voilà que la salle croule sous les youyous. Elle va tout de suite s'asseoir sur son siège de reine et la musique se déploie.

Que la fête commence !

Je m'affaire à aider au service en prenant une bouchée de temps en temps, quand je le peux, et en saisissant toutes les occasions d'aller danser. J'ai quatorze ans et je ne pense qu'à danser.

J'espère que ma tante va m'appeler pour me demander de l'aider dans ses changements de robes, mais je me sens un peu en dehors du cercle des femmes. Je ne suis, en effet, qu'une petite jeune fille qui ne sait pas encore grand-chose de la vie, et cette journée particulière est une affaire de femmes.

Même si je me disais que je ne voudrais jamais me marier, imaginer que je pourrais me faire célébrer ainsi me faisait rêver.

Si je n'étais pas conviée dans la chambre où la mariée se changeait, on m'invitait tout de même souvent à participer à son défilé dans la salle. Il fallait, en effet, quelqu'un qui sache pousser de puissants youyous et je n'avais pas ma pareille pour ça. J'ai toujours été la petite fille aux youyous : j'avais appris toute seule à les faire. Je suis une autodidacte du youyou.

Je me souviens que ce jour-là, j'étais particulièrement heureuse de voir ma grand-mère, ma Mani chérie, si fière et souriante au mariage de sa fille.

Ma jolie grand-mère portait une robe blanche toute simple, avec un petit foulard blanc sur la tête. Mais sa longue tresse de cheveux poivre et sel dépassait de son foulard en arrière et lui descendait jusqu'à la taille. Elle était rayonnante ! Je me souviens de son odeur, je la sens encore, en écrivant ces lignes. J'en ai les larmes aux yeux.

Sa belle petite robe blanche avait constitué ma mission des derniers jours. Je devais y coudre des perles de différentes formes et de différentes grosseurs. J'avoue avoir presque abandonné à mi-parcours, mais ma mère m'avait annoncé qu'elle me forcerait à rester à la maison avec interdiction d'aller à la plage tant que le travail ne serait pas achevé. J'ai finalement terminé l'ouvrage après deux heures de dur labeur.

Cette robe, ma grand-mère la portait si fièrement ! Elle en parlait à tout le monde, au point que je me sentais un peu coupable, rétrospectivement, d'avoir un peu rechigné. Si elle avait su que ma mère avait dû me menacer pour que je la termine ! Finalement, je crois qu'elle en aurait été fière quand même.

Cette robe, je l'ai encore, elle est dans une boîte au sous-sol. Il m'arrive encore d'aller la sentir et de la serrer contre moi. Elle avait été le clou du défilé. Avec la mariée, bien sûr.

Quand celle-ci a été assise sur son trône, son époux est venu la rejoindre. Tout avait été prévu et soigneusement répété. Il a pris place sur un siège à côté du sien, a saisi ses mains entre les siennes, il l'a embrassée sur les deux joues, puis sur le front. Je trouvais cela d'un romantisme... Il ne manquait que les « cui-cui » des oiseaux et les harpes, vraiment ! Que voulez-vous, je reste une incorrigible rêveuse, une éternelle romantique, un cas désespéré !

Après une soirée de célébrations particulièrement réussie, inondée de youyous et de musique, ma tante et son époux sont partis passer leur nuit de noces dans un hôtel, au bord de la mer. Une bonne vingtaine de kilomètres à faire dans la nuit noire. Je n'osais pas leur dire mon inquiétude : le président venait tout de même d'être assassiné, tout pouvait arriver.

J'avais un peu l'impression d'avoir perdu ma tante, je croyais que les choses ne seraient plus jamais pareilles. Insécurité de jeunesse, quand tu nous tiens...

Rêve et départ de ma tante

Dans un tout autre ordre d'idées, vous vous souvenez sans doute que j'ai déjà évoqué le lien très fort qui m'unissait (et m'unit toujours) à ma tante. En voici un témoignage particulièrement fort.

Quelques mois après le mariage de Moumou, je me suis réveillée un mercredi matin (je me souviens encore du jour, moi qui oublie si souvent les détails !) tout émue du rêve que je venais de faire. Je me suis empressée de le raconter à ma mère.

J'avais rêvé que ma mère, mon frère et moi étions allés rendre visite à ma tante qui se trouvait à l'hôpital. En entrant dans sa chambre où nous nous attendions à la trouver allongée entre ses draps, nous l'avions trouvée en train de sautiller sur son lit en se tenant le ventre. Toute joyeuse, elle s'était exclamée : « Mon Dieu que ça fait du bien ! Je me sens légère, enfin ! Ça fait du bien de ne plus avoir de ventre. » À ces mots, je lui ai demandé où était passé le bébé, le petit garçon, car c'en était un, je le savais. Elle m'avait répondu : « Mon bébé ? Mais il n'est pas là, il est à l'étranger. » Et elle s'était remise à sautiller sur le lit.

Ma mère a gentiment écouté le récit de mon rêve, puis il a fallu que je me prépare pour aller à l'école. Le soir, de retour à la maison, j'étais dans ma chambre en train de faire mes devoirs quand j'ai entendu ma tante entrer, comme chaque mercredi soir. Puis je l'ai entendue qui discutait avec ma mère dans la cuisine.

Au bout d'un certain temps, ma mère a poussé la porte de ma chambre et m'a aussitôt lancé : « Lynda ! Tu te souviens de ton rêve ? » J'ai fait signe que oui de la tête. « Eh bien, il va se réaliser, c'est ça qui arrive ! » Ma tante était enceinte... Incroyable !

Mais aussitôt, une angoisse m'a envahie. Le bébé à l'étranger ! Qu'est-ce que cela pouvait bien vouloir dire ? J'avais peur pour le petit. Je ne me questionnais certainement pas sur le sexe de l'enfant, c'était un garçon, ça, je le savais. Avant tout le monde ! Mais qu'est-ce que tout cela voulait dire ? Pourquoi à l'étranger ?

Quelques mois plus tard, j'ai appris la nouvelle : ma tante allait quitter le pays pour aller vivre au Canada, avec son mari et le bébé à venir. J'étais atterrée. Je ne souhaitais que son bonheur, mais je ne voulais pas non plus la perdre. Le Canada, c'était trop loin, beaucoup trop loin !

Mais la décision était prise et la chose allait se faire. Elle voulait donner une vie meilleure à son enfant et en connaître une meilleure, elle aussi.

Au fil des semaines, je voyais son ventre grossir et avec lui, ma tristesse grandissait à l'idée que bientôt, je n'aurais plus ma tante, mon amie à mes côtés. Le plus dur quand je pensais à son départ, c'était que je ne savais pas quand on allait pouvoir se revoir. Elle partirait enceinte, aurait son bébé en dehors de notre petit cocon familial qui ne serait pas là pour la soutenir dans ce moment unique : la naissance de son premier enfant ! Oh ! comme je trouvais ça dur ! Ma consolation c'était qu'au moins, son gentil mari serait auprès d'elle. Il la soutiendrait.

Entre-temps, un passage à l'hôpital avec ma tante nous avait confirmé qu'elle attendait bien un garçon. J'étais fière de l'avoir su depuis le début, mais, en fait, je voyais encore plus loin que ça... Je voyais cet enfant plus vieux, tenant par la main un autre petit garçon, son petit frère de quelques années plus jeune, aux cheveux lisses châtain clair. Une image que j'ai gardée et partagée avec ma famille, quelques années plus tard.

Après, tout s'est fait très vite : démarches pour l'obtention d'un visa, organisation du voyage, liquidation des biens, logistique, etc. Ma tante quitterait le pays enceinte de sept mois, ce qui est risqué et même généralement prohibé par les compagnies aériennes. Elle s'était donc fait faire, pour le voyage, des vêtements confortables par une couturière. Les vêtements devaient surtout cacher son ventre, ce qui n'a pas été difficile : elle avait un tout petit ventre.

Le jour où nous les avons accompagnés à l'aéroport d'Alger pour le grand départ vers Montréal, j'étais émue et bouleversée de devoir me séparer de ma tante adorée, mais aussi terrorisée de me retrouver dans cet aéroport qui, du moins dans ma tête, sentait encore la mort. Nous étions, en effet, au mois d'août 1993, une année, quasiment jour pour jour, après l'attentat à la bombe qui y avait tué je ne sais combien de personnes et blessé des centaines d'autres. Un des attentats terroristes qui m'ont le plus marquée.

Les images de cet attentat que nous avions vues à la télévision repassaient en boucle, sans arrêt, dans ma tête.

Mais il ne fallait surtout pas que j'oublie pourquoi j'étais là : il s'agissait de dire au revoir à ma tante, à son mari et au futur bébé que j'appelais déjà Nabil. Il me fallait également retenir mes larmes de peur que quelqu'un comprenne qu'elle partait pour toujours et l'empêche de prendre l'avion. Enfin, c'est ce que je pensais. Bref, il fallait faire mine de rien et se contenter d'un léger et insouciant « bye-bye » alors que j'aurais voulu pleurer toutes les larmes de mon corps tant j'avais de la peine de me séparer d'elle, tant j'avais peur pour le bébé. Je l'ai vue partir avec son beau chemisier bleu taillé sur mesure pour sa petite carrure et j'ai prié fort pour que tout aille bien. Je l'ai visualisée, je l'ai imaginée arrivant dans un paradis où elle serait traitée en reine. Le genre de fantasme que partagent souvent ceux qui quittent leur chez-soi pour l'exil. Quiconque choisit l'exil rêve toujours d'y trouver un paradis !

Dieu merci, ils sont bien arrivés, un coup de fil nous l'a confirmé le jour suivant. Ma tante nous a raconté son périple en avion, le mensonge qu'elle a dû faire sur son nombre de mois de grossesse ; elle nous a également dit un drôle de truc comme quoi les gens, au Québec, mangeaient des légumes crus avec une vinaigrette qu'ils appelaient « une trempette ». Pour moi, c'était une affaire à suivre, cette histoire de trempette...

Chapitre 6
Sortir d'Algérie

Dans les quelques mois qui ont suivi le départ de ma tante, bien des lettres se sont échangées entre Alger et Montréal. Bien des conversations téléphoniques aussi. Ma tante nous racontait son bonheur d'être au Québec, le drôle de français qu'on y parlait et cette passion pour le hockey qui touchait toutes les couches de la société. Elle faisait déjà des démarches pour que nous puissions la rejoindre au plus vite. Mais rien n'était plus compliqué à ce moment-là, en plein cœur des années noires de l'Algérie.

Sortir du pays était devenu une mission quasi impossible. Il y avait tant de gens qui voulaient quitter le pays que les ambassades étaient assiégées toute la journée par les demandeurs de visas. Hommes, femmes, bébés, enfants, jeunes, vieillards... tous voulaient quitter le bled (pays) coûte que coûte, et ma mère, mon frère et moi étions du nombre.

Mais commençons par le commencement : l'histoire de la tutelle qui, on s'en souviendra, nous liait, mon frère et moi, à l'État algérien.

Je l'ai dit plus haut, mon frère et moi, comme tous les enfants d'Algérie, étions encore sous la tutelle de mon père au moment de son soudain départ. Mais à cause de sa disparition, nous étions sous la responsabilité d'une personne qui restait introuvable sur le territoire du pays. Même passer mon examen scolaire national était chose impossible parce que mon père n'était pas là pour signer ma première carte d'identité.

Ma mère avait dû aller devant la cour afin de demander à l'État de lui donner légalement la tutelle de ses propres enfants. Ce qui lui avait été refusé. Mais j'avais par contre obtenu les documents qu'il me fallait pour l'école. Une fois encore, ma mère avait usé de ses contacts.

Pour quitter le pays, en revanche, le jeu devenait autrement plus ardu que pour une simple carte d'identité. Tutelle ou pas, il fallait d'abord obtenir des visas pour nous trois.

Ma mère passait des matinées entières avec mon frère à faire des demandes à l'ambassade du Canada. Les visas ne nous étaient jamais accordés. Ils devaient bien se douter que si nous mettions le pied à Montréal, nous ne reviendrions pas en Algérie. Et c'était vrai, bien sûr, mais nous tentions de leur faire croire que nous avions besoin de vacances et que nous voulions seulement en profiter pour rendre visite à ma tante.

Mais ça ne marchait pas ! Et après chaque rencontre avec un fonctionnaire, des semaines pouvaient s'écouler avant que nous ayons la moindre réponse, fût-ce un refus !

Alors ma mère s'est décidée à faire une demande de visa seulement pour mon frère et moi, sans s'inclure dans la demande. Nous étions en pleurs, rien qu'à nous imaginer partir en la laissant derrière nous, dans la gueule du loup, avec tous ces risques élevés d'enlèvements, de tueries. L'idée était insoutenable, mais il fallait tout de même y penser.

La demande a été faite. Ma mère était certaine que ça marcherait, que le fait d'accepter de nous séparer rassurerait les autorités : une mère n'enverrait pas ses enfants dans un autre pays en espérant qu'ils ne reviennent pas. Elle était confiante de recevoir enfin une réponse positive. Pendant quelques jours, légère et heureuse, elle a semblé flotter sur un petit nuage.

La réponse l'a assommée ! C'était un autre refus.

Mais comment allions-nous donc faire pour nous sortir de là ? Chaque jour, de plus en plus de gens étaient assassinés. Des professeurs (surtout des femmes), des avocats et avocates, des journalistes et même des coiffeuses et des esthéticiennes.

La vie devenait vraiment pénible, entre les labyrinthes bureaucratiques et les peurs de toutes sortes. Par chance, nous avions beaucoup d'amis autour de nous et nous allions passer des soirées chez eux pour nous changer les idées. Ma mère s'était liée d'amitié avec une de ses étudiantes du nom de Leila. Nous allions souvent chez elle, ou plutôt chez ses parents. Une famille bien nantie, mais pas seulement financièrement. Ils étaient tous les quatre, le père (que l'on ne voyait pas souvent), la mère, le grand frère (que je trouvais très beau et pour qui j'ai eu un gros béguin) et Leila, la belle Leila, d'une grande générosité, avec un cœur bon comme le miel.

Il m'arrivait de passer la nuit chez Leila et à cette occasion, nous nous faisions de vrais festins.

L'esprit et le verre à thé

Durant l'une de ces nuits chez Leila – ce soir-là, ma mère y était aussi –, Rassim, le frère de Leila, nous a proposé une séance de spiritisme. Du Ouija, comme on l'appelle en Occident.

Rassim était médium et connaissait le moyen de contacter les esprits. Il savait aussi comment se protéger d'eux, qu'il disait souvent très taquins et moqueurs.

Très tard en soirée, il avait inscrit les lettres et les chiffres du Ouija sur des morceaux de papier placés en cercle sur la table. Il y avait aussi deux grandes feuilles avec les mots OUI et NON écrits dessus, ainsi qu'un pichet d'eau fraîche et un verre à thé vide.

Nous étions assis en cercle autour de la table et nous nous apprêtions tous à vivre une expérience irréelle. Ma mère, en bonne cartésienne qu'elle était, n'y croyait pas du tout et avait vraiment le fou rire. Absolument le contraire de moi. Car moi, j'y croyais dur comme fer. Je savais que nous allions pouvoir poser des questions aux esprits et qu'ils nous répondraient. Restait à savoir s'ils nous diraient la vérité ou s'ils nous feraient marcher.

Qu'importe, nous avions tous un index sur le verre à thé placé, ouverture vers le bas, sur la table. Et Rassim appelait une présence. Le fou rire s'était quasiment généralisé quand le verre s'est soudainement mis à bouger.

Ma mère était blême !

Nous posions à tour de rôle des questions et l'esprit nous répondait.

Accusé de faire bouger le verre, Rassim nous a demandé de retirer nos doigts pour prouver qu'il n'y était pour rien. Le verre bougeait quand même et se dirigeait rapidement vers les lettres pour faire des mots. Nous avions fait venir l'esprit d'une petite fille qui était morte plus de quatre cents ans auparavant, nous disait-elle, et qui avait envie de jouer.

Mais Rassim refusait de questionner une enfant. Il lui a demandé de partir, puis a retourné le verre à thé et l'a rempli d'eau.

Nous avons essayé de rejouer à plusieurs reprises mais la petite revenait à chaque fois. Finalement, après bien des efforts, nous sommes parvenus à la faire partir, mais nous sentions quand même sa présence et sa grande énergie qui rayonnait tout autour de nous.

C'est avec l'esprit d'un homme que nous avons fini la soirée. Et c'est cet esprit-là qui m'a fait découvrir que moi aussi, j'étais médium. Rassim avait, en effet, demandé à l'esprit s'il y avait des médiums autour de la table. Et après s'être d'abord dirigé vers lui, le verre s'était dirigé vers moi. Je n'avais même pas besoin de poser mes questions à haute voix à présent, je le faisais dans ma tête et on me répondait. C'était vraiment très impressionnant !

C'est ainsi que j'ai su que nous aurions nos papiers pour quitter le pays neuf mois plus tard. Ce qui s'est avéré exact !

Rassim m'a interdit de rejouer au Ouija cette nuit-là. Il avait trop peur pour moi. Et plus jamais je n'ai osé même seulement penser à y retoucher.

Naissance de Nabil

Pour rester dans le monde du surprenant, de l'« au-delà du réel », en octobre 1993, donc quelques semaines avant la soirée de spiritisme que je viens tout juste de raconter, j'avais vécu un autre moment assez particulier que j'ai ajouté à ma liste d'événements étranges.

Je crois bien que je venais de revenir de l'école ; toujours est-il que j'ai brusquement été prise d'intenses douleurs au bas-ventre. Je suis restée assise un certain temps, me demandant si ce n'était pas mon rendez-vous mensuel avec dame Nature.

À ce propos, il me vient une pensée, comme ça, en passant : je me demande bien pourquoi c'est à dame Nature, un symbole féminin, que l'on attribue ce rôle ingrat, cette méchanceté de nous faire mal ? Le féminin est souvent associé aux choses complexes : la lune, les marées. Aux choses négatives aussi : UNE catastrophe, UNE calamité, UNE famine, UNE maladie, UNE mort, quoique la mort ne soit pas réellement négative, mais on en a peur... fin de la parenthèse.

Je reviens à mes douleurs au bas-ventre : je suis restée là, assise, en souffrance, pendant quelque temps. La douleur se propageait au bas de mon dos et ne ressemblait à aucune des autres douleurs que j'avais connues jusque-là.

Je me suis surprise à penser à ma tante et j'ai eu soudain le fort pressentiment qu'elle avait mal, elle aussi, à ce moment précis. J'ai alors eu un pincement au cœur : elle était en train d'avoir son bébé, j'en étais certaine. Je souffrais en même temps qu'elle et dans ma tête, je me suis mise à l'encourager, à l'imaginer en train de pousser. Je me voyais lui tenant la main et l'encourageant de toutes mes forces. Je suis restée ainsi, avec ma douleur physique et cette vision, jusqu'à minuit. À minuit, la douleur s'est éteinte brusquement. Bébé était né, je le savais, je le sentais. La mère et l'enfant se portaient bien, je pouvais dormir en paix. Demain sans doute, je recevrais un appel m'annonçant la bonne nouvelle. Comme j'avais un téléphone dans ma chambre, je l'ai placé juste à côté de moi, sur ma table de chevet.

Le lendemain matin, à six heures trente, le téléphone sonna. L'époux de ma tante était au bout du fil. Il m'annonçait, tout excité, ce que je savais déjà. Eh oui, comme je l'avais « vu », tout s'était bien passé. J'ai transmis le message au reste de la famille.

C'était le bonheur. Dieu que j'aurais aimé être là pour le serrer dans mes bras, ce petit. Mais je me suis dit à ce moment-là que je ne raterais pas la naissance du prochain. Son prochain enfant, je serais là pour l'accueillir dès ses premiers instants sur terre.

Mais pour cela, il fallait obtenir un visa.

Partir enfin

Accablés par nos démarches infructueuses, nous étions à court d'idées quand un jour, ma tante, au téléphone, nous a suggéré de passer par les États-Unis. Elle nous a appris que beaucoup de gens passaient par la frontière canado-américaine et y demandaient l'asile politique au Canada.

Il s'agirait donc, à présent, de trouver le moyen d'obtenir un visa pour les États-Unis. L'idée de passer par les États-Unis me ravissait. Ma mère qui m'expliquait les procédures à suivre ne pouvait imaginer tout ce qui se passait dans ma tête tandis qu'elle me parlait :

Christopher Reeve en Superman,

Les gratte-ciel,

Le Grand Canyon,

Lynda Carter en Wonder Woman,

La statue de la Liberté...

La liberté... Oui, c'est sûr, il fallait bien que ça passe par les États-Unis, la liberté !

Il nous fallait absolument trouver un moyen d'obtenir le visa ! Avoir une invitation à passer des vacances d'été, quelque part, chez quelqu'un, n'importe qui, et profiter de l'occasion pour rejoindre la frontière et demander l'asile au Canada.

On ne refuse personne à la frontière, c'est connu. Les réfugiés entrent au pays puis entament les démarches pour obtenir le statut d'immigrant reçu. D'autres démarches suivent pour le titre de résident permanent et finalement, de réfugié qu'on était, on devient citoyen canadien.

Alors, le cerveau de ma mère s'est mis en branle et, ma tante aidant à distance, nous avons finalement trouvé des connaissances de connaissances qui ont accepté de nous envoyer une invitation officielle à venir demeurer chez eux quelques jours ou le temps de quelques semaines de vacances.

Aussitôt, ma mère s'est servie de la précieuse invitation pour demander qu'on nous place sous sa tutelle, le temps du voyage, puisque nous étions encore officiellement sous la tutelle de l'État. Elle pensait ainsi obtenir plus facilement les visas pour les États-Unis.

Les démarches en vue du transfert de la tutelle à notre mère étaient donc, maintenant, plus urgentes. Je ne sais combien de temps, combien de journées elle a dû passer au ministère de la Justice à ce sujet. Combien de fois elle est allée défendre sa cause devant le juge... L'attente devenait insoutenable !

Tout devait se faire en même temps, nous n'avions plus de temps à perdre. Avec ou sans tutelle, il nous fallait aller chercher les visas. Alors ma mère est passée en mode « entraînement ».

Elle nous a expliqué l'histoire qu'il fallait raconter aux autorités américaines. Quoi qu'il arrive, rien ne devait trahir le fait que notre passage sur le sol américain n'avait d'autre but que la fuite vers le Canada. Maman nous faisait passer des tests avec des questions pièges. Ils ne se gênaient pas, à l'ambassade des États-Unis, pour nous en poser et essayer de tout faire pour pouvoir nous refuser le passage. Et cela, il n'en était pas question pour nous. Nous ne voulions pas nous exposer à un refus.

Alors, nous avons vraiment répété sérieusement. Nous étions quasiment prêts à toute éventualité. Je m'exerçais devant mon miroir pour être certaine que mon visage ne disait rien d'autre que le message innocent qui sortait de ma bouche : je suis une ado parfaitement normale et un peu insouciante... Je vais en vacances aux États-Unis ; j'ai très hâte, mais, au fond, cela n'a rien d'exceptionnel. J'espère m'y faire beaucoup d'amis et m'acheter beaucoup de belles choses... Je serai de retour à Alger pour la rentrée scolaire et je suis déjà impatiente de raconter les belles vacances que j'aurai passées à mes copines.

Dans ma poitrine, pendant l'exercice, mon cœur battait la chamade. Ce ne serait pas facile, je le savais. Et si ça marchait, il allait me falloir laisser derrière moi ma famille, mes amis, mon petit ami du moment, que j'aimais comme on aime un premier amour, à en mourir ; il allait falloir me passer, dorénavant, de la mer et de l'air de mon pays. Les larmes me montaient souvent aux yeux, mais je ne voulais pas me laisser aller à penser à tout ce que j'allais devoir quitter. Mieux valait penser à tout ce que j'allais découvrir !

Enfin nous sommes prêts. Notre date de passage à l'ambassade a été fixée.

Le jour J, nous nous retrouvons, très tôt le matin, en ligne avec d'autres personnes devant les portes extérieures de l'ambassade des États-Unis. Des barrières métalliques nous maintiennent en rang et à l'occasion, un garde nous ramène à l'ordre : si l'attente nous fait oublier le lieu où nous nous trouvons, son arme nous rappelle vite que nous devons rester disciplinés, nous montrer bien obéissants. Cela me rappelle nos attentes devant l'ambassade du Canada où l'on nous tassait également d'un revers de mitraillette.

Après quelques heures d'attente, nous pénétrons enfin dans le bâtiment.

Nous nous inscrivons en expliquant au préposé la raison de notre présence. Puis nous passons dans une première salle d'attente.

Ma mère a une première rencontre avec un des agents puis revient dans une autre salle d'attente avec nous. Nous nous parlons nerveusement mais en nous efforçant de paraître détachés. Aux regards que nous échangeons nous comprenons fort bien que le grand moment approche : mon frère et moi allons devoir jouer le rôle de notre vie.

Des mois de préparation pour en arriver là ! J'avais même pris quelques cours d'anglais parlé au centre culturel d'Alger, où je m'étais retrouvée la plus jeune de l'amphithéâtre parmi une centaine d'étudiants. Des mois, vraiment, pour en arriver là.

On nous appelle... C'est parti !

Nous entrons dans la salle pour rencontrer l'agente qui, sans le savoir, prendra la décision qui va changer notre vie. Elle nous accueille avec un large sourire et un « bonjour » à l'accent américain super charmant et doux.

— Alors, vous voulez aller visiter mon beau pays ?

Nous acquiesçons tous les trois en marmonnant Dieu sait quoi, la nervosité faisant effet. Ma mère rattrape le tout en disant que cela faisait longtemps qu'elle nous l'avait promis et que des amis avaient accepté de nous accueillir chez eux pour l'occasion.

La dame lui demande de lui montrer un document qui prouve que quelqu'un va nous recevoir là-bas. Elle le regarde rapidement, puis elle nous fait approcher, mon frère et moi, et nous lance en souriant :

— Vous allez beaucoup vous amuser, voilà, bonnes vacances !

Tout en nous parlant, elle tamponne une multitude de papiers. Nous, les trois mousquetaires, essayons de rester calmes et de garder un certain détachement. Nous bredouillons confusément « merci, *thank you, goodbye*, au revoir, merci, *thank you, thank you* ». Mais nous voudrions crier de joie.

Nous l'avons fait, dans la voiture, de toutes nos forces, nous avons crié à en perdre la voix. Une nouvelle vie nous faisait signe !

Restait l'histoire de la tutelle, mais ce serait plus simple à présent et ma mère était prête à tout ! Même à nous trouver de faux passeports, s'il le fallait. Mais elle n'a jamais eu à le faire. Enfin, la vie nous donnait un répit.

Grâce aux papiers qui nous autorisaient légalement à prendre des vacances aux États-Unis, nous avons réussi à convaincre la cour d'accorder la tutelle de ses enfants à ma mère, le temps du voyage seulement. Épatant !

Nous étions au mois de juin 1994. Il nous fallait à présent trouver un pays par lequel transiter étant donné qu'il n'y avait pas de vols directs entre les États-Unis et Alger. Nous devions impérativement faire escale quelque part. Donc, un autre visa !

Notre première idée, la France, pays d'Europe le plus proche, l'évidence même. Mais les Français ont trop peur. Il y a déjà tellement d'immigrants illégaux sur le territoire que même pour un simple visa de transit, la tâche s'avère trop ardue.

Nous avons pensé à l'Allemagne, à la Grande-Bretagne, deux pays de prédilection des Algériens. Mais ma mère préférait un endroit qu'elle connaissait déjà : l'Italie.

Moi qui rêvais de voir enfin la fontaine de Trévi, à Rome, eh bien, voilà, c'est sur le point d'arriver.

Tout s'est fait très vite. Ma mère était allée en Italie quelques années auparavant, elle avait donc encore un visa dans son passeport qui rassurait sur le fait qu'elle retournait en Algérie après ses voyages à l'étranger. Elle parlait italien, comme ma tante qui avait étudié deux ans à Rome et comme mon père qui apprenait les langues avec facilité. Vraiment polyglotte, il parlait suédois, anglais, kabyle, français, italien, russe... Impressionnant !

Nous devions maintenant nous montrer très discrets ! Ne jamais souffler mot à qui que ce soit de nos projets, même les gens les plus dignes de confiance. Le moindre soupçon pourrait nous faire prendre, emprisonner, qui sait ?

Pendant les quelques semaines qui ont suivi l'obtention de notre visa américain, nous sommes allés à la vitesse grand V. Il nous fallait rassembler tous nos bulletins scolaires et des documents de la direction de l'école attestant notre niveau de scolarité et nos compétences. J'étais avec ma mère quand elle est allée demander le tout à mon ancien directeur d'école. Il était si triste de me voir partir ! Il n'arrêtait pas de lui répéter qu'elle ne pouvait pas lui enlever un aussi bon élément qui faisait honneur à son école. Il était vraiment peiné, le pauvre, de me voir quitter son établissement. Ma mère tentait de le convaincre que nous déménagions seulement à Oran et que nous reviendrions probablement, mais je crois qu'il avait compris.

À un moment, en allant vers son bureau, je l'ai entendu murmurer : « Ils finissent tous par partir, on finit tout le temps par me les prendre. » J'étais à la fois flattée par un tel attachement que je ne soupçonnais sincèrement pas, et attristée de le voir accablé par cet autre abandon. Nous n'étions, assurément pas les seuls à quitter le pays et à lui demander des attestations officielles à cette fin. Le visa italien nous a été délivré sans trop de résistance. Il est vrai que ce n'était pas grand-chose : nous devions juste faire escale en Italie, pas nous y installer.

Nous avons acheté les billets d'avion Alger–Rome, puis Rome–New York. L'excitation était à son comble. Il fallait aussi vendre la voiture, histoire d'avoir un peu d'argent pour notre nouvelle vie au Canada.

Une autre étape rapide : pensez donc, une belle Renault 19 blanche, quasi neuve, avec tous ses pneus et qui n'avait connu aucune brique, une belle valeur !

Nous disions autour de nous que nous allions vivre avec mon oncle maternel à Oran, ce qui paraissait logique et naturel à tout le monde. Même à ma chère amie Radia, j'ai menti ; je n'avais pas le choix. Mais, soit dit en passant, au même moment, elle était en train de faire exactement la même chose ! N'anticipons pas, il sera question de tout cela quand je raconterai nos retrouvailles.

J'ai menti aussi à ma grande amie Souhila et à mon petit ami Sam que je n'ai prévenu de mon départ qu'à trois jours du jour J.

Nous partions après le week-end, alors ma mère m'avait autorisée à aller en discothèque, pour que je puisse faire mes adieux à mes amis. J'avais quand même seize ans et j'étais responsable. Elle m'y a même accompagnée, et puis Sam était là pour me protéger.

Je pense qu'elle a été surprise de me voir me débrouiller si bien avec le portier de la discothèque. Il n'était pourtant pas censé accepter de mineurs dans l'établissement, mais mes amis et moi réussissions toujours à entrer. Cette fois-là, c'était pour moi la plus importante de toutes : il me fallait danser toute la nuit pour oublier mon chagrin de quitter mon amoureux.

Toute la nuit, nous avons dansé dans les bras l'un de l'autre et quand nous nous sommes quittés, au petit matin, la chanson qui jouait dans l'auto était *Breathe Again* de Toni Braxton.

Il pleurait en me disant : « Ma chérie, je ne pourrai plus jamais écouter cette chanson de ma vie, je ne veux plus passer à côté de chez toi, tu vas me tuer en me quittant ! »

J'étais si triste, mais je ne pouvais m'empêcher de sourire. J'allais retrouver ma tante et le bébé, j'allais porter des minijupes et des shorts, me faire de nouveaux amis qui ne connaîtraient pas mon histoire et tout ce qui me faisait honte. Je faisais table rase !

Une nouvelle page, « table rase », comme j'aime cette expression ! J'ai franchement eu l'impression de balayer du revers de la main des pots cassés sur une table. Je ferai sans doute une chanson, un jour, sur le fait de tout recommencer. Je sens que l'inspiration viendra vite... À suivre !

J'ai donné une multitude de vêtements et de chaussures à mes cousines lointaines qui habitaient la cité militaire. Je leur avais également demandé de venir choisir, dans ma cinquantaine de disques vinyle, des quarante-cinq tours et des trente-trois tours, ceux qu'elles désiraient garder. Je ne pouvais rien en faire et certainement pas les emporter avec moi. Je revois encore ces pochettes que j'aimais tant : Demis Roussos, Elvis *live* à *Hawaï*, du Strauss, Diana Ross et Bob Marley. Je l'entends : « *I don't want to wait in vain for your love...* »

Nous étions pris d'une frénésie de ventes et de dons. Des connaissances venaient acheter tapis, sofa, meubles. Ça a été ainsi jusqu'à la veille de notre départ. Nous aurions besoin, dans notre nouveau pays, du plus d'argent liquide possible, puisque nous allions devoir tout racheter. Ma mère ne cessait de nous prévenir que nous n'aurions pas la vie facile, que nous n'aurions pas tout le confort de notre vieux chez-nous, ni autant de vêtements accumulés au fil des années. Elle nous disait qu'elle ne pourrait sans doute pas nous fournir immédiatement meubles et voiture, et tout, et tout...

Nous étions jeunes, mon frère et moi, mais nous savions bien que ce ne serait pas en effet l'abondance instantanée. Nous avions suffisamment vécu la dure réalité de la vie pour savoir que rien n'est jamais offert sur un plateau d'argent et qu'il faut travailler pour avoir ce que l'on souhaite au-delà de l'essentiel. L'essentiel étant la nourriture pour survivre, le toit pour s'abriter, le strict nécessaire pour se vêtir, tout le reste est un extra, un bonus pour lequel nous nous devons d'avoir deux fois, trois fois plus de gratitude.

Enfin nous sommes prêts, tout à fait prêts, plus que prêts !

C'est la veille du départ et nous apportons la touche finale à nos préparatifs. Ma mère nous demande de choisir les photos et les choses qui nous accompagneront dans notre périple. Le reste sera abandonné et les photos, il faut les brûler afin que personne ne puisse s'en servir pour on ne sait trop quoi. Ça faisait vraiment drôle de mettre le feu à des souvenirs, mais nous ne pouvions pas les laisser entre des mains peut-être malveillantes.

J'avais pris soin d'emporter tous ces trucs sentimentaux qui m'étaient chers : une cassette audio orange où l'on peut m'entendre chanter à cinq ans en compagnie de mon frère, de mon oncle et de mes tantes, une autre de Madonna et de Kenny G. (démodé aujourd'hui, mais j'aimais ça ; j'aime toujours ça, en fait, j'assume !) ; une balle que j'avais trouvée par terre, en bas de notre immeuble. Des bracelets que ma grand-mère m'avait offerts et des boucles d'oreilles qu'elle m'avait rapportées de La Mecque en plus d'un t-shirt presque déchiqueté, avec lequel elle avait fait son pèlerinage et qui me portait bonheur. Deux albums photos et la robe de velours noir que ma mère avait portée lors de son mariage et que je rêvais de porter un jour. La vie est faite de rêves et de concrétisations de rêves.

Une fois nos affaires prêtes, nos valises faites et refaites à la perfection, ma mère m'a emmenée chez Souhila pour lui dire au revoir. Elle n'était pas avec nous à la discothèque, au moment de mes adieux à tous mes amis, alors je suis allée la voir chez elle. Elle qui était toujours si enjouée, si insouciante, elle n'arrivait pas à croire ce que je lui annonçais. Je la quittais... et je le lui apprenais la veille de mon départ ! Elle était peinée, blessée même, et fâchée contre moi. Le mensonge à propos d'Oran ne marchait pas avec elle. Elle savait que je m'en allais plus loin, beaucoup plus loin. Elle avait déjà vécu la même chose avec deux autres copines.

Finalement, Souhila m'a serrée dans ses bras et est partie se réfugier dans sa chambre : elle refusait de me dire adieu et elle ne voulait pas que je la voie pleurer à chaudes larmes.

Demain serait une grande journée... La nuit serait courte, sans doute. Oh, le saut dans le vide que nous allions faire ! Il n'était plus question de reculer. Le sort en était jeté !

Le départ

Le réveil se fait tôt, il est cinq heures du matin... La cité militaire sommeille encore et nous nous apprêtons à prendre la fuite discrètement.

La veille, comme je n'arrivais pas à dormir, ma mère m'avait donné un petit quelque chose pour m'envoyer dans les bras de Morphée. Dieu merci, car j'avais vraiment besoin d'être en forme pour ce long périple.

Je ne me souviens pas de grand-chose de ce matin-là : j'étais dans un état que je qualifierais tout simplement de comateux. Comme dans un rêve ou une réalité parallèle. Je ne me rappelle plus mon dernier café pris chez nous : je ne me souviens pas si nous avons mangé ou pas, pleuré ou non. Aucune idée !

Je me souviens seulement que mon frère et moi avons griffonné quelques mots sur le mur de ce qui était le débarras de l'appartement : nous faisions ainsi nos adieux à notre maison et j'avais même embrassé le mur comme pour laisser une dernière trace de notre vie là-bas.

Nous avons pris chacun notre valise, avec nos vies dedans, et nous sommes partis.

Tandis que nous descendions étage par étage les escaliers de notre immeuble, je disais adieu dans mon cœur à tous ceux et celles que je connaissais. Adieu à mon amie Hanane, à ma grande amie Amel. Je disais aussi bon débarras à tous ces voisins qui nous avaient fait du mal avec leurs médisances et leur jalousie, avec leur magie et les mauvais sorts qu'ils nous avaient jetés... Et surtout, bon débarras à mon voisin le loup ! En fait, je lui avais même dit d'aller « se faire foutre ».

Je respirais l'air de ce matin-là en sachant que la journée allait être chaude. Mes amis iraient à la plage et tout allait être comme d'habitude, sauf que je ne serais plus là. La terre continuerait à tourner, les appels à la prière s'élèveraient encore cinq fois par jour par les haut-parleurs des mosquées des environs, les bonnes femmes continueraient d'aller au hammam pour se raconter les potins de la semaine et certaines d'entre elles continueraient à se faire corriger par leur mari, le soir venu, pour une broutille. Mais nous serions, nous, les trois mousquetaires, p-a-r-t-i-s, envolés, disparus !

J'étais si heureuse de plier bagage ! Mais je voyais aussi défiler sous mes yeux avec nostalgie tout ce que je connaissais et dont je savais que je ne le reverrais plus avant très, très longtemps.

Il n'y avait pas le moindre bruit dans la cité.

J'ai caressé le romarin au passage et senti son parfum sur mes doigts. La voiture a démarré, c'était parti. Je regardais autour de moi en essayant de prendre des photos mentales de mon école primaire, de la route, du petit pont piétonnier pour rejoindre l'école, des palmiers, de la montée vers Bouzarea où j'allais acheter des bonbons ; je gravais soigneusement dans ma mémoire le stade du 5 juillet, la baie d'Alger, bleue, paisible, pleine de bateaux de marchandises. Je ne me souviens pas si nous étions passés au centre-ville d'Alger chercher mon oncle et ma grand-mère ou s'ils nous avaient rejoints à l'aéroport. Toujours est-il que nous étions là, à l'aéroport, avec cette petite dame d'à peine un mètre cinquante de haut que j'aimais tant et que l'on regardait en silence. C'était tout simplement déchirant.

Je raconte souvent ce segment de mon histoire en spectacle parce que beaucoup de gens ont vécu eux aussi des adieux semblables et se reconnaissent dans mes mots.

Ma mère parlait à mon oncle en essayant de ravaler ses larmes pour que rien n'y paraisse : les gens ne pleurent pas quand ils partent en vacances. Nous avions la consigne spécifique de ne pas pleurer pour ne pas éveiller les soupçons.

Mon oncle lançait tout haut des messages du genre : « Alors, je reviens vous chercher, d'accord ? Profitez bien de vos vacances, hein ? » Comme c'était dur !

Mani ne pouvait cacher sa tristesse, en fait elle était vraiment dévastée. Je la regardais dans sa longue djellaba couleur pâle et avec son voile sur la tête qui ne pouvait cacher la pointe de ses cheveux tressés si longue qu'elle dépassait dans le dos. Je regardais toutes ses rides que j'adorais sur son visage, ces rides qui lui donnaient l'air si fragile, et aujourd'hui tout particulièrement. Mani ne portait pas son dentier ce matin-là, pour me faire plaisir. Elle savait qu'à mes yeux, son dentier lui donnait un air sévère, alors elle l'avait laissé chez elle. Sans dentier, ses joues étaient rebondies et ressemblaient à des pêches. Je faisais souvent semblant de lui mordre les joues, ça la faisait rire. Les larmes coulaient sur ses belles joues et je me sentais comme une traîtresse. Je l'abandonnais.

Elle me dit doucement : « *Waâlach ya binti ? Waâlach tkhélini ?* (Pourquoi ma fille ? Pourquoi m'abandonnes-tu ?) D'abord, ta tante et maintenant, ta mère et toi, je n'ai plus de filles, je n'ai plus de filles ! »

Il fallait absolument essayer de la rassurer... mais mes mots semblaient vains. Elle savait que nous ne reviendrions pas de sitôt.

Je lui embrasse les joues, le front, les mains, je la serre fort dans mes bras, Dieu que je l'aime, qu'elle va me manquer !

Elle se détourne en nous disant de faire attention les uns aux autres, elle ne veut pas que nous la voyions pleurer autant. Je la laisse aller en sachant bien, dans le fond de mon cœur, que c'est la dernière fois que je la vois vivante ! Je la laisse quand même aller et elle me manque déjà. La vie nous fait faire de ces choses.

Nous entrons dans l'aéroport et je sais que tous les trois, nous sommes tétanisés de la même façon. Et si quelqu'un nous arrêtait ? Si quelqu'un devinait notre intention de ne jamais revenir ? Si quelqu'un faisait du zèle, comme cela arrivait souvent dans ce pays bourré de machos ? Et si... ? Et si... ? Oh, que j'ai peur ! Et comme le dit si bien Kirikou dans le film d'animation du même nom : « Je me sens très vulnérable ! »

Quelqu'un, dont je tairai l'identité (de peur qu'il n'en subisse les conséquences) était venu nous chercher afin de nous aider à passer les très durs contrôles de sécurité de l'aéroport Houari Boumediene d'Alger. Cette personne, qui jouissait d'une certaine influence, a été pour nous un véritable ange gardien le temps que nous franchissions ce passage important. Si elle se reconnaît dans ces lignes, qu'elle sache que je l'en remercie du plus profond de mon cœur.

À chacun des trois points de contrôle, notre ange gardien présentait ses papiers d'identité, désarmant les regards trop inquisiteurs. À chaque fois qu'un préposé se montrait trop insistant ou pointilleux par rapport à nos documents, il les regardait à peine en leur disant de se grouiller, qu'il n'avait pas toute la journée, que les documents étaient tous valides. Parfois, n'attendant même pas la confirmation officielle de notre passage du contrôle, il nous donnait de petites tapes dans le dos pour nous faire avancer, faisant mine d'être le responsable officiel, celui qui décidait de tout. Les vérificateurs, habitués à courber l'échine devant leurs supérieurs et voyant l'assurance de ses gestes, n'osaient pas freiner ses pas ni les nôtres.

Il nous a laissé franchir la dernière étape tout seuls en nous glissant la phrase : « Voilà, je vous ai amenés le plus loin que j'aie pu, soyez prudents, bonne chance, Hafida (ma mère) et bonne chance, les enfants ! »

Nous voilà seuls dans la salle d'attente avant l'embarquement. Jamais je n'avais connu une telle angoisse. Je me sentais plus vulnérable que jamais.

Tout avait été préparé pour ce moment, mais n'importe quoi pouvait arriver et nous gâcher notre chance... Une dispute entre deux hommes qui tournerait au vinaigre, une alerte à la bombe, quelqu'un qui aurait détecté nos plans... n'importe quoi !

Nous étions vraiment sur la corde raide.

Enfin, nous entendons la phrase tant attendue : « Le vol... en direction de Rome, embarquement, porte... »

Nous passons le guichet, prenons place dans l'avion, c'est le summum de l'excitation ! Mais ce n'est pas fini, nous n'avons pas encore décollé. Le sang fait mille et un tours dans mon corps. Je suis anesthésiée, j'ai la nausée... J'ai l'impression d'être comme dans un de ces mariages à l'américaine que j'ai vus dans les films, avec le prêtre ou le pasteur qui demande haut et fort à l'assemblée : « Si quelqu'un voit une objection à notre départ, qu'il se lève maintenant ou qu'il se taise à jamais ! »

Personne ne s'est levé...

L'avion s'est mis en mouvement... L'avion a décollé... Les larmes coulaient sur mon visage comme sur celui de ma mère.

J'étais sur le bord du hublot, mon frère juste à côté de moi.

En décollant, l'avion a fait un grand virage lent au-dessus de la fabuleuse baie d'Alger à laquelle j'ai murmuré un dernier au revoir. Je voyais d'en haut le coin où demeurait mon petit ami, mais lui, voyait-il mon avion dans le ciel ?

Je me suis retournée vers mon frère et je lui ai demandé : « Je rêve, non ? Tout ça n'est pas vrai, pince-moi ! »

Il ne s'est pas gêné pour m'arracher quasiment la peau du bras. Même dans une situation comme celle-là, un petit frère reste un petit frère... Taquin et farceur, et c'est très bien comme ça.

Nous étions partis !

Deuxième partie

Québec, pays de mes amours

Mes amitiés qui durent et qui me sont chères. De gauche à droite : Éliane Wiler, moi-même, Julie Dionne et Dominique Séguin.

La fabuleuse Trésorerie de la ville de Pétra. Unique !

À l'entrée du fabuleux trésor qu'est le Musée du Caire, avec mes deux anges.

Fin prête pour mon
premier spectacle
à vie, à Paris !

Complicité et harmonie en tournée. Halte à l'aéroport de Doha,
au Qatar. En allant vers Amman, en Jordanie. Février 2007.

Après une longue ascension,
nous voilà tout en haut du lieu
des sacrifices, à Pétra. À l'arrière,
François Taillefer. Au centre à partir
de la gauche : Patrick, moi-même,
Shadi, Michel, Alex. À l'avant :
Hugues Bourque.

L'incomparable baie d'Alger. Depuis la fenêtre
de la suite de l'hôtel El-Aurassi. Juin 2005.

Chapitre 7
L'arrivée

Nous atterrissons à Rome

Ah, l'Occident ! Quelle fraîcheur ! Nous mettons le pied en Europe, tous les trois, avides de vie, presque intenables ! Quelqu'un est là pour nous attendre. Un agent de transit qui va nous aider à trouver notre chemin vers notre hôtel et à jouir de notre séjour à Rome, même s'il doit être court. C'est ma mère qui avait tout organisé.

Et nous avons effectivement passé deux jours fort agréables à Rome.

Nous avons tant mangé de lasagne le premier soir que j'en avais des étourdissements. Nous n'étions pas habitués à de si grandes portions. Mais je ne savais pas encore ce qui m'attendait, en fait de portion, en Amérique du Nord !

Nous avons visité les séduisantes, les captivantes rues de Rome. Nous avons pris un espresso à la gare de Roma Termini, fait une promenade sur les bords du Tibre, lancé des pièces de monnaie dans la fontaine de Trévi. C'était si beau, si féerique... J'ai fait ce qu'exigeait la tradition, j'ai lancé moi aussi, de dos, une lire italienne dans la célèbre fontaine après avoir fait un vœu, puis je suis partie sans me retourner.

L'agent d'escale nous a également accompagnés à l'aéroport pour notre départ vers l'Amérique : il nous a dit au revoir tout simplement, s'attendant sans doute à nous revoir quelque temps plus tard, à notre passage de retour vers Alger. Nous avons fait de même, tout en sachant que jamais il ne nous reverrait.

Nous avons mangé la meilleure des crèmes glacées, la fameuse gelato, à l'aéroport en attendant le gigantesque avion Alitalia de deux étages qui nous emmènerait vers New York.

Une fois à bord, émerveillés par un avion aussi grand, nous nous sommes assis calmement, avec tout de même cette crainte encore qui nous prenait au ventre.

Neuf heures de vol plus tard, après avoir longtemps tourné en rond en attendant notre tour d'atterrir – je n'en revenais tout simplement pas d'avoir à attendre notre tour tant l'aéroport était achalandé –, nous avons enfin touché le sol et aussitôt, dans l'avion, les gens se sont mis à applaudir. Tiens, me suis-je dit, en voilà une tradition étrange, que d'applaudir à l'atterrissage ! Mais j'ai applaudi à mon tour. Après tout, n'avais-je pas toutes les raisons du monde d'être heureuse ?

Dès que nous sommes arrivés dans le bâtiment aéroportuaire, nous nous sommes mis en mode « bagages » et passage des douanes ; tout s'est déroulé à merveille malgré la très grande nervosité de ma mère, qui ressemblait de plus en plus à un robot et semblait un peu trop fébrile. On lui avait donné des instructions concernant le voyage et l'arrivée au Canada et elle les suivait à la lettre. Elle était maigre, cadavérique et inquiète. Mais je pense que le regard ébahi que mon frère et moi promenions sur toute la nouveauté et l'abondance qui nous entouraient la réconfortait et l'aidait dans ses démarches.

Dans le corridor nous menant au carrousel de récupération des bagages, un homme nous avait dépassés en lançant un « *shit* » excédé. Je me suis rappelé, à ce moment précis, ce que mon professeur d'anglais du centre culturel d'Alger m'avait dit :

« Le premier mot que vous entendrez sur le sol américain sera *shit.* » Il avait dit vrai !

Quelqu'un nous attendait à New York aussi. Un des jeunes hommes qui allaient nous héberger pour les deux jours à venir. Celui qui nous attendait avait grandi dans la même cité que ma mère. Il nous rendait là un service de bon voisinage même aussi loin qu'à New York. S'il lit ces lignes, je l'en remercie lui aussi du fond du cœur.

Il nous a vite reconnus et nous a emmenés dans sa minuscule auto vers le très petit appartement qu'il partageait, à Brooklyn, avec trois autres personnes, je crois : un petit deux-pièces avec une salle de bains. Ils nous ont très généreusement cédé une chambre avec deux matelas à même le sol.

Nous avions passé tellement de temps dans l'avion que pendant deux jours, il m'a été difficile de ne pas sentir encore son mouvement sous mes pieds. Cette instabilité a duré un bon quarante-huit heures.

Nous sommes allés tout seuls nous promener dans Central Park, puis visiter l'immeuble de l'ONU. Nous sommes descendus dans le métro de New York, sans connaître les stations et sans savoir trop parler anglais. Une des stations avait même été fermée et nous avons dû prendre un autobus et un taxi dont le chauffeur, au moment de payer, nous répétait sans cesse « *tip, tip* ». Comme nous n'y comprenions rien, il s'est mis à crier, en français : « Pour-boire, pour-boire ! »... « Pour boire quoi ? Qu'est-ce qu'il veut boire, maman ? » Je ne comprenais rien. « Il veut un pourboire ! me dit ma mère, ça vient de me coûter 15 $ et il veut un pourboire ! » Elle lui a mis une pièce dans la main, mais ça n'a pas semblé faire son bonheur. « Allez, rouh, rouh », va-t-en, lui disait-elle, un peu frustrée par sa gestuelle.

Puis, nous avons fait quelques achats. Tout ce que l'on voyait à la télévision était disponible, là, devant nous : biscuits, céréales, yaourts... les odeurs de l'abondance. Nous tenions à avoir des Frosted Flakes, nous en rêvions depuis longtemps, mon frère et moi. Ma mère a cédé et avec un plaisir sans nom, nous avons dégusté notre bol de céréales du tigre.

Le jour prévu, nous sommes allés acheter des billets d'autobus New York–Plattsburgh. Nous ne pouvions pas prendre un billet directement pour Montréal parce que nous n'avions pas de visa canadien. Une fois dans l'autobus, avec tous nos biscuits et nos jus, nous avons fait le merveilleux trajet qui nous menait à la frontière. Que c'était beau ! Mon frère et moi étions surtout épatés par les toilettes au fond du bus : ça, c'était la classe !

Nous avons réussi à dormir un peu, malgré l'excitation incroyable qui nous habitait. Une fois arrivés à Plattsburgh, nous sommes partis, valises en main, à la recherche d'un taxi. Nous voyant arriver avec toute notre vie dans les mains, le premier chauffeur de taxi est sorti de son auto, nous a ouvert le coffre pour y placer les bagages et ma mère lui a lancé : « *Borders.* » Il savait très bien de quoi il s'agissait : nous n'étions pas les premiers à passer par là et nous ne serions certainement pas les derniers.

Ma tante nous avait prévenus qu'il nous en coûterait 40 $ pour la course et c'est exactement ce que ça nous a coûté... Oh ! avec un petit 1 $ supplémentaire pour que le pauvre puisse étancher sa soif !

Nous sommes arrivés à la frontière. Ma mère avait caché un peu d'argent dans mon soutien-gorge parce qu'elle était sûre que je ne me ferais pas fouiller. C'était tout ce que nous avions pour recommencer notre vie, pas grand-chose. Quelques billets dans un soutien-gorge. Le chauffeur nous a fait descendre, a sorti nos valises et nous a montré le chemin à suivre pour arriver au bureau d'immigration. Il nous a quittés avec un « *good luck, there* ». C'était gentil !

Et nous voilà partis, chacun avec sa valise, vers notre destinée.

Nous avons marché en silence vers la ligne qui délimitait la frontière et une fois arrivés juste dessus, nous avons sauté à pieds joints, mon frère et moi, d'un côté puis de l'autre de la frontière en criant : « Canada, États-Unis, Canada, États-Unis, Canada ! »

En arrivant finalement à l'édifice de l'immigration, ma mère s'est littéralement précipitée vers la réception et a lâché dans un souffle au réceptionniste qui se tenait derrière : « Je viens demander l'asile politique. » Sa voix était toute tremblante et elle a éclaté en sanglots ; je me suis jointe à elle. Le pauvre réceptionniste tentait de la consoler en lui soufflant : « C'est correct, madame, ça y est, le plus dur est fait. Ça va aller, bienvenue au Canada. Vous allez pouvoir vous reposer. Assoyez-vous là, ça va être correct. » Je m'en souviens comme si c'était hier.

On a enregistré la demande de ma mère et on nous a dit d'aller attendre dans une espèce de roulotte située en dehors de l'édifice, le temps qu'on remplisse les formulaires. Il était un peu moins de neuf heures du matin, nous avions encore quelques trucs à manger. Nous sommes rentrés dans la roulotte. Il y avait des caméras aux quatre coins, des chaises, des tables. Nous savions qu'ils allaient nous interroger, mais nous ne savions pas le moins du monde quand ils allaient se décider à le faire ni s'ils allaient se montrer gentils avec nous ou s'ils s'efforceraient, au contraire, de nous piéger pour pouvoir nous renvoyer d'où nous venions.

Mais ce n'était pas possible, on ne refuse personne immédiatement, comme ça, à la frontière. Surtout quand on demande l'asile politique. L'attente était lourde. À un moment, ma mère est sortie prendre un peu l'air et soudain, je l'ai entendue qui criait d'une voix étouffée : « Moumou ! Moumou ! »

Ma tante était là dehors, avec une poussette et mon petit cousin dedans. Nous nous sommes sautés dans les bras les uns des autres, nous étions si heureux de nous retrouver ! Et le petit qui ne comprenait pas d'où venaient ces gens qui avaient l'air de si bien connaître sa mère.

Elle n'avait pas pu résister, sachant que nous en avions pour quelques heures à la frontière : il lui fallait absolument venir nous retrouver, nous serrer tout contre elle. Cela faisait si longtemps, trop longtemps, une année entière que nous attendions ce moment !

Je ne pense pas qu'elle avait le droit d'être là, mais elle y est restée quand même quatre bonnes heures à nous tenir compagnie et à nous encourager. Elle nous avait fait des sandwichs, nos premiers sandwichs « simili-poulet », les premiers d'une ribambelle d'autres à venir. C'était bon ! Et puis le top du top, un dessert : des beignes ! Mieux, des beignes de chez Dunkin' Donuts. Nous ne connaissions absolument pas cette friandise, mais que nous avons aimé ça ! Celui que j'ai préféré était aux bleuets saupoudré de sucre. Une vraie découverte pour la gourmande que je suis toujours.

Enfin, un agent arrive pour demander à ma mère de le suivre : « On a quelques questions à vous poser. » On l'interroge pendant une vingtaine de minutes sur les raisons de sa fuite, sur nous, sur le fait que nous ayons ou non quelqu'un, au Québec, qui puisse nous aider. Elle revient à la roulotte rassurée : tout va bien aller, ils ne nous veulent pas de mal, ils n'essaient pas de nous piéger.

Je passe aussi aux questions, puis c'est le tour de mon frère.

Ma tante était repartie : il se faisait tard et il fallait bientôt coucher bébé. Mais elle nous avait dit qu'elle allait nous attendre et que nous n'aurions qu'à l'appeler dès que nous saurions à quelle heure nous devions arriver à Montréal.

Dans les quelques heures qui ont suivi, nous sommes allés nous faire peser, mesurer et questionner sur notre état de santé. Après tout, il ne fallait pas faire entrer des virus au pays.

L'agent qui m'avait pesée m'avait dit d'un ton détaché qu'il me faudrait perdre du poids si je voulais avoir des *chums*. Des quoi ? Des petits amis ! Ha ! c'était bien la dernière chose à laquelle je pensais à ce moment précis de ma vie. Je venais d'en abandonner un, de petit ami, et je n'en voulais pas d'autre. En plus, il avait du culot de me dire ça ! On s'en serait passé d'un commentaire comme celui-là !

Enfin, on nous annonce que nous pouvons entrer officiellement au Canada.

Il n'y avait qu'un seul autobus qui passerait la frontière en soirée, vers vingt-deux heures. Le prochain était seulement à six heures du matin, le lendemain. On ne se voyait vraiment pas passer la nuit dans la roulotte, cela faisait déjà assez longtemps que nous y étions. Il fallait coûte que coûte prendre le bus du soir : nous avons commencé à prier tous les trois.

C'était maintenant la nuit et je voyais énormément de voitures passer les douanes. Elles étaient si grosses, ces voitures nord-américaines ! Pourquoi avaient-ils besoin d'aussi grandes voitures ? Et puis toutes ces lumières tout autour des *mini-vans*, de combien de lumières avaient-ils besoin pour signaler qu'ils allaient s'arrêter ? C'était dingue !

L'autobus arrive, nous attendons à l'arrêt en priant de toutes nos forces pour qu'il ne soit pas plein. Trois places, seigneur, juste trois places, s'il vous plaît ! Mais à l'ouverture des portes, le chauffeur nous annonce que l'autobus est rempli à pleine capacité. Nous proposons de nous asseoir dans les marches du bus ou de rester debout. Mais « on peut pô faire çô, madame », répond-il avec un accent montréalais particulièrement prononcé. C'est sûr, ce n'est pas réglementaire. En Algérie les autobus ont beau être pleins à craquer, les portes ont beau ne pas pouvoir se fermer, ça ne cause pas de problème, on roule quand même. Mais pas ici, ce n'est pas réglementaire.

Déçus, nous nous résignons à passer la nuit dans notre roulotte quand nous voyons trois personnes encadrées par des agents sortir de l'autobus en fouillant nerveusement dans leurs sacs. Le jeune homme et les deux jeunes femmes qui l'accompagnaient ne retrouvaient pas leurs passeports. Ils étaient paniqués, mais nous, nous étions extatiques. Le malheur des uns fait le bonheur des autres : les trois places qui venaient ainsi de se libérer dans l'autobus faisaient certainement notre plus grand bonheur.

Nous payons notre passage, passons le coup de fil à ma tante pour lui annoncer notre arrivée prochaine et nous nous asseyons à nos places respectives. Dans deux heures, nous serons à Montréal.

À l'approche de la ville, je suis saisie par sa beauté. Nous passons sur le pont Champlain et je découvre enfin cette ville dont j'ai tant rêvé. Magnifique, lumineuse, entourée d'eau, sublime... Et le faisceau lumineux en haut de la Place Ville-Marie... On aurait dit que c'était pour nous qu'il tournait, comme un phare, pour diriger nos pas vers Montréal.

Un immeuble sur la droite avait retenu mon attention. Des néons rouges clignotaient dans la nuit : Five Roses, Farine ! C'est sûr que je le lisais en français, alors « five » ne voulait strictement rien dire pour moi. C'était peut-être du québécois ! J'ai gardé un grand attachement pour cette enseigne de la « Farine Five Roses », elle est pour moi le symbole d'une réussite et d'un soulagement immenses.

Nous arrivons au terminus des autobus de Berri-UQAM. Nous avons à peine le temps de mettre un pied dehors que le mari de ma tante nous accueille, le sourire aux lèvres. Il prend nos valises et va les placer dans le coffre de sa voiture. Je n'en avais jamais vu de pareille. D'un orange vif, elle était énorme et ressemblait étrangement à la voiture de l'inspecteur Columbo.

Nous étions épuisés, complètement décalés, mais nous regardions tout autour, découvrant avec avidité ce qui allait devenir notre nouveau chez-nous.

Nous posons enfin nos bagages chez ma tante, qui nous enlace et nous mène à nos lits respectifs pour un repos bien mérité après tant d'heures de voyage et d'attente.

Nous nous parlerons demain ; pour le moment, mieux vaut dormir.

Quand le jour s'est levé, ma tante est venue s'asseoir au pied du lit où nous avions dormi, ma mère et moi. Les trois filles étaient enfin de nouveau réunies et n'arrêtaient pas de s'exclamer sur la joie des retrouvailles.

Je leur ai raconté le rêve que je venais de faire au cours de cette première nuit de ma nouvelle vie et nous sommes tombées sous le choc de découvrir que toutes les trois, nous avions rêvé de ma défunte tante Yakouta. Elle était là pour nous accueillir et nous signifier que tout irait bien.

J'y croyais bien volontiers : nous en avions vraiment besoin de cet espoir, et il était largement temps qu'il se manifeste.

Table rase

Rien ne peut ressembler au sentiment du renouveau. Rien ne peut ressembler à ce que j'ai ressenti, ce matin-là, à mon premier réveil à Montréal. J'avais l'impression que tout était possible, que rien n'était hors d'atteinte, que tout était à ma portée désormais.

C'est ma nature profonde de rêveuse qui fait que, pour moi, la lumière reste toujours visible au bout du tunnel, quelle que soit la longueur du tunnel. Je venais de sortir d'un tunnel et j'étais comme éclaboussée de lumière. J'avais seize ans et je venais d'arriver dans un nouveau pays. Ma vie allait recommencer à neuf. Et Dieu merci, je parlais parfaitement le français.

Ces premiers jours, tout, absolument tout est une découverte pour moi. La première surprise, c'est la forme du téléphone de Bell, avec tous ses boutons... Et puis, il y a la taille du réfrigérateur : pourquoi donc est-il si grand ? C'est incroyable tout ce que peut contenir un frigo nord-américain. Est-ce de la gourmandise ou la crainte de manquer de nourriture ?

Dans mon nouveau pays, tout est grand format : le frigo, la cuisinière, la baignoire, les voitures, les êtres humains, tout !

Je regarde dans le frigo de ma tante : tout est là et tout est prêt à servir. Le pain est déjà tranché et les tranches ont toutes exactement la même épaisseur. La mayonnaise est déjà toute faite dans son pot, pas besoin de la préparer à partir d'œufs et d'huile. Il y a un gros paquet de cuisses de poulet ; non pas un seul petit poulet avec deux cuisses maigrichonnes, mais plein de cuisses de plusieurs poulets. Mon frère et moi n'aurons plus à nous battre pour un malheureux morceau de poulet. Il y a toutes sortes de confitures différentes déjà dans leurs pots, elles aussi, plus besoin d'en faire soi-même. Dans le congélateur, il y a des crêpes, des gaufres et des petits croissants au chocolat congelés que l'on peut mettre au four pour les manger tout chauds, le matin. Je sens que je vais m'habituer à toute cette facilité, si nouvelle pour moi.

J'ai passé ma première journée à manger : des sandwichs, des chips, des « crottes de fromage », des « yogourts » avec des fruits au fond. J'en avais tant rêvé en regardant les publicités françaises à la télévision ! J'en ai ingurgité des tonnes !

Je savais bien qu'il fallait que je fasse attention, les abus ne sont jamais recommandables, mais je voulais me gaver de toutes ces bonnes choses auxquelles je n'avais même pas osé rêver. Et j'avais tant de peine en pensant à mon petit ami resté au loin, à ma grand-mère et à mes copines que j'ai littéralement mangé ma peine.

Mais si j'avais du chagrin pour ceux que j'avais quittés, au moins je ne me retrouvais pas seule : ma tante était là, bébé était là et je pouvais le prendre dans mes bras. Et en plus, j'étais attendue ! Une veille connaissance qui faisait partie de mon cercle d'amies en Algérie était à Montréal depuis deux ans déjà et avait appris par ma tante le secret de mon arrivée. Elle s'appelait Samia et elle attendait impatiemment nos retrouvailles.

Je l'ai appelée et elle est venue me chercher dans l'heure qui a suivi. Elle m'a emmenée en métro jusqu'au Centre Eaton, pour me faire découvrir le Montréal souterrain. Mais en descendant dans le métro avec elle, j'ai d'abord eu une surprise incroyable : notre station de départ, celle qui allait être pour quelques années la station de métro la plus proche de chez moi, s'appelait « Sauvé » ! Pour une fille qui croit tant aux signes qui l'entourent, on ne pouvait pas rêver mieux !

Nous nous sommes promenées dans la rue Sainte-Catherine. Samia a eu la bonté de m'apprendre quelques expressions locales, des sacres aussi, évidemment. Il faut bien apprendre à parler la langue locale, avec toutes ses particularités, si l'on veut comprendre les gens !

J'ai vu au passage une superbe église et nous nous y sommes attardées un peu. Nous y avons prié pour nos familles respectives et nos amis en Algérie pour qu'il ne leur arrive pas malheur.

J'ai été très surprise, ce jour-là, par les « piercings » que les gens avaient sur le corps. Le nez, le sourcil, la lèvre... Wow ! Les tatouages aussi étaient impressionnants. Il y avait aussi les

« squeegees » avec leurs chiens et toute la tristesse du monde dans leurs yeux.

Des itinérants endormis dans les rues, je n'avais jamais vu ça. Je connaissais ceux que les Français appellent des SDF, les sans domicile fixe, pour les avoir aperçus à la télé, mais je ne les avais jamais de mes yeux vus comme ici.

En soirée, ma tante et son époux nous emmenaient au Vieux-Port manger de la crème glacée et nous promener à la belle étoile. Nous apprécions la sécurité du pays, mais nous avions malgré tout beaucoup de mal à nous détendre. En fait, nous avions pris l'habitude d'être toujours aux aguets et à l'affût du moindre geste menaçant, de la moindre personne louche ou susceptible d'être dangereuse. Il nous était difficile d'oublier des mois et des années de peur.

Le silence était tout aussi troublant que la soudaine sécurité.

Les gens ne klaxonnaient pas, tout se faisait en silence, comme pour ne pas déranger. À Alger, on klaxonne avant de tourner, en effectuant un dépassement, pour protester, pour remercier quelqu'un de nous céder le passage, et dans les virages pour être sûr de ne pas se faire foncer dedans par quelqu'un qui vient en sens inverse. On klaxonne tout le temps et à toute heure, mais pas au Québec.

Ici, dans les immeubles, on monte les escaliers en chuchotant. Pour ne pas déranger. Oh ! je ne m'en plains pas, remarquez, je trouve ça apaisant, au contraire. Mais je trouve aussi, curieusement, que ça manque un peu de vie.

Nous en avons fait, des choses, les premières semaines après notre arrivée.

Aller à la buanderie du coin était toute une aventure... Quelle idée géniale que de mettre des laveuses et des sécheuses payantes à la disposition de ceux et celles qui n'en ont pas chez eux. Ingénieux et pratique !

Ma tante me laissait fouiller comme avant dans ses vêtements, pour m'habiller. Je voulais des minijupes et des shorts. J'en portais tous les jours.

Nous avons pris notre temps pour nous trouver un logement dans la même rue que celle où habitait ma tante, à deux cents mètres en fait. C'était plus rassurant. Trois mois après notre arrivée, nous avons enfin emménagé dans notre nouveau chez-nous.

Il nous a fallu alors entamer les procédures pour nous inscrire à l'école. J'étais très tendue à l'idée de me retrouver dans un établissement scolaire sans aucun ami, aucune connaissance, et ne sachant pas si j'avais appris les mêmes notions, dans la même langue.

Nous avons pris rendez-vous avec la direction de l'école secondaire Sophie-Barat où l'on nous a dit qu'on allait nous faire passer des examens pour évaluer nos acquis en mathématiques, en physique et en français. Je m'étais préparée du mieux que je pouvais, mais j'étais dans l'incertitude la plus complète quant à ce qui nous attendait.

Le jour J, mon frère et moi nous sommes retrouvés dans la bibliothèque de l'école avec nos examens entre les mains. On nous laissait là tout seuls, confiants que nous allions passer nos tests sans tricher. Je trouvais cette confiance magnifique.

J'ai eu beaucoup de difficulté à terminer mes examens. En particulier celui de mathématiques. Oh ! ce n'était pas les notions qui me manquaient, au contraire, j'avais un niveau d'études supérieur à ce à quoi je faisais face. Mais toutes mes résolutions de problèmes devaient se faire en français et j'avais fait toutes mes études en arabe, dans une langue qui s'écrit et se lit de droite à gauche. Du coup, il me fallait traduire du français à l'arabe, résoudre les problèmes en arabe, puis retraduire le tout en français. Cela m'avait pris le triple du temps normal et comme je n'avais pas eu le temps de tout faire, j'ai été recalée à mes examens, sauf à celui de français, bien sûr.

Je me suis donc retrouvée en secondaire quatre, mon frère en trois (comme il se doit) même si j'avais la scolarité requise pour être au cégep. Mais j'ai décidé de prendre ce recul scolaire comme un élan pour mieux sauter. En Algérie, j'avais été à l'école de façon intensive, j'avais fait des devoirs à outrance, j'avais suivi des cours du soir, et même des cours le week-end depuis l'âge de cinq ans, depuis ma première année de primaire. Alors ce ne serait que deux années faciles à passer au secondaire, le temps de mieux vivre l'adaptation à mon nouveau chez-moi, de me trouver des repères ; finalement, ce petit délai n'était pas de refus.

Chapitre 8
Chocs et adaptations

L'école est magnifique, tout simplement magnifique ! De grands arbres qui doivent bien avoir cent cinquante ans, un édifice en grosses pierres grises solides et la rivière des Prairies en toile de fond. Je me sentais particulièrement choyée. Il y avait une piscine dans l'école même et j'avais un casier, comme dans les films américains ! C'était ce que je préférais, avoir mon petit casier pour y entreposer mes choses à moi. J'avais l'impression d'être importante avec un casier juste pour moi et même un cadenas dont j'étais la seule à avoir le code. Vous me direz que ce n'est pas grand-chose, mais pour moi c'était capital.

Dans l'intervalle entre notre arrivée et le début des classes, nous avions eu beaucoup à faire. Plusieurs réseaux d'aide aux immigrants étaient là pour nous fournir gracieusement ce qui nous manquait. C'est ainsi que nous avions réussi à nous refaire un peu. Ma tante avait beau être d'une grande générosité et son mari aussi, ils ne pouvaient quand même pas nous équiper en tout. C'est déjà quelque chose que de réussir à joindre les deux bouts.

Alors, nous allions dans des centres pour « nouveaux arrivants » où nous pouvions prendre les vêtements, les chaussures et les manteaux qui nous convenaient. L'hiver, nous disait-on, arriverait bien vite et nous n'avions vraiment pas les vêtements adéquats dans notre petite valise. On nous fournissait aussi des sacs d'école, des meubles essentiels comme une table et quatre chaises, quelques pièces de vaisselle.

Nous n'en revenions tout simplement pas de cette bonté, de cette charité qui nous entourait. Et dire que les intégristes musulmans disaient des Occidentaux qu'ils iraient tous en enfer parce qu'ils étaient tous des pécheurs sans morale et aux valeurs purement matérialistes. Je constatais que c'était tout le contraire. On ne pouvait pas être si bon avec son prochain et être dans l'erreur.

C'est durant une de nos visites chez des sœurs, à l'île Bizard non loin de Montréal, que nous avons découvert les chips au sel et vinaigre, les marshmallows et les bonbons sûrs. On nous a même donné un divan-lit brun. Il devait avoir deux cents ans, mais je n'en avais jamais vu et c'était encore un autre de ces trucs ingénieux que je découvrais sans cesse. Quelle bonne idée et quelle économie d'espace pour notre grand deux pièces et demie ! C'était parfait. Nous pouvions ainsi avoir un salon et un lit pour mon frère.

Nous n'avions pas encore de réfrigérateur, alors comme le temps était frais, nous mettions notre lait dehors avec les œufs et le yogourt. Il fallait simplement faire attention aux nuits de gel.

Le seul achat sur lequel mon frère et moi ne pouvions absolument pas faire de compromis et qui devait se faire dès notre arrivée dans notre mini-appartement, c'était la télévision.

Ne pas avoir de frigo... d'accord !

Ne pas avoir de laveuse-sécheuse et laver nos vêtements à la main... d'accord !

Ne pas avoir de vêtements à la dernière mode et porter du linge de seconde main... d'accord !

Mais ne pas avoir de télé câblée... il n'en était tout simplement pas question !

La petite fourmi qu'est ma mère a donc dû sortir l'argent nécessaire de sa réserve et nous sommes allés, fiers comme des paons, chez Future Shop, acheter notre télé.

Pauvre vendeur, il ne savait pas à qui il avait affaire ! Ma mère était comme dans un souk en train de négocier un tapis. Elle avait tout son temps et en prenait à son aise pour négocier la télé que mon frère et moi avions choisie. Nous étions raisonnables, quand même ! Mais nous en voulions une belle.

Le pauvre malheureux avait la sueur au front. Il avait déjà perdu une bonne heure avec ma mère et n'en pouvait plus. Finalement, pour se débarrasser de nous, il nous a laissé partir avec la télé souhaitée (avec un rabais de 10 %), et en prime, le meuble à deux portes qui va dessous sans oublier le disque *D'eux*, de Céline Dion. Pauvre vendeur, il pouvait oublier sa commission !

C'est grâce à la télé de TVA et de Radio-Canada que nous avons appris à devenir québécois. C'est grâce à l'émission *Piment fort* animée par Normand Brathwaite que j'ai appris à parler québécois et que j'ai commencé tranquillement à connaître les gens du milieu culturel. Sans le savoir, ils allaient désormais devenir un peu ma famille.

Les émissions anglophones m'apprenaient l'anglais. Je regardais assidûment *The Fresh Prince of Bel-Air*, l'émission qui avait fait connaître Will Smith au grand public et j'ai ainsi appris l'américain. Je regardais aussi *The Young and the Restless* pour parfaire mon anglais et satisfaire mon côté kitsch. Le tout avec sous-titres. L'apprentissage fut ainsi plus rapide.

J'ai toujours eu une bonne oreille, j'ai donc vite assimilé aussi les variantes des divers accents et je pouvais, si je le voulais, les appliquer ou non dans mon langage de tous les jours.

Le premier jour de ma rentrée à l'école, une mouette a taché ma veste en volant au-dessus de ma tête. Je pensais que le sort s'acharnait sur moi, mais finalement, cette petite mésaventure avait fait en sorte que mes premières conversations avec mes collègues de classe s'entament sur ce sujet. Encore un mal pour un bien.

Mon vocabulaire s'est étoffé rapidement de québécismes pratiques. Mes nouveaux camarades, à l'école, avaient bien ri en voyant ma réaction, lorsqu'un des gars s'était écrié : « T'as-tu vu l'char ? » Je regardais partout autour de moi, paniquée, croyant qu'il y avait un char d'assaut dans les parages. Les autres ne comprenaient pas cet état de panique et je les enviais tellement dans ces moments-là !

Mis à part quelques difficultés à comprendre les professeurs, au début, à cause de leur accent, je me suis très vite habituée à mon nouvel environnement.

Les étudiants, par contre, faisaient des choses que je trouvais très impolies. D'abord, appeler un enseignant par son nom et le tutoyer était au-dessus de mes forces. Même si ces derniers me le demandaient, je n'en étais pas capable. C'était Monsieur ou Madame, VOUS ! Appeler mon professeur Jean ou Francine et faire suivre le tout d'un « Tu peux-tu v'nir ici ? » m'était tout simplement impossible.

J'en ai entendu des affaires ! Ces pauvres professeurs n'avaient aucun recours pour les aider à faire face à l'insouciance et à l'arrogance des étudiants qui n'avaient peur d'aucune conséquence. Combien de fois ai-je entendu un éducateur se faire dire qu'il était « dans l'champ » et que ce qu'il enseignait « valait pas d'la marde » ? Je trouvais et trouve toujours tout cela très triste et ingrat.

J'étais stupéfaite de découvrir tout ce qui était mis à la disposition des étudiants pour qu'ils soient heureux et qu'ils travaillent au maximum de leurs capacités. Sincèrement, je ne pensais pas tout cela possible en arrivant ici.

Il y avait une infirmière, à l'école, qui était en lien direct avec le CLSC du coin. En cas de pépin, nous pouvions aller la voir sans avoir peur de manquer les cours. Il y avait aussi un psychologue qui, très professionnellement, gardait nos secrets et nos petits bobos d'ados. De l'aide pédagogique et des conseillers en orientation pour nous aider à choisir notre avenir. Et aussi plusieurs surveillants pour s'assurer que le calme règne dans l'école.

C'était vraiment différent de l'école en Algérie. J'essayais d'imaginer dans nos écoles, à Alger, des infirmières chargées de remettre aux filles des pilules du lendemain quand elles auraient eu des relations sexuelles non protégées la veille. Tu parles ! Ça aurait été plutôt : « Tu veux avoir des relations sexuelles, salope ? Eh bien, assume ! »

Des psychologues à qui les jeunes auraient pu dire librement que leurs parents les étouffaient ? Compte là-dessus ! Ils auraient plutôt eu comme commentaire : « Tes parents se saignent aux quatre veines pour toi et tu viens te plaindre à moi, viens que j'appelle tes parents pour leur parler de ton ingratitude, viens ! »

Je trouvais que les jeunes autour de moi n'avaient pas de problèmes. Mais comme ils avaient besoin de se rebeller contre quelque chose, n'importe quoi, alors, ils s'en créaient, tout bonnement.

Je me faisais beaucoup d'amis, mais je ne voulais pas forcement qu'ils et elles soient d'origine arabe. Je voyais devant moi des jeunes issus de pays arabes qui ne pouvaient s'entourer que de jeunes de la même origine. Bien sûr c'était sécurisant, mais trop facile.

Je n'avais pas peur, et ça, je le dis souvent aujourd'hui quand je donne des conférences dans les écoles du Québec sur mon parcours et sur ma carrière musicale, je n'avais pas peur pour mon « algérianité ». Je savais fort bien qui j'étais, ce que j'aimais et n'aimais pas. J'avais de bonnes valeurs, une bonne connaissance de mes limites, de mes craintes et de mes forces. Je pouvais donc aller vers des gens différents de moi en ne pensant qu'aux belles choses que j'allais apprendre d'eux. Cela me rendait la vie bien plus simple.

Très vite, j'ai été entourée de gens venus de partout dans le monde, tout en menant une vie de jeune Québécoise. Les règles à la maison étaient restées les mêmes, mais à la québécoise. Mes amis étaient d'origine croate, vietnamienne, française, libanaise (catholique), égyptienne (catholique aussi) et j'avais aussi un ami qui était d'une famille anglophone. J'avais d'ailleurs une entente avec ce dernier : il ne me parlerait qu'en français et je ne lui parlerais qu'en anglais. Une espèce d'échange de bons procédés entre amis. Je corrigeais son français et il en faisait de même avec mon anglais. Inutile de vous dire que cela a vraiment accéléré le processus d'affinage de mon anglais. Je lui en suis reconnaissante : il était d'une patience et d'une douceur d'ange.

J'allais dans des « partys » comme tous mes amis. Certes, je devais rentrer tôt à la maison, mais je ne m'en plaignais pas trop au début.

Je trouve surprenant que l'on autorise des jeunes à fumer leur cigarette dès qu'ils ont franchi les portes de l'école. Chez nous, la cigarette a toujours été tabou pour les jeunes, alors que tout se fasse aussi ouvertement était pour moi très étonnant. Mais ça m'arrangeait bien, il faut le dire. Je fumais une cigarette par jour et je me cachais à l'école pour le faire, pour que mon frère ne me voie pas. Jusqu'au jour où, allant fumer dans ma cachette habituelle, je trouve mon frère en train de fumer la sienne. Comme nous nous étions ainsi découverts complices dans le crime, personne ne dévoilerait à maman notre vice. Que ma mère le sache ? Vous plaisantez ! Ç'aurait été la fin du monde, le sien et le nôtre ! Elle n'aurait absolument pas compris.

Pourtant, ce n'était pas si grave, Dieu sait qu'il y avait pire. Les jeunes autour prenaient des drogues, du *pot*, du hasch qu'ils fumaient à partir de grosses bouteilles de Coca-Cola en plastique. Une vision qui me donnait la chair de poule ! Et ils faisaient tout ça devant la porte arrière de l'école, à midi ou à la pause. Il n'y avait pas d'heure pour ces consommations. Ils rentraient en cours « gelés comme des balles », incapables de se concentrer et de faire autre chose que rire ou dormir. Je trouvais et trouve encore ce comportement destructeur et pathétique.

Je n'avais jamais été en contact de près ou de loin avec des drogues, à Alger. Je fumais une cigarette ici et là, à l'occasion, avec des copines, pour faire comme les grands, mais c'était tout. L'alcool, je l'ai dit, ne m'intéressait pas du tout, j'en avais vu les dangers quand les gens ne savaient pas boire. En outre, ma mère avait fait un travail remarquable pour me faire peur quant aux drogues, alors j'avais peur de devenir « accro », vraiment peur.

Je me suis fait traiter de « moumoune » et de bébé parce que je refusais de prendre un joint avec tout le monde, à l'école. Mais les gens se fatiguent à un moment donné de tarabuster pour rien, et l'on s'est lassé de me proposer les joints qui passaient, tout comme on s'est découragé de me lancer des insultes gratuites. De toute façon, j'avais reçu tant d'injures autrement plus incisives pendant l'enfance que j'avais appris à m'en moquer. Ça me faisait comme de l'eau sur le dos d'un canard. Mais pas de l'eau polluée par une marée noire ! Grâce à BP et au dégât monumental que la pétrolière a causé dans le golfe du Mexique, nous allons devoir trouver une nouvelle expression : l'image du canard est désormais huileuse.

Le choc... alimentaire

Ma première année scolaire au Québec s'est passée en douceur. Pas de gros conflits, pas non plus de choc culturel contre lequel on m'avait pourtant maintes fois mise en garde.

Je vivais tellement à l'occidentale, déjà, en Algérie, le changement n'a pas été un virage à cent quatre-vingts degrés. J'éprouvais certes un peu de frustration de ne pas être aussi libre de mes allées et venues que l'étaient mes amies québécoises de souche, mais je comprenais quand même la sévérité de ma mère. Elle avait peur pour moi. Entendant souvent parler de grossesses et de MTS chez les jeunes et n'ayant rien connu de tout cela en Algérie, cette nouvelle réalité la terrorisait.

Je sortais le week-end avec mon amie Samia, mais nous n'avions vraiment pas beaucoup d'argent. Ma mère me donnait 5 $ par semaine. Avec cette petite somme et celle de Samia, nous allions jouer au billard. C'était au Centre Eaton de Montréal, métro McGill. J'ai vite appris à jouer parce que pour jouer longtemps, il fallait gagner souvent : c'est toujours le perdant qui paie la prochaine partie. Le comble de la joie, c'était d'avoir un beau dollar pour faire jouer de la musique dans le jukebox de la salle de billard. Souvent du Bob Marley.

Les jours où nous avions bien joué, nous pouvions même aller prendre un café, et quand j'avais vraiment de la chance, je pouvais même me permettre un beigne aux bleuets et me replonger ainsi dans le souvenir de notre arrivée à la frontière.

Ce que j'aimais le plus du Centre Eaton, outre le fait qu'il était mon refuge avec Samia, c'était la diversité des gens et de la nourriture qu'on y trouvait.

Le monde entier était représenté, là, devant mes yeux et les échanges se vivaient en parfaite harmonie. Nous pouvions voir des Arabes manger de la nourriture vietnamienne, des Chinois manger de la nourriture indienne, des Québécois de souche manger du libanais. C'était sublime !

Oh ! si vous m'aviez vu découvrir ma première poutine, sauce italienne, extra saucisse hot-dog, vous auriez ri aux larmes. J'avalais ça comme on déguste du foie gras !

En tout cas, au Centre Eaton, ça sentait bon, et je me disais que plus tard, quand j'aurais de l'argent, je m'empiffrerais ici même de toutes ces nourritures alléchantes.

Et puisqu'on parle de s'empiffrer, le choc alimentaire n'était pas seulement lié à la diversité de la nourriture. J'en ai vécu tout un, de choc alimentaire, la première fois que je suis entrée dans un restaurant avec buffet à volonté !

Passer de petites rations de nourriture, de la nécessité de comptabiliser les baguettes de pain, les œufs dans le frigo, les patates et les abricots... à ces comptoirs entiers pleins de plats succulents dont on pouvait se servir à répétition, pendant des heures, si on le voulait, c'était vraiment ahurissant !

Mon frère et moi demandions à aller dans ce genre de restaurant à chaque anniversaire ou célébration. De plus, nous emmenions avec nous de petits sacs Ziploc dans lesquels nous glissions, en cachette bien sûr, de bons rouleaux impériaux, des nouilles chinoises et des crevettes sautées.

On comprend, quand on voit ça, d'où vient la croissance de l'obésité en Amérique du Nord. Nulle part ailleurs je n'ai entendu parler de nourriture à volonté et de possibilité de se resservir

gratuitement autant de fois qu'on le désire. C'est de la folie pure !
Mais une folie dont j'aurai bien profité.

Comme pour tout, nous nous sommes lassés des excès et
n'y sommes plus retournés. Mais les dommages étaient déjà faits.
Je m'étais arrondie comme une pâte à pain qui aurait reposé
toute une nuit. Mais je n'ai aucun regret et si c'était à refaire,
je le referais sans aucune hésitation.

J'en ai ingurgité de l'abondance, chaque jour, en pensant
à ceux qui ne pouvaient se permettre d'en faire autant. Si notre
plaisir passait par les gigantesques muffins du Club Price alors,
c'était muffins à volonté. Aujourd'hui, je ne peux plus sentir ni
les muffins ni les pilons de poulet du Club Price, ni les sandwichs
au simili-poulet, ni les beignes aux bleuets. J'en ai fait une
overdose. C'était un peu prévisible, non ?

Il y a une autre chose que je n'avais pas prévue, à part ce
surplus alimentaire, c'était d'être aussi épatée par le changement
de saisons au Québec. Jamais je n'avais vu une différence aussi
marquée entre les saisons. En Algérie, il y avait deux saisons : l'été
et l'hiver. Et même l'hiver, les arbres restaient verts et certaines
fleurs résistaient aux pluies et aux températures les plus froides,
5 °C étant le minimum que nous connaissions, je crois.

Voir le changement de couleur automnal tenait de la
révélation. Je comprenais mieux *L'été indien* de Joe Dassin. Je
l'ai toujours aimée, cette chanson, j'avais l'impression en
l'écoutant qu'entre deux paroles placées en mélodie, Joe retenait
la fumée de sa cigarette en même temps que sa respiration pour
chanter ainsi, du bout des lèvres. Comme le faisait mon père.
Mais voilà que je m'égare à nouveau dans mes souvenirs et
que les images sépia de mon enfance repassent en moi de façon
invisible aux yeux des autres mais très clairement devant
les miens. Et la bande sonore de ces images est « on ira où tu
voudras, quand tu voudras, et l'on s'aimera encore... », comme
dans la chanson de Dassin. Je rêve que mon homme me dise ces
mots, exactement ces mots. Qu'il ne soit attaché qu'à moi,
comme le phare au rocher. Je serais le rocher que l'on verrait,

comme un mirage, au détour d'une vague, d'un cap ou d'une péninsule, quelque part.

Toujours est-il qu'à l'automne, j'étais vraiment sidérée par une nature effervescente dans toutes ses déclinaisons. Orange, rouge, rose et jaune. En un mot : éblouissante !

Je me souviens aussi d'être sortie dans la rue, extatique à la vue des premiers flocons de neige de mon premier hiver. J'ai fait ce que font bien des enfants avec les flocons, essayer de les attraper, la bouche ouverte vers le ciel. La météo annonçait le premier o °C et j'avais hâte de découvrir ce que cela faisait de vivre à une température en dessous de zéro. La Russie était très loin dans ma mémoire, je ne me souvenais plus de l'impression que faisait la neige glacée sur la peau.

Moi qui étais pressée de le savoir, j'ai été gâtée, bien trop vite.

Les charmants élèves de l'école m'avaient prévenue des dangers liés à l'hiver québécois. Les risques fréquents de perte de cils, et même d'oreilles, sans oublier l'horreur de la langue collée sur le poteau métallique ou pire encore, sur des rails. Mais pourquoi une personne sensée et qui a toute sa tête irait lécher un poteau en plein hiver ? Pourquoi ne pas s'arracher aussi les ongles des doigts tant qu'à donner dans l'auto-torture ?

Qu'importe, j'y croyais fermement à ces horreurs-là et j'en avais une peur bleue, oh, mes amis ! Résultat, premier grand froid : je marche dans la rue, en revenant de l'école, avec les yeux qui pleurent à cause du vent. Des glaçons se sont même formés sur un de mes yeux. J'ai fait tout le trajet, jusqu'à la maison, en n'ouvrant qu'un seul œil de peur de perdre mes cils.

En plus, on m'avait dit que si je devais, par malchance, geler quelque part, il valait mieux ne pas utiliser de l'eau chaude sur la peau de peur de la brûler. Oh malheur ! non seulement j'avais gelé, mais en plus il fallait que je mette de l'eau froide dessus ? J'avais mal au ventre en pensant que chaque hiver serait ponctué de tortures physiques de la sorte.

Que j'étais crédule! Je raconte tout cela maintenant avec un large sourire, mais il y avait vraiment de quoi avoir peur, à l'époque.

Le décalage

C'est surréaliste! Je me trouve dans un pays où règne le calme et je ne puis m'empêcher de comparer avec ce que j'ai quitté et qui occupe toujours mes pensées : la guerre, les tueries, la peur, la prudence. Je regarde les jeunes autour de moi et je me sens décalée, vraiment décalée. Je ne peux pas en vouloir à ceux qui ne savent pas. Mais je leur en veux aussi, parce que bien souvent, ils ne veulent tout simplement pas savoir.

Je commence à comprendre le mot d'ordre québécois « vivre et laisser vivre ». J'aime beaucoup cette attitude, mais il y a tout de même aussi là-dedans une fermeture, un repli sur soi, sur sa petite vie individuelle qui me font peur.

Je bouscule un peu mes camarades en brassant en classe certains sujets plus difficiles, en débattant, en expliquant, en racontant. En bon québécois, je dirais que « je les déniaise ». « Regardez autour de vous, cibole! C'est bien beau l'mont Royal, mais savez-vous où se trouve le Kilimandjaro? »

J'étais un peu déçue que mes camarades ne sachent rien de ce qui existait en dehors de l'Amérique. Bon, peut-être connaissaient-ils un tout petit peu la France, mais sinon, *wallou* (rien). Pourquoi n'avaient-ils pas déjà étudié le monde, sa géographie, son histoire? C'est ce que nous faisions en Algérie, nous étudiions les pays, leur agriculture, leurs attraits, leurs présidents, leur fonctionnement capitaliste ou socialiste. Il nous fallait connaître le monde pour mieux discerner nos spécificités et ce qui faisait de la nation algérienne une nation unique avec des forces qui nous rendaient fiers et faisaient de nous de vrais patriotes.

Plus j'étudiais l'histoire de mon pays d'accueil, plus je me disais que les jeunes n'avaient peut-être pas vécu un événement assez marquant pour les inciter à se serrer les uns contre les autres en comprenant qu'ils se ressemblaient. Je me demandais s'il s'était jamais produit, dans l'histoire de ce pays, un bouleversement au rôle vraiment rassembleur pour tout le peuple québécois, quelle que soit l'allégeance politique de chacun, mis à part la Révolution tranquille qui, justement, son nom le dit, a été tranquille. Mais je ne suis ni historienne ni critique sociale ; je ne suis que quelqu'un qui observe le monde et les êtres humains qui l'entourent.

Un jour, dans un cours d'enseignement moral qui avait remplacé l'enseignement religieux d'antan, il y a eu un débat sur je ne sais plus quel sujet. J'étais bien évidemment très prise par la conversation en bonne élève que j'étais. Je ne me souviens pas exactement de ce que j'avais dit pour attiser la réaction qui a suivi, mais un des garçons de la classe s'est tout bonnement levé pour me lancer une phrase, mais un truc tellement cliché ! jugez vous-même : « R'tourne donc chez vous, tabar... On est écœurés de vous autres, icitte ! » Je ne l'avais jamais entendue, celle-là, à l'époque. J'étais surprise par cette hostilité, surtout que je savais à quel point je pesais mes mots et que je n'avais probablement rien dit pour mériter que l'on me souhaite de retourner en enfer. Mais ça, il ne le savait pas, le pauvre mec.

Je pense lui avoir répondu qu'ici était le seul chez-nous qui me restait, 'tit poil ! Il était furieux ! Comment osais-je le remettre à sa place ainsi ? Il s'est alors dirigé vers moi comme pour m'en faire manger toute une. Le professeur a daigné se mettre en face de lui pour l'en empêcher ; un ami à moi du nom de Karim, qui était aussi d'origine algérienne, s'était levé pour me défendre : il était hors de lui, lui aussi, de me voir traitée de la sorte. Il lui a fait signe qu'il l'attendrait après l'école.

Je n'entendis plus parler de cette histoire jusqu'au lendemain matin. Dès mon arrivée en classe, j'ai été appelée au bureau du directeur de l'école et j'ai eu la surprise de voir que mon petit frère avait lui aussi été convoqué.

Nous nous demandions ce qui pouvait bien se passer.

— Qu'as-tu fais, toi ?

— Ben rien, vraiment rien, et toi ?

— Ben moi non plus, rien, j'te jure, j'ai rien fait !

Le directeur nous accueille en nous annonçant que nous étions renvoyés de l'école pour deux jours pour cause d'incitation à la bagarre. Bagarre, mais quelle bagarre ?

Il y avait eu une bagarre à la sortie des classes, la veille, entre un groupe assez important de Québécois de souche et un autre d'Arabes, causée par l'incident que j'avais vécu en cours d'enseignement moral. Wow !

Mais je n'avais jamais demandé à quiconque de se battre, moi, jamais ! Pas encore de la violence ! J'ai essayé d'expliquer au directeur ce qui s'était passé, que je n'y étais pour rien, que mon frère surtout n'y était pour rien, que le jeune homme en question avait fait preuve de racisme envers moi.

Le directeur, plaquant fermement ses mains sur son bureau, s'était exprimé d'une voix forte et sèche : « Le racisme, ça n'existe pas ici ! »

— Si, si, monsieur, il existe ! que je lui avais répondu.

— Non, Mademoiselle, le racisme n'existe pas dans mon école ! J'ai plus de quatre-vingt-sept nationalités différentes dans l'enceinte de cette école et toutes vivent en harmonie. Jamais nous n'avons eu de geste raciste. Maintenant, rentrez chez vous et vous ne revenez que dans deux jours.

Alors là, c'était le bouquet ! Moi, mise à la porte d'une école ! C'était la honte ! Je me demandais comment allait réagir ma mère au récit de cette superbe anecdote. Nous avions peur, mon frère et moi, ça allait être le drame ! Mais finalement, maman avait été d'une compréhension touchante. Elle avait seulement lancé à mon frère : « Et toi, pourquoi t'as été renvoyé ? »

— Parce que je porte le même nom de famille, je suppose ! a-t-il répondu. Mon frère a toujours le mot pour rire.

Le vrai drame, ce n'est pas cette fois-là que ma mère l'a vécu, c'était plutôt le jour où elle a découvert que mon frère fumait.

Elle rentrait du travail, et aussitôt, elle a foncé dans la cuisine où nous nous trouvion, mon frère et moi. Cela devait bien faire une distance d'un pas et demi : je vous rappelle que nous habitions un royal deux et demie, c'est dire à quel point le chemin n'était pas très long depuis la porte d'entrée. Elle était en larmes, sa poitrine sursautait de chagrin. Nous pensions qu'elle avait été congédiée, ou attaquée, ou pire encore.

Elle nous crie au visage : « Toi, tu fumes ? Et toi, la grande sœur, tu le savais, et personne ne m'a jamais rien dit ! » Elle était fâchée, anéantie. Mon frère avait alors seize ans et il fumait, il y avait là pour elle de quoi mettre sens dessus dessous tout ce qu'elle avait fait pour nous depuis le jour béni de notre naissance. Elle fulminait. Si elle avait su que je fumais aussi... j'ose à peine y penser : une fin du monde à la fois, ça suffit.

Puis elle s'est mise à parler à cent milles à l'heure. Mon frère s'excusait en long, en large, en diagonale. Rien n'y faisait, elle continuait sur sa lancée. Mon petit frère et moi, nous nous sommes réfugiés dans la salle de bains, qui avait à peu près la taille d'un dix cents, et maman nous y a suivis, noire de colère, pour nous asséner : « ... J'aurais donc dû faire comme votre père, j'aurais dû prendre mes cliques et mes claques... »

Je ne lui ai pas laissé le temps de finir sa phrase, c'en était trop pour moi. C'était la seule blessure que l'on ne devait pas rouvrir, la seule menace que l'on ne devait pas me faire (encore à ce jour, d'ailleurs). Me dire que l'on veut m'abandonner ! Il faut que ma mère le sache, il n'y a pas de revenez-y !

J'ai explosé, j'avais une bombe en moi depuis des années et je venais de la faire détoner. J'ai eu le temps de lui dire que c'était le moment de partir, si elle le voulait, qu'elle fasse donc comme mon père et qu'elle s'en aille. Mais l'émotion était trop forte, mon corps m'a lâchée et je me suis évanouie dans le triangle des Bermudes que formaient la baignoire, le lavabo et la porte.

Quand je suis revenue à moi, ma mère me demandait pardon, mon frère pleurait et moi j'étais soulagée... Ma mère ne m'abandonnerait jamais !

Chapitre 9
De mes propres ailes

Premier emploi

À l'approche de l'été, après une année scolaire quand même plutôt légère et de beaux bulletins, avec l'aide d'une connaissance, je me suis trouvé un emploi de serveuse dans un restaurant Pizza Donini, rue Henri-Bourassa, dans le nord de Montréal.

Mon anglais s'étant vite amélioré, je n'avais pas eu de mal à répondre au questionnaire du gérant. J'étais fière de moi. Il était question que je travaille de dix-huit heures à deux heures du matin, le vendredi et le samedi, ainsi que le dimanche, jusqu'à minuit. Le livreur de pizzas était chargé par le gérant de me raccompagner, chaque soir, à la maison. Il ne voulait pas qu'il m'arrive malheur à ces heures tardives.

J'ai vite appris les rudiments du service aux tables : j'aime travailler avec les gens. On me trouve polie et je finis souvent ma journée avec de très bons pourboires. Je fais la vaisselle, m'occupe de prendre les commandes téléphoniques parfois, et aux pauses du cuisinier, je vais même faire des pizzas, pour dépanner. J'adorais cela. Je m'imaginais souvent boulangère en

Italie, je me disais que j'allais un jour me faire surprendre ainsi par un prince charmant et je rêvassais, et je rêvassais... Je rêvasse ma vie entière, moi, je suis comme ça. Je n'ai pas rencontré mon prince charmant dans ma pizzeria, non, mais un clown y est entré un jour et c'était celui de ma fête !

Il m'a fait mon premier chien en ballon de ma vie. Le cuisinier m'avait préparé une pizza comme je les aimais, c'est-à-dire croûte mince, blé entier, triple extra fromage et double extra crevettes. Les clients m'ont chanté « Bonne fête », le sourire aux lèvres, et le gérant m'a fait goûter à mon premier gâteau au fromage, style New York. Ma vie avait changé. Il y avait désormais l'avant et l'après-gâteau au fromage.

Au bout de quelques semaines dans cet emploi, j'étais devenue si bonne que je pouvais comprendre d'un seul coup la commande complète de gens d'origine pakistanaise sans les faire répéter. Faut le faire, non ? J'avais tellement de mal au début à comprendre autre chose que « ban, bédjé tarian, vlan, glan, pique et pique et colégram... » Bref, je n'y comprenais rien du tout.

Nous ne servions pas d'alcool, ce qui n'était pas pour me déplaire. Cela m'évitait d'avoir affaire à des gens en état d'ébriété. J'avais vu une fois un client s'asseoir à une table avec une bouteille où était inscrit « *beer* ». J'étais allée immédiatement chercher le gérant pour lui dire que j'avais vu quelqu'un s'attabler avec sa bière. Il est allé le chicaner et est revenu vers moi en me disant « Lynda, Lynda... Je vais devoir payer le repas au monsieur. C'est pas une bière, Lynda, c'est juste de la *root beer* ! » Oups !... Il s'est excusé en mon nom, en disant que je venais de débarquer. Je ne comprenais pas la différence : de la bière, c'est de la bière, non ? J'étais gênée comme ce n'était pas permis. Mais encore là, je ne pouvais pas le savoir d'instinct : c'est le genre de chose que l'on doit expérimenter, enfin, pas trop souvent, j'espère !

Découverte de la chanson québécoise

Travailler chez Pizza Donini m'a procuré, en plus de mon gagne-pain, mon premier réel contact avec la chanson québécoise. Des heures durant, tout le long de mon service, j'écoutais la radio. C'était souvent Rythme FM ou CKMF (qui ne s'appelle même plus comme ça maintenant, mais plutôt Rock Détente, ce qui ne me rajeunit pas). Je les connaissais par cœur, les chansons.

C'est ainsi que j'ai découvert Richard Séguin, Laurence Jalbert, Marie Denise Pelletier, Michel Rivard, Luc De Larochellière, d'autres encore, tous ces artistes québécois dont j'ai connu le répertoire et les succès. J'ai fredonné ces airs en servant à des gens leurs sous-marins garnis et leurs pizzas hawaïennes (quelle horreur !). Luc De Larochellière, lui, je le connaissais depuis l'Algérie : j'avais vu son vidéoclip de la chanson *Cash City* sur les ondes de la télé française et je rêvais de la chanter avec lui (patience, Lynda, ça va se faire dans quelques années !). Ces artistes m'ont fait découvrir ce qui émouvait et touchait les gens de mon nouveau pays. Ces mêmes artistes qui allaient être, un jour, mes amis de scène. Ils ont commencé à m'instruire avant même que je monte sur scène.

J'ai chanté et pleuré sur les chansons de Gerry Boulet, surtout celle qui dit : « Aujourd'hui, je vois la vie avec les yeux du cœur, les yeux du cœur... », l'une des plus belles chansons qui soient. Avec Marjo, j'ai pleuré en fredonnant : « S'il fallait qu'un jour, la vie t'arrache à moi, qui guidera mes pas ? Moi qui n'aime que toi. » Que c'est beau, que c'est beau ! Et il y en a d'autres, tout plein. Comme la chanson de Dan Bigras : « Tu m'tueras, si tu t'en vas, simplement, si tu t'en vas... »

Je me revois à la fin de mon « chiffre », attendant le livreur qui était allé porter une dernière commande quelque part, assise avec mon méga verre de Crush à l'orange, et me surprenant à espérer qu'il ne revienne pas trop vite et me laisse encore plus de temps pour écouter de la musique, toute seule sur le banc du resto.

C'est chez Pizza Donini que j'ai développé une véritable dépendance aux boissons gazeuses. Il a fallu que j'arrête totalement d'en boire pendant longtemps pour me débarrasser de l'envie d'en prendre, dès le matin en me réveillant. Et c'est là aussi que le pepperoni m'est devenu insupportable. J'ai servi tant de pizzas toutes garnies à des ados en trip de bouffe après avoir consommé des joints de *pot* que l'odeur même m'en répugne. Je me suis dit que mon prochain emploi n'aurait rien à voir avec la nourriture, il ne faudrait surtout pas. Après quelques mois, je n'en pouvais tout simplement plus, mais je commençais à aimer gagner de l'argent et pouvoir l'utiliser à ma guise.

Mon emploi suivant a pourtant encore été un travail de serveuse. Sauf que là, ce n'était vraiment pas la même dynamique. C'était pendant l'année de mon secondaire cinq. J'étais serveuse dans un buffet italien qui se spécialisait dans les événements genre mariages, fiançailles, anniversaires divers, etc. Tu parles d'un chaos ! Je faisais le service avec ma mère (c'était un de ses nombreux petits emplois) pour arrondir les fins de mois, comme on dit. Je me payais ainsi ma carte de métro, entre autres. Mon frère aussi y travaillait comme aide-serveur. On nous appelait plusieurs fois par mois, la fin de semaine. Nous n'aimions pas trop ça, mais quand on a besoin d'argent, on a besoin d'argent, alors nous y allions. Je n'avais aucun contact avec les gens que je servais, qui semblaient souvent participer à l'événement uniquement pour boire et manger à l'excès et se permettaient de faire ou de dire des méchancetés aux serveuses et serveurs. Pour eux, nous étions vraiment des gens de catégorie inférieure. Désolant !

Quand le bar était ouvert à volonté, c'était à la fois une bonne et une mauvaise nouvelle. Bonne, parce que le pourboire que tous se partageaient à la fin de la soirée allait être beaucoup plus important. Mauvaise, parce qu'il y avait toujours des « sans dessein » qui en profitaient pour boire à en tomber par terre ou faire tomber ton plateau plein d'assiettes d'antipasti en te disant « *attenzione !* »... ou, pire encore, qui avaient besoin de s'accrocher à toi par les épaules ou la taille pour avancer.

Par deux fois, on a dû avoir recours à l'ambulance pour emmener à l'hôpital des personnes qui avaient bu jusqu'à en perdre conscience. Faut le faire, quand même !

Miaou, miaou...

Quand j'ai commencé mon secondaire cinq, tout le monde autour de moi savait déjà que j'aimais chanter. Mes copines de classe m'encourageaient à participer aux différents spectacles qui s'organisaient. Mais ce n'était pas encore le moment, j'étais trop timide, j'avais peur de me présenter sur scène.

À un moment donné, pourtant, quelqu'un m'a dit qu'on allait monter une comédie musicale à l'école et que des auditions étaient prévues. Hum ?! Chanter et danser, déguisée ?... Ce serait peut-être un bon départ sur scène. J'auditionne donc et je remporte un rôle de chatte dans la première comédie musicale de ma vie : *Cats*.

Pendant quelques mois, je n'ai fait que du *Cats*, trois soirs par semaine. Je me découvrais, avec des amis, la passion de la chorégraphie. Nous étions devenus un groupe qui s'entraidait, se soutenait en toutes circonstances ; il y avait vraiment entre nous un sentiment d'appartenance et ça faisait du bien de se sentir membre de quelque chose d'aussi positif. J'ai beaucoup appris et plus encore, je me suis amusée. J'étais une jeune parmi d'autres jeunes qui ne faisaient rien d'autre que vivre des expériences à la mesure de leur âge. Encore une fois, c'était loin de ce que j'aurais vécu si j'étais restée en Algérie. Là-bas, ça aurait paru enfantin. On m'aurait dit que c'était une perte de temps pour une jeune fille de se faire aller le popotin, déguisée en chaton, en chantant des chansons de Broadway. Mais je n'aurais pas été la femme que je suis aujourd'hui s'il n'y avait pas eu *Cats*. Cette comédie musicale a tellement fait pour moi ! J'ai trouvé, grâce à ce spectacle, des amis qui sont encore présents aujourd'hui dans ma vie.

Il fallait nous voir sur scène avec nos costumes que nous avions faits nous-mêmes. Je ris aux larmes en revoyant la vidéo du spectacle. À ce jour, je n'ai toujours pas autorisé mon amoureux à la voir, cette fameuse vidéo ! Je m'étais collé un morceau de tissu semblable à du poil sur le justaucorps noir à manches courtes que je portais et j'arborais une queue qui tenait plus de celle d'un raton laveur que de celle d'un chat. J'avais l'air d'une serveuse qui se serait dessiné des moustaches sur la figure. Je ne sais même pas si j'aurai le courage d'en glisser une photo dans ce livre.

Peut-être êtes-vous déjà allé jeter un coup d'œil dans la section photos pour savoir si j'ai finalement surmonté mes réticences. Rassurez-vous, je fais ça, moi aussi, quand je lis un livre : c'est pour cela que j'aime les versions illustrées des livres de Dan Brown (*Da Vinci Code* et *Anges et Démons*, par exemple). Bon, retournons à nos moutons, ou plutôt à nos chats !

À la fin de l'année, nos deux représentations ont été un vrai succès. Tant et si bien que mon amie de l'époque, Catherine, et moi-même avons décidé de monter une autre comédie musicale durant l'été pour pouvoir commencer les répétitions pendant l'année scolaire suivante. *In time !* comme on dit à Broadway. Dans les temps !

Amour, fugue et naufrage

Oui, bon, d'accord, c'est peut-être un peu alarmant comme titre. Mais ne soyez pas inquiet, je suis toujours là à vous écrire ! Peut-être un peu sensationnaliste, aussi, comme formule... Je vois déjà l'article dans le magazine *La Semaine* ou dans *Échos Vedettes*. Mais je ne veux pas rire de choses sérieuses... Et puis oui, après tout, il vaut bien mieux en rire que d'en pleurer encore. Ce qui est certain, en tout cas, c'est qu'il faut en tirer une leçon.

Je ne me souviens pas trop comment les choses se sont produites. Comme c'est souvent le cas dans ma vie. Mon système mental de défense a tout chamboulé, pour m'assurer une plus grande stabilité émotive, je suppose.

Toujours est-il qu'à dix-sept ans et après plus d'une année au Québec, je suis tombée amoureuse. Mais pas tombée comme dans un coup de foudre ou en chute libre, j'ai plutôt glissé insensiblement dans cet amour. C'était doux et naturel. Il était de dix ans plus vieux que moi, était d'origine marocaine et avait le plus gentil, le plus attentionné des caractères. Jamais, au grand jamais, il n'élevait la voix ; jamais un mot grossier, une marque d'irrespect ou un signe de dureté. Il était vraiment bon et ne me brusquait jamais. Je l'appellerai, le temps de ce chapitre, Tayib (le bon).

Tayib vivait depuis quelques années au Québec, seul. Nous nous sommes rencontrés en jouant au billard. Nous avions le même groupe d'amis. Nous sortions en boîte ensemble, allions prendre un verre, passions du temps chez un ami ou l'autre, rien d'exceptionnel, mais je ne pouvais absolument pas en parler à ma mère dont la sévérité ne s'était pas essoufflée.

De par son éducation, à Fès, au Maroc, une des villes les plus conservatrices du pays, Tayib comprenait très bien ce que je vivais et ne me plaçait jamais dans une situation où notre secret pouvait être trahi.

J'entendais les filles de mon école dire qu'elles passaient la nuit chez leur *chum*, mais c'était impossible dans mon cas. En Algérie, c'était compréhensible, puisque j'étais plus jeune et que toute la société autour était très rigide, mais ici, j'étouffais littéralement d'être astreinte aux même règles.

Tayib était même venu voir une représentation de *Cats* pour moi, à l'insu de tous, discret qu'il était.

Il était si fier de tout ce que j'entreprenais et m'y encourageait de toutes les formules qu'il pouvait connaître. Il parlait avec un bon accent marocain, je trouvais ça *cute*. Il prononçait parfois « u » à la place des « i », même en se concentrant. C'est assez répandu, je trouve, chez les gens nés au Maroc. Une phrase du genre : « Serait-il possible de vérifier si les tissus au-dessus suffisent, Isidore ? » devient pour eux un marathon de la langue.

Au moins, ils essaient de parler français et ne sont pas de ceux qui s'écrient « *I don't speak French !* » dès que tu leur dis « bonjour ». Voilà bien, d'ailleurs, un sujet qui me met dans tous mes états.

Peut-on m'expliquer le problème de ces anglophones strictement unilingues ? Ils sont nés ici, ont grandi ici, côtoient des gens, des réceptionnistes, des interlocuteurs, des vendeurs... qui leur parlent en français, et quoi ? Ils ne sont même pas capables de capter le petit mot de rien du tout qu'est un simple « bonjour ». Il me semble que ce manque de bonne volonté est un peu dépassé sur une planète où l'on parle de mondialisation, de Facebook, d'échanges à grande échelle. C'est quoi, cet entêtement de premier ordre ? Comme des gamins qui se bouchent les oreilles dès qu'ils entendent un mot de français en fredonnant : « *La la la la la la can't hear ya... la la la, don't speak French... la la la, can't try no way !* »

Well, try this for French : bullshit ! Tiens, toi !

Quand tu dois aller quelque part dans le monde, n'importe où, tu essaies toujours de connaître quelques mots usuels : bonjour, bonsoir, il fait beau, combien ça coûte ?, c'est trop cher !, oui, non, au revoir, adieu, va te faire voir ! En Allemagne, c'est de l'allemand... Au Japon, du japonais... En Espagne, de l'espagnol. Au Québec, c'est en FRANÇAIS !

Ce n'est pas moche, comme langue, c'est riche, c'est onctueux, complexe comme une femme. C'est une langue qui ondule, qui se dévoile progressivement. Pourquoi donc s'acharner à l'ignorer ainsi ?

Ça m'attriste, ça me révolte, ça m'insulte...

Au contraire, entendre quelqu'un me baragouiner quelque chose, n'importe quoi, en français... même un français cassé, un français en miettes, un français recollé, me fait le plus grand des plaisirs. Bon, mettons, un des plus grands des plaisirs !

Le jour où j'ai commencé à pleurer en classe parce que la prof de français nous avait fait écouter la chanson *La langue de chez nous* d'Yves Duteil, tous m'ont pris pour une énergumène. Mais que voulez-vous ? « C'est une langue belle avec des mots superbes, qui porte son histoire à travers ses accents... »

Pour en revenir à Tayib et à la séquence des événements, je me souviens de mon bal de finissants : il ne pouvait y participer, puisqu'il n'était pas de l'école, il n'en avait pas l'âge non plus. Moi, je ne voulais pas y aller sans lui. Mais c'est avec toute la confiance du monde qu'il m'avait dit : « Vas-y, va t'amuser avec tes amis, tu le regretteras un jour si tu n'y vas pas. »

Du coup, avec tout mon groupe d'amis, dans une limousine *stretch* blanche que nous avions payée tous ensemble et qui nous revenait à 14 $ chacun (une incroyable aubaine !), je suis allée à mon bal de finissants.

Se préparer pour le bal était toute une affaire. Les gens dépensent des sommes folles pour cette seule soirée. J'y étais impliquée depuis des mois vu que j'avais fait partie du comité de l'album des finissants. Tout avait été fait, toute l'année, en fonction du bal et de l'après-bal. Pour l'événement, ma mère m'avait acheté une paire de chaussures noires à talons hauts. Elles avaient coûté 75 $. J'étais touchée par sa générosité. C'était énorme pour l'époque et pour nos moyens.

Et me voilà, le jour du bal, excitée comme une puce, des chaussures de 75 $ aux pieds et la fabuleuse robe de velours noir sur le corps, celle-là même que j'avais pris soin d'emmener avec moi dans ma valise depuis l'Algérie. Je le savais qu'elle me servirait un jour ! Eh bien voilà, c'était le moment. Mais ce que je n'avais pas prévu, c'était ma prise de poids ! Je parvenais à peine à respirer là-dedans et j'avais fini par en déchirer la fente en avant et la fermeture éclair d'en arrière en sortant de la limousine (bravo pour l'entrée spectaculaire !). Une chance que j'aie eu une épingle à nourrice sur moi, prévoyante Lynda !

La soirée fut sublime, émouvante même. Nous nous sommes tous fait nos adieux avec la promesse de rester amis pour la vie.

J'ai quitté tout le monde pour aller rejoindre mon *chum*, chez lui. Pas d'après-bal pour moi. Ça ne m'intéressait pas d'assister à une beuverie. Puis je suis rentrée bien sagement à la maison, pour que ma mère ne se doute de rien.

Le grand saut

Tayib était en voyage chez sa famille au Maroc.

Nous habitions maintenant un grand appartement rue Lajeunesse, toujours à proximité du métro Sauvé. J'avais ma chambre rien qu'à moi avec une garde-robe style *walk-in*. Ça aurait dû faire mon bonheur... L'appartement était juste au-dessus d'un magasin d'équipement électronique. Et comme nous n'avions pas de voisins au-dessus de nos têtes, c'était bien insonorisé. Ma mère était aux anges. Nous avions un nouveau chien, ou plutôt une chienne, Daisy, qui comblait le vide qu'avait laissé ma Thiska adorée.

Mais qu'importe, j'étouffais... Au plus profond de moi-même, j'étais malheureuse.

Je ne comprends pas exactement tout ce qui m'a habitée ce soir-là, mais j'avais décidé de faire le grand saut et de mettre fin à mes jours. Maintenant, je le raconte avec détachement parce que j'en suis vraiment détachée, c'est aussi simple que cela.

Je me revois en boucle, dans mes moindres gestes et j'éprouve de la compassion pour la jeune fille que j'étais. J'éprouve de la tendresse pour cette fille qui ne voulait plus vivre. Je me sentais étouffée plus que jamais ; c'était peut-être l'accumulation de tristesse qui, combinée aux événements que je vivais, avait fait en sorte que mon cœur ne voulait tout simplement plus essayer d'être heureux.

Je jouais à être heureuse devant les gens et je le fais encore, d'ailleurs, parfois. Je suis bonne à ce jeu, je pense. Enfin, les gens semblent y croire et me disent volontiers que je suis rayonnante, que j'ai l'air bien, même dans mes jours les plus gris. C'est vrai, je peux facilement avoir l'air faussement bien et heureuse. Ceux et celles qui parviennent à voir l'autre côté de moi, le vrai, c'est qu'ils et elles sont très proches de moi, que je peux leur révéler ma vraie nature en toute confiance. Et encore là, ça effraie souvent, alors je ne me laisse entrevoir qu'à de rares moments, pour ne pas perdre les gens que j'aime.

Ce soir-là, j'ai attendu patiemment que tout le monde soit couché. Je suis allée prendre une boîte d'antidépresseurs, des somnifères et un grand verre d'eau. Je suis allée dans ma chambre et j'ai entrepris tranquillement d'avaler pilule après pilule en ne pensant strictement à rien.

Une fois avalée la moitié de la première boîte, je me suis arrêtée, paniquée à l'idée de ce que j'étais en train de faire. Puis je me suis ressaisie en me disant qu'il était déjà trop tard et que je ne pouvais plus reculer. Alors j'ai continué... Quand j'ai eu terminé la mission que je m'étais confiée, je me suis allongée sur mon lit en me demandant qui viendrait me chercher. Est-ce que ce serait ma tante Yakouta ? Je me demandais également si j'allais avoir mal, mais ça ne devait pas être plus douloureux que vivre, alors... Je me suis endormie.

Je me suis réveillée en me demandant si j'étais passée de l'autre côté ou non. La douleur au ventre m'a fait comprendre que j'étais vivante, bien vivante. Merde, j'avais loupé mon coup, ça c'était le truc à éviter ! Ce n'était pas un appel à l'aide que je voulais envoyer avec mon geste, je voulais en finir, c'est tout.

Mais maintenant, j'allais devoir vivre avec les conséquences.

Un peu sous le coup de la panique, je me décide à aller réveiller ma mère.

— Qu'est-ce qu'il y a ? Qu'est-ce qui se passe ? me dit-elle.

— Je ne me sens pas bien, je vais vomir, j'ai pris... j'ai pris...

— Qu'est-ce que tu as pris ? Quoi, qu'est-ce que tu as pris ?

Je lui tends les deux boîtes vides.

— Ça, tout ça ? T'as pris tout ça ? Mais pourquoi, ma fille, pourquoi ?

Je n'ai pas pu répondre, je ne le peux toujours pas aujourd'hui.

J'étais quand même contente d'être encore en vie, même à ce moment-là. Même à genoux, à vomir mes regrets, ma tristesse, ma solitude, mes inquiétudes, ma rage. Je vomissais des visions de violences, d'injustices, je vomissais le désespoir de ne pas savoir être heureuse.

Quand j'ai eu fini, je suis allée me mettre au lit, bordée par ma mère en larmes qui me faisait promettre de ne plus refaire une chose pareille. Elle s'excusait de ne pouvoir m'emmener à l'hôpital. Elle avait trop peur que l'on me garde, en prétextant que j'étais un danger pour moi-même et qu'ainsi on me sépare d'elle. Elle avait peur de me perdre.

J'oscillais entre le soulagement et la crainte. Plusieurs fois cette nuit-là, je me suis réveillée pour vomir. Mais bien sûr, tout cela est resté flou dans ma mémoire...

Le lendemain, personne ne semblait oser me parler vraiment. J'étais comme sonnée. Mon frère passait à côté de moi sans trop lever la tête. Il savait ce qui se passait mais ne savait pas comment réagir, je présume. Moi non plus. Je n'avais pas pensé à cette éventualité, être vivante.

Ma tante Moumou, quant à elle, était furieuse contre moi. Elle m'avait parlé au téléphone, et m'avait demandé comment je pouvais être aussi égoïste. Peut-être que je l'étais, en effet. Après cet appel, elle ne m'adressa plus la parole pendant une longue période. Mon geste l'avait blessée. Je n'étais plus la même à ses yeux. Elle avait vu la vraie « moi » !

Ma mère avait appelé mon amie Samia à la rescousse après quelques jours ou quelques heures, je ne sais pas. Celle-ci pleurait en me parlant au téléphone : elle me demandait pourquoi je ne lui avais pas parlé avant de faire un tel geste. Elle était déçue que je n'aie pas eu assez confiance en elle pour lui confier ma « toute personnelle fin du monde », comme dirait Michel Rivard. Une autre personne déçue... Ajoutez-en donc une autre à la liste, puis une autre encore, tous ceux que vous voudrez. Je m'étais déçue moi-même d'avoir essayé de me tuer et de n'avoir pas réussi.

Quelques jours plus tard, Samia était venue me chercher pour m'emmener faire un tour et discuter. Nous sommes allées dans un café de la rue Sainte-Catherine, non loin de La Baie. Mes membres étaient parfois pris de tremblotements involontaires. Après plusieurs tentatives pour déchirer le petit sachet de sucre à mettre dans mon café, je le tends à Samia pour qu'elle le déchire pour moi, mais sans dire un mot. Elle le prend et voit clairement ma main trembler. Elle déchire le sachet et brusquement éclate en sanglots.

— J'ai failli te perdre, tu aurais pu mourir, tu te rends compte ? Ne fais plus jamais ça, t'as compris ?

Bien des gens m'aimaient. J'étais à la fois rassurée et submergée par cet amour.

Je ne me souviens plus si Tayib l'avait su à son retour ou si je lui en avais parlé. Ce que je sais, c'est que lui ne m'aurait pas jugée.

Voler de mes propres ailes

Je pense bien que c'est après le branle-bas de combat que je viens tout juste de vous raconter que j'ai décidé de plier bagage.

Il faisait beau et chaud, c'était un mardi, je m'en souviens. Les choses s'étaient rétablies entre ma tante Moumou et moi. En tout cas, à ce moment-là, nous nous parlions de nouveau. Mon ras-le-bol devait être total. J'ai appelé Tayib pour lui demander de venir me chercher chez moi : je venais vivre avec lui. Il en était abasourdi.

J'ai écrit une belle lettre à ma mère, la remerciant pour tout, lui disant à quel point j'appréciais tout ce qu'elle avait fait pour moi, mais qu'il était temps que je vole de mes propres ailes. Je lui ai dit également que j'avais un *chum* du nom de Tayib, que j'habiterais désormais avec lui et qu'elle pouvait m'appeler à son numéro de téléphone. J'ai ajouté que je pouvais sans aucun problème venir lui rendre visite de temps en temps, que nous garderions le contact, mais qu'à partir de maintenant, je n'étais plus officiellement sous son toit. J'ai mis mes affaires dans un grand sac-poubelle vert et je suis descendue attendre mon *chum*.

Il est arrivé vite, le regard inquiet. Il se demandait dans quoi je l'embarquais. « Comment on va faire, Lynda ? » me disait-il.

Oh ! mais j'avais prévu ça. Je m'en foutais de la façon dont nous allions nous débrouiller. Nous nous en irions vivre loin : « On déménage très loin d'ici ! On va à Oka ! » Il a tellement ri en me signalant que ce n'était pas si loin que ça, Oka ! « Pourquoi Oka ? Et on va faire quoi à Oka pour vivre ? »

Eh bien, on m'avait dit que c'était quand même loin comme endroit, que c'était beau et qu'il y avait une plage, alors, je voulais aller à Oka. Je pourrais être serveuse, j'étais bonne.

Bien longtemps après, il riait encore en racontant cette histoire d'Oka et de fugue avec mon sac-poubelle.

Nous n'avions même pas eu le temps d'arriver à destination, je veux dire pas à Oka mais à l'appartement de Tayib, que le téléphone sonna. C'était maman ! Elle me demandait de rentrer à la maison ; en fait, elle avait commencé par m'ordonner de rentrer, pour finir par simplement me le demander, pour qu'on discute. Elle était également passée de la menace de faire arrêter Tayib parce que j'étais encore mineure pour quelques mois, à l'envie de le rencontrer et de le serrer dans ses bras comme un fils.

J'ai accepté de revenir à la maison le temps de discuter avec elle en présence de Tayib. À notre arrivée, ma mère nous a accueillis en larmes. Elle m'a serrée dans ses bras, puis elle a fait la même chose avec Tayib, en lui demandant de s'asseoir et en l'appelant « mon fils ».

Nous avons passé quelques minutes à parler, à négocier ma liberté. Je négociais, mais je savais que ma demande était plus que légitime. J'étais une jeune femme responsable et digne de confiance : j'allais bientôt avoir dix-huit ans. J'allais bientôt pouvoir voter pour changer le sort du Québec, mais je ne pouvais sortir que jusqu'à dix-huit heures ?

J'en avais mal au cœur, j'étais toute chavirée. Voir maman pleurer ainsi me torturait. Mais l'on se parlait de femme à femme, et il était plus que temps que cela se produise.

Tayib, qui avait perdu sa mère étant enfant et qui avait cruellement manqué de cet amour maternel, ne pouvait s'empêcher de pleurer lui aussi. Il était bouleversé, mais en même temps, il admirait ma force de caractère.

Finalement, dès que nous nous sommes entendues sur la vie que nous allions mener ensemble désormais, ma mère s'est empressée de prendre mon sac-poubelle plein de vêtements pour le remettre dans ma chambre et nous a proposé un bon café.

Depuis ce jour-là, j'ai pu vivre ma relation avec Tayib ouvertement et dans le respect. Tout avait changé. Je pouvais aller passer la nuit chez mon amoureux sans crainte et sans cachotteries. Nous vivions des week-ends et même des vacances ensemble à New York, en Floride. Il était d'une grande générosité et jamais, au grand jamais il ne me laissait sortir le moindre sou de ma poche. Parce que, tout simplement, ça ne se faisait pas.

Mais jamais Tayib n'aurait accepté de venir passer la nuit à la maison. Ça non plus, ça ne se faisait pas, vraiment pas ! La seule fois où il a cédé, ce fut après une opération chirurgicale qui l'avait grandement affaibli. Il fallait que quelqu'un s'occupe de lui, alors il avait accepté l'invitation de ma mère à venir passer quelques nuits chez nous. Mais il refusait de partager le même lit que moi sous le toit de ma mère, sans être mon époux. Il dormait sur le sol. Je n'étais décidément pas la seule à être obstinée !

Tayib est devenu chauffeur de taxi quelque temps après m'avoir connue. Je l'y avais fortement encouragé. Je l'avais même aidé à prendre ses cours et à apprendre ses leçons. Je passais des heures à écouter secrètement au téléphone les conversations qu'il pouvait avoir avec des clients. Il me racontait toutes les péripéties auxquelles il lui arrivait de faire face.

Il y en a des fous, sur cette terre ! Il y avait des gens qui aimaient malmener le chauffeur de taxi, d'autres qui décidaient de ne pas payer, il y avait ceux qui s'enfuyaient, celles qui proposaient de payer en nature, ceux qui devenaient hystériques et se mettaient à pleurer ou à rire sans raison. Il y en avait aussi qui étaient malades dans le taxi, d'autres encore qui racontaient leur vie...

Bref, grâce à Tayib, j'ai beaucoup appris sur l'être humain.

Équivaloir à pas grand-chose

Une chose que j'ai apprise et qui m'a chavirée, ou plutôt une situation dont j'ai appris l'existence et dont je ne me doutais aucunement, c'est ce que vivaient un certain nombre de chauffeurs de taxi venus d'ailleurs. Comme moi, ils étaient venus au Québec pour avoir une meilleure vie, pour eux, mais surtout aussi pour leur famille, pour leurs enfants.

Je me suis retrouvée à quelques reprises en discussion avec l'un ou l'autre autour d'un café, comme le font souvent les chauffeurs de taxi en soirée. C'est là que j'ai rencontré ces hommes qui ont tout laissé et qui se retrouvaient avec... pas grand-chose.

Dans leur pays d'origine, ils étaient médecins, ingénieurs, architectes, professeurs d'université ou autres. Ils avaient une multitude de diplômes qu'ils étaient fiers de nommer parce que leur vie durant, ils s'étaient définis par leurs diplômes.

Je me mettais parfois à la place de ces hommes qui arrivaient, la valise bourrée d'années de métier et d'expertise, le cerveau bourré de connaissances et le cœur bourré d'espoir et d'images de paradis. Et qui se retrouvaient à conduire un taxi en pensant à ce qu'ils avaient laissé, à ce qu'ils étaient avant, au statut qu'ils avaient naguère. Est-ce que ça valait vraiment la peine de faire ce sacrifice ? Pourquoi et pour qui ?

Je sais que ceux qui venaient d'Algérie avaient été habitués à vivre comme le coq de la basse-cour. L'Algérie est tellement une société d'hommes ! Je ne veux pas généraliser, mais souvent, ils l'avaient facile, là-bas, tout leur était servi sur un plateau d'argent. L'homme de la maison n'était jamais contredit, il était l'autorité et le pourvoyeur.

Ils arrivaient ici et du coup, leurs études et leur métier n'avaient plus aucune valeur. Donc ils n'avaient plus de valeur. Ils devaient retourner aux études pour avoir « l'équivalence aca-démique » qui leur permettrait peut-être (en fait, pratiquement jamais) de retrouver l'emploi qu'ils avaient avant. Celui-là même qui avait pesé le plus lourd dans la balance quand était venu le temps de passer aux services d'immigration. Les agents d'immi-gration avaient dû leur sortir le classique : « Au Canada, nous avons besoin de gens comme vous, monsieur. »

Mais pour retourner aux études, il faut encore accepter le fait que c'est Madame qui devient maintenant le pourvoyeur de la famille. Les femmes immigrantes, en règle générale, se moquent éperdument d'être serveuses ou réceptionnistes ou de travailler dans un centre d'appels. Elles veulent rester ici et surtout ne pas échouer et revenir dans le pays qu'elles ont quitté. Elles sont prêtes à tout et finissent par se rendre compte que la responsabilité familiale et le pouvoir qui va avec viennent de changer de main.

L'homme veut que tout reste pareil tandis que la femme, au contraire, souhaiterait qu'il y ait un équilibre familial des droits et des tâches. Alors naissent les tensions dans le couple, alors viennent les regrets et les blâmes. S'ajoutent à tout cela les demandes des enfants qui sont confrontés à une nouvelle société porteuse de plus grandes libertés et le fameux choc culturel. Les dissensions se multiplient et les familles finissent par éclater.

Telle était la réalité que je découvrais lors de mes discussions, au fil du temps, avec ces messieurs et quand j'écoutais tout ce que me rapportait Tayib de ce qui se disait entre hommes.

C'est une situation complexe. Personne ne sait comment résoudre les différents problèmes qui s'y rattachent. On sait que le problème existe, mais comment le gérer ?

J'en parle souvent aujourd'hui au cours de mes rencontres avec le consul ou l'ambassadeur de l'Algérie au Canada. J'en ai même parlé dernièrement, pendant un lunch amical, avec Mme Yolande James alors qu'elle était encore ministre de l'Immigration et des Communautés culturelles.

Certains de ces hommes qui se sentent déchus et qui ont, en quelque sorte, perdu leurs épaulettes, se retrouvent dans des cafés pour se parler entre gens qui ont le même vécu et qui ont subi les mêmes pertes. D'autres se retrouvent dans les mosquées, et c'est là que je vois le plus grand des dangers. Car c'est là, dans cette situation de fragilité et de vulnérabilité psychologique, que ces hommes peuvent se faire happer par de petites cellules radicales qui les réconfortent en leur disant ce qu'ils veulent entendre et en leur redonnant le statut dont ils sont désormais privés dans leur vie quotidienne.

On ira, après ça, se demander comment il se fait que des gens qui vivent ici deviennent des fanatiques. C'est qu'ils ont le sentiment d'être incompris par les leurs et la société qui les entoure. Ils en viennent à croire que les seuls êtres qui les considèrent comme ils aimeraient être considérés sont ceux qui se prétendent leurs frères. Voilà du moins mon explication et, à mon avis, il ne faut guère chercher beaucoup plus loin !

La petite analyse que j'esquisse en écrivant ces lignes, bien entendu, je ne la propose pas en tant qu'experte, sociologue ou anthropologue. Encore une fois, je ne suis rien de tout cela. Mais je partage simplement avec vous mes constats et mes sentiments.

D'ailleurs, dès mon arrivée, en 1994, j'ai su que quelque chose clochait. En allant au ministère de l'Immigration situé non loin du métro Parc, à Montréal, pour amorcer les procédures légales afin de devenir canadienne, j'ai eu la plus inattendue des visions : un groupe d'hommes portant de longues soutanes, arborant de longues barbes et une contenance digne de celle des « Frères musulmans », en Algérie. Imaginez donc ce qui s'est passé dans ma tête à ce moment-là. J'ai pensé que vraiment ces extrémistes étaient partout, même ici et cela me terrorisait.

Minnie et maxi

Un grand moment de ma vie fut mon voyage, en vacances avec Tayib, à Disney World, à Orlando. Toute mon enfance, j'avais regardé les émissions de Mickey Mouse, les films de Walt Disney. J'avais grandi avec les personnages de Disney : Goofy, Donald Duck, Pluto et Minnie. Je n'arrivais tout simplement pas à y croire ! J'étais vraiment dans cet endroit mythique ?

J'y étais pour la première fois de ma vie, à dix-huit ans, et j'avais l'air d'une gamine. Les trente heures de route pour y arriver en valaient la peine. Nous avons voulu aller dans tous les manèges, visiter toutes les attractions et goûter à tout. Mais à voir le nombre de personnes obèses partout autour de nous, cette dernière envie est passée rapidement.

C'était désastreux ! Il y avait des gens si gros qu'ils ne marchaient même pas entre les attractions, ils roulaient dans de petites voiturettes. Désastreux, je vous dis. Des enfants gros au point d'avoir des tailles d'adulte. Même si j'étais déjà allée aux États-Unis, c'est là, à Orlando, que cette constatation m'a frappée de plein fouet. Chaque fois que je regardais autour de moi, il y avait une personne qui s'empiffrait, se bourrait de nourriture.

Et tout était fait en maxi! Les places de stationnement d'auto auraient pu contenir deux européennes, les portions de frites auraient pu nourrir une famille entière à Calcutta et n'importe quel verre de limonade abreuver à lui seul un village éthiopien au complet.

J'exagère un peu, mais la vue de ces aberrations me soulevait le cœur. Comment des gens pouvaient-ils engloutir tant de nourriture? Et comment des parents sensés pouvaient-ils laisser leurs enfants s'adonner à un gavage qui pourrait finir par leur coûter la vie?

Cette tendance nous atteint maintenant de plus en plus. Les gens deviennent dépendants de la malbouffe et c'est un danger caché. On ne pense pas à certains aliments comme étant des poisons, mais on devrait.

Quand je vous disais que cette tendance gagne le Canada, quelques années après mon passage à Disney World, j'étais à Marine Land, en Ontario, pas si loin de Montréal. Et j'y ai vu un homme si gros qu'il avait dû utiliser du papier collant pour que ses bourrelets aux chevilles et aux bras ne bougent pas trop.

Comment expliquer tout ça? Que se passe-t-il dans nos sociétés?

Les gens ont perdu le sens des limites. Ils se sont abandonnés eux-mêmes. Il n'y a plus de Dieu pour les punir pour le mal qu'ils se font, alors ils n'ont plus de raison de ne pas le faire.

Ils sont vides spirituellement, je crois. Je ne parle pas que de Dieu, ici, mais de divin! Les gens sont seuls et mangent pour être pleins. Mais ils pourraient manger à mort qu'ils ne seraient toujours pas pleins. Ce genre de vide se nourrit mais ne se remplit pas.

Je suis inquiète pour la vie de toute une génération qui grandit dans le vide.

Pour en revenir à mon voyage à Disney World, il aura certes été fascinant et amusant, mais je ne pense pas y emmener un jour mes enfants. Je préférerais leur faire découvrir les rues de Kigali avant. Au moins là, c'est plein de rires d'enfants et d'espoir, vous verrez. Mais n'anticipons pas.

Chapitre 10

Le cégep, les grèves, le boulot et la musique

J'entre enfin au cégep, sans trop comprendre pourquoi les cégeps existent vraiment. On m'explique vaguement que le Québec est la seule province au Canada (et au monde, soit dit en passant) disposant de cette merveille qu'est l'enseignement collégial pour perdre temps et argent. Je ne sais pas ce qu'il en est de ceux et celles qui font des formations professionnelles. Peut-être que pour eux, ça va. Mais pour des jeunes comme moi qui veulent se diriger vers des études universitaires, le cégep ne fait que décourager l'élan, freiner la lancée. On veut embarquer vite dans le monde du travail professionnel, pas passer notre vie aux études !

Quoi qu'il en soit, je suis entrée en « Sciences de la nature », parce que je ne me voyais pas ailleurs. J'étais trop jeune pour faire un choix précis et définitif, alors j'ai suivi le conseil de ma mère.

J'avais choisi le Collège Ahuntsic pour les activités musicales qui y étaient très développées. En fait, le jour où je l'avais visité, il y avait un spectacle dans l'agora de l'école. Toute la vie étudiante tournait autour de cette agora et j'ai été tout de suite charmée.

Cette première année « cégépienne » s'est avérée une année charnière dans mon existence.

D'abord, je travaillais d'arrache-pied avec mon amie Catherine à monter notre projet de comédie musicale avec notre ancienne école secondaire. Nous avions fait durant l'été précédent une traduction de l'anglais au français québécois de la pièce *Grease*. Nous étions scripteuses, metteures en scène, costumières. Nous utilisions les locaux de l'école secondaire et, pour les différents rôles, nous avions fait passer des auditions à des étudiants de secondaire un à cinq. Pour ma part, j'ai obtenu le rôle que je convoitais : celui de « Rizzo » la méchante ! Le travail était immense mais n'avait d'égal que la joie de voir le projet en passe de réussir. L'école nous aidait en fournissant la salle de spectacle et la technique, parce que le projet de cette comédie musicale représentait une activité parascolaire pour les étudiants. Nous avions la même salle que pour la comédie musicale précédente, *Cats*, la salle Notre-Dame-de-la-Merci.

J'ai connu alors mes plus beaux moments de création. Que de rires, de complicités ! Et quelle consécration les soirs de spectacle ! Nous faisions tout, de la gestion d'éclairage au transport de décors et jusqu'aux maquillages. Les gens en redemandaient : nous avions dû donner une représentation supplémentaire et trouver des commanditaires pour pouvoir payer ce que l'école ne pouvait plus couvrir, étant donné que l'année scolaire était finie. Ma tante Moumou m'avait aidée à relever ce défi.

Mais cette année-là ne s'était pas résumée à *Grease*, j'étais dans un train qui roulait à vive allure. Je travaillais par-ci par-là à composer des chansons originales avec un guitariste du nom de Benoît Larivière que j'ai complètement perdu de vue aujourd'hui. Bref, la musique était définitivement entrée dans ma vie et était là pour y rester.

Entre mon *chum* Tayib, que je ne pouvais plus voir que les week-ends, et les cours au cégep, il ne me restait pas grand temps pour les loisirs. Le plus dur était la démotivation que je vivais quant à mon choix d'études. Je suivais des cours de chimie et de physique, et j'y étais malheureuse à en avoir la nausée en classe et à en déprimer la nuit. Par chance, les sessions étaient ponctuées de « rébellions ». C'est au cégep que j'ai découvert le pouvoir du citoyen. En fait, j'ai compris qu'il était parfaitement normal de lever le poing quand quelque chose ne fonctionnait pas dans la société sans que cela mène obligatoirement à la guerre civile.

Il y avait des appels à la grève étudiante assez souvent, mais la première fois que l'on m'a demandé si j'allais manifester avec tout le monde dehors, j'ai paniqué. Le traumatisme de revoir la grande répression qu'avait connue l'Algérie envers tous ceux qui osaient faire une quelconque revendication me paralysait.

J'ai vite compris que nous étions dans notre droit d'aller dire à notre gouvernement que nous n'étions pas d'accord avec ses choix. J'ai compris que c'était bien plus qu'un droit, c'était un devoir. Et ici, il n'allait pas y avoir de grenades lacrymogènes, pas de militaires pour nous tirer dessus : personne (normalement) n'allait être battu à mort ou emprisonné.

Nous avions le droit de dire ce que nous pensions et ça n'avait pas de prix à mes yeux. J'étais si émue en manifestant, la première fois, avec mes camarades ! Nous marchions en arrière d'un camion portant des haut-parleurs et dans lequel quelqu'un muni d'un mégaphone criait : « So, so, so, solidarité ! »

Je me revois encore marchant avec mes amis, fière de pouvoir le faire. Et je chantais à tue-tête la musique des poings levés, celle des Colocs :

> *Bon Yeu donne-moé une job*
> *Chu prête à commencer en bas d'l'échelle*
> *Chu pas pire avec les chiffres*
> *Pis j'sais m'servir d'ma cervelle*
>
> *...*

Pis si jamais tu m'donnes une job
Tu me r'verras à l'église
À genoux devant l'curé
Bon Yeu laisse-moé pas tomber

Je comprenais aussi, du même coup, la relation particulière qu'entretient le peuple québécois avec sa religion, la religion catholique.

J'ai compris tout l'amour que les gens d'ici avaient porté au « bon Yeu » et puis leur déception. J'ai compris leur sentiment d'avoir été écrasés. Je le partageais, ce sentiment. Depuis que j'étais petite que l'on me faisait peur avec ce soi-disant bon Dieu qui était bon, mais qui était prêt à m'infliger les pires supplices en enfer si je ne me conduisais pas comme ci ou comme ça, si je ne faisais pas ma prière ou mon jeûne. Mais vous savez, en fait, ce n'est pas Dieu qui m'a déçue, loin de là, ce sont ces hommes qui parlent en son nom et qui disent détenir la vérité. Ce sont eux qui m'ont déçue et qui m'ont éloignée de tout ce qui a la même racine que le mot religion.

Depuis mon arrivée au Québec, j'avais quand même, par habitude, continué à faire le jeûne durant le ramadan. Un jour, j'ai décidé d'arrêter, tout simplement. Il y avait pour moi un trop grand écart entre le but légitime et noble du jeûne et ce que les gens en faisaient. Quand on jeûne, on est censé éprouver le manque que peuvent ressentir les pauvres et les malheureux. Mais que se passe-t-il en fait ? Les gens ont faim, s'engueulent, sont peu productifs, ne peuvent pas se concentrer ni donner le meilleur de leurs capacités ; ils ne pensent qu'à la nourriture tout au long de la journée, oublient le plus souvent l'itinérant qu'ils auront croisé et qui avait faim comme eux. Et le soir venu, ils s'empiffrent.

Moi qui souffrais de voir le malheur partout, moi qui passe encore mes journées à faire de belles prières pour ceux et celles qui en ont besoin, j'ai décidé que je consacrerais mon énergie et mes forces, chaque fois que cela me serait possible, à faire des choses concrètes pour ceux qui en avaient besoin. Et je n'ai pas besoin d'avoir faim pour ça !

Le bon Dieu m'aimera malgré tout ! Comme je le dis souvent : s'il existe, il me comprendra.

Hommes et femmes

Au temps du cégep déjà, mes journées sont bien remplies et mes soirées aussi. Je sors souvent le week-end pour m'amuser jusqu'aux petites heures du matin. Mais pour ne pas me faire embêter par les dragueurs de service, je sors dans le Village gai de Montréal. C'est tellement plus relax et sans prétention : on sort pour danser et pas pour faire les « poupounes » et se faire « cruiser », comme on dit.

Je dois cependant l'avouer, une des choses qui m'ont le plus marquée quand je me suis établie ici, c'est la quasi-absence de jeux de drague dans la vie quotidienne du Québécois et de la Québécoise. Les hommes ont presque peur de nous approcher. Tellement que je croyais avoir perdu le charme que je pensais avoir en Algérie. Mon attrait était sans doute resté aux douanes canado-américaines. Mais où était passé mon sex-appeal ? Je pensais vraiment ne pas avoir ce qu'il fallait au Québec ou que les normes de beauté n'étaient pas les mêmes qu'aux bords de la Méditerranée.

Mais qu'est-ce qu'ils ont, les hommes, ici ?

Je ne sais pas, mais quelque chose ne tourne vraiment pas rond. Je ne m'attendais pas non plus à ce que ce soit la même chose qu'en Italie. Et il est vrai que je m'étais habituée à un certain extrême. Marcher en se faisant klaxonner dans la rue, se faire suivre pendant des kilomètres, se faire siffler et chanter des chansons d'amour, c'était ce à quoi j'étais accoutumée. Mais là, *nada*, rien, *wallou*. C'est à peine si les messieurs osent lancer un sourire. Je ne veux pas non plus me faire draguer, surtout pas maintenant, mais j'essaie de comprendre ce manque total de désir de séduire.

Je le dis souvent, mais je pense que les hommes ne savent vraiment pas sur quel pied danser au Québec.

Il ne faut pas qu'ils soient machos, oh non, on ne veut pas de mecs qui parlent en se prenant pour des chefs et nous disent quoi faire !

Il faut qu'ils soient roses mais pas trop. Ils partagent les tâches ménagères, font la bouffe comme des chefs, mais doivent absolument savoir que la maison, c'est notre espace à nous, les femmes.

D'accord, il faut aussi qu'ils s'y connaissent en mécanique et sachent faire les petites et moyennes réparations à la maison. Mais sans se la jouer genre « ouais, on a besoin de moi dans cette maison pour que ça roule ». Il faut qu'ils fassent tout ça tout en se montrant attentionnés, bien évidemment, et attentifs aux émotions de toutes celles et ceux qui vivent sous le même toit.

Ils doivent aussi être galants tout en sachant exactement quand Madame veut affirmer son indépendance en payant l'addition.

Il ne faut pas qu'ils se montrent trop entreprenants, sauf pour nous faire vivre le fantasme de nous faire enlever, comme dans un Harlequin, par un tombeur masculin et fort, un héros sans peur et sans reproche qui prend toutes les décisions. Mais attention, il faut qu'ils soient assez à l'écoute pour savoir quelle journée exactement prévoir l'enlèvement parce que ça ne se fait pas n'importe quand ces trucs-là.

Bref, il faut qu'ils prennent, comme je le disais, toutes les décisions, mais qu'en plus, ces décisions soient toujours les bonnes.

Oh, autre chose : il est absolument vital qu'ils sachent s'occuper des enfants et être à l'écoute de leurs besoins sans pour autant être des parents mous. Il faut qu'ils soient autoritaires sans être des dictateurs, qu'ils soient doux tout en sachant se faire respecter, mais sans crier et sans « sacrer » !

Les hommes ne peuvent être ni trop bleus ni trop roses. Il faut qu'ils soient mauves, voilà ! des hommes mauves.

Rien de bien compliqué là-dedans, n'est-ce pas ?

Ils peuvent bien être perdus et attendre que les femmes fassent les premiers pas ! C'est comme dire : « Je sais que je ne serai pas à la hauteur, de toute façon, alors, si tu veux de moi, ce sera à tes risques et périls. »

Allez, mesdames, soyons plus clémentes, il y en a des plus méchants ailleurs. Donnons-leur une chance. Ou au moins, soyons plus claires.

Le jour de mes dix-neuf ans, on me fait une belle surprise en me faisant faire un tour de Cessna au-dessus de Montréal. Je suis sous le charme. Montréal, en plein Festival de jazz, vue du ciel, wow! Je prends même pour quelques instants les commandes du superbe petit avion pour voler au-dessus de l'aéroport de Saint-Hubert, sur la Rive-Sud. Quel bonheur !

Par la suite, je suis conduite vers une destination inconnue. Je suis avec ma mère, ma tante et ma meilleure amie. En débarquant sur les lieux de la fête, je me retrouve avec une bonne vingtaine d'amis qui m'attendaient dehors en faisant la file pour rentrer au... 281 !

Bien sûr, je suis touchée par l'attention, mais l'intérêt n'y était pas du tout. Aller voir des hommes danser nus est une idée qui ne m'avait jamais effleuré l'esprit, mais comme tout était organisé d'avance, je n'allais quand même pas gâcher le plaisir de tout le monde. Alors, tant pis, allons-y. Allons à la découverte de ce lieu mythique.

Ce fut exactement comme je me l'imaginais : les hommes étaient beaux mais sans intérêt. J'étais par contre complètement sous le choc de voir les femmes complètement déchaînées. Un véritable zoo humain, j'en étais gênée. Le groupe de personnes avec lequel j'étais avait discrètement payé un danseur pour qu'il vienne à ma table, danser pour moi. Dès que j'ai compris le manège, j'ai fait annuler la commande. Je trouvais ce geste de se dévêtir tellement dégradant que je ne pouvais envisager un seul instant d'avoir participé à cette demande. Malgré l'insistance de tous, la danse a finalement été annulée. J'avais hâte de quitter les lieux. C'est peut-être une question d'éducation ou de culture, mais je me sentais vraiment mal à l'aise de faire partie de ce cirque. Nous n'avons passé que peu de temps au 281 ; j'ai préféré aller faire la fête chez des amies, danser et chanter le reste de la soirée. Je me sentais mieux ainsi.

Sinon, j'aimais le karaoké et sortais souvent au Club Date, dans le Village gai. J'y ai fait mes premières prestations et j'y vais encore à ce jour pour me changer les idées. J'allais aussi voir les travestis, des hommes qui dansent, s'habillent et bougent comme des femmes. Le club où j'allais s'appelait L'Entre-Peau. Les personnificateurs que j'y ai croisés étaient d'incroyables artistes ! Aujourd'hui, ce club est devenu le Cabaret Mado, et on y a toujours autant de plaisir.

À propos de plaisir...

C'est l'été 1997 et nous prenons la bonne habitude d'aller camper dans les superbes parcs du Québec : Coaticook, Tremblant, etc. Un de mes passe-temps d'été préférés.

Nous sommes entre amis et membres de la famille, au lac Blanc, en cette dernière fin de semaine du mois d'août. Et nous nous réveillons le dimanche avec une bien triste nouvelle, celle de la mort de Lady Diana. Nous sommes tous sous le choc, mais ce qui me révolte encore plus que la tristesse de perdre une grande dame qui aura fait énormément pour son prochain, c'est que trois jours auparavant, il y a eu un des pires massacres que l'Algérie ait connus et cela n'a tenu dans les nouvelles que la minuscule place d'une annonce de rencontre, ou à peu près.

Pour vous donner une idée, ce massacre de Sidi Moussa (la ville où cette horreur a eu lieu) a fait, en quelques heures durant la nuit, plus de trois cents morts et deux cents blessés. Un véritable bain de sang ! Un carnage barbare !

Mais personne n'en a parlé ici plus que ça ! La couverture médiatique de la mort de Lady Di, par contre, prenait une telle ampleur !

N'est-ce pas injuste ? Il aurait tout de même dû y avoir un certain équilibre. Nous ne pouvions pas laisser des massacres comme celui-là se produire sans intervenir. Même Lady Di aurait trouvé honteuse l'insouciance face à ces crimes.

Jour après jour, on ne parlait que de la perte de la « England Rose ». En regardant les nouvelles, je me disais qu'ils n'en feraient pas autant si Mère Teresa mourait. Et voilà que, quelques jours plus tard, la nouvelle est tombée : Mère Teresa venait de mourir à son tour. Je m'en suis voulu un peu de mes pensées. Mais j'avais beau être forte mentalement, je n'avais quand même pas provoqué la mort de la sainte à Calcutta ! Il ne fallait pas exagérer ! Mais le regret était là, tout de même...

SOCAN, bonjour !

Mon ami Dominic et moi-même chantions ensemble depuis un petit bout de temps : nous créions des chansons avec notre guitariste, Benoît, dont j'ai déjà parlé.

Un jour, nous décidons d'en faire un spectacle qui comprendrait des pièces originales et tout plein d'autres pièces connues. Nous allons chercher des commanditaires, avec l'aide de ma tante Moumou. Nous nous faisons faire des photos par le *chum* de ma mère qui était vraiment un excellent photographe. Vous auriez du voir la séance de photos ! Il me fait un cliché sublime avec des boules de Noël sur l'affiche. Mon amie Catherine s'organise pour louer ce qu'il faut pour l'éclairage et le son du spectacle. Nous réussissons à avoir la salle que nous connaissions déjà : Notre-Dame-de-la-Merci. Un personnificateur féminin de mes amis m'avait prêté des vêtements de scène, assez pour faire de nombreux changements de costumes, le rêve !

Nous nous trouvons des musiciens : un batteur, un bassiste, un claviériste et un... saxophoniste ! Je ne me souviens même pas d'où nous venait cette volonté d'avoir absolument un saxophoniste. Bref, nous nous sommes bien débrouillés avec les moyens du bord pour monter tout un premier spectacle.

Il s'intitulait *Lynda Thalie et Dominic Séguin chantent pour vous*. Oui, je sais, nous aurions pu trouver plus original. Si seulement on pouvait recommencer des trucs et corriger nos erreurs !

Je devais me renseigner sur les droits à payer pour la production d'un spectacle comme celui-là et je voulais aussi, par la même occasion, en savoir plus sur les droits d'auteur, alors j'ai appelé à la SOCAN, la Société canadienne des auteurs, compositeurs et éditeurs de musique.

Ce coup de téléphone changera ma vie.

J'entends à l'autre bout du fil : « SOCAN, bonjour ! » Je me présente, demande à parler à la personne qui s'occupe du service aux membres. Je dois parler à Patrick Cameron, me dit-on. Mon cœur fait un bond, je suis nerveuse et je rougis au téléphone ; je le sais parce que mon visage est chaud tant j'ai rougi. Dès que j'entends la voix de Patrick Cameron, je sais que quelque chose de particulier vient de se produire. Je lui pose des questions sur le droit d'auteur mais refuse ses explications. Je demande à le rencontrer à son bureau. Je n'en reviens pas d'avoir osé lui demander ça ! Je n'avais jamais fait une chose pareille. Mais il accepte volontiers de m'expliquer ce qu'il y a à comprendre.

Je me rendis donc le jeudi suivant aux bureaux de la SOCAN à Montréal. J'y avais pensé toute la semaine en me demandant ce qui m'arrivait. J'avais le pressentiment que tout allait changer.

J'étais assise bien sagement dans la salle d'attente jusqu'à ce que je le voie debout devant moi. Il n'était en rien comme je me l'imaginais... Je ne sais pas pourquoi, mais je l'imaginais brun, la peau légèrement basanée. Il a plutôt les cheveux blonds, est à peu près de la même grandeur que moi. Son regard me déstabilise. Il a de beaux yeux bruns qui harponnent. C'est le seul mot qui me vient en tête. Il m'avait happée du regard. Moi, je n'ose pas trop le regarder dans les yeux, j'ai peur qu'il ne voie qu'il m'intimide, qu'il m'attire, qu'il me remue, je ne sais pour quelle raison.

Il n'était pas maigrichon ni frêle, Dieu merci. Non, il avait plutôt l'air fort. Je regardais ses épaules et ses bras. Instinctivement, comme pour savoir s'il était assez fort... s'il serait assez fort pour me protéger. J'ai besoin de me sentir protégée par l'homme qui est dans ma vie, alors mon instinct m'a fait l'inspecter rapidement, du coin de l'œil.

En cet instant, la chanson qui me vient tout de suite à l'esprit est *Upside Down* de Diana Ross.

La rencontre s'est bien déroulée. Je tentais d'avoir un discours intelligent. Il n'aurait pas fallu que je me mette à bégayer ou a baragouiner des mots sans queue ni tête. Ciel, non ! J'ai joué plutôt à l'indépendante en prenant sa carte de visite et en l'invitant à mon spectacle.

Il n'est jamais venu me voir. J'étais à la fois déçue et soulagée. J'aurais tout de même préféré qu'il vienne, mais j'étais heureuse de garder au moins le contact avec lui. Nous nous sommes écrit assez souvent, il nous est même arrivé de « chatter » ensemble sur le Web. Innocemment, sans attentes, en tout cas, pas de ma part, c'est sûr ! Mais mon cœur battait certainement plus vite à chaque fois.

Il me conseillait, me dirigeait déjà artistiquement sans trop le vouloir ni le prévoir.

Je m'étais déplacée à son bureau, une fois, pour lui faire entendre un démo de ma voix. Il m'avait conseillé d'aller prendre des cours de chant. Non pas qu'il trouvait ma voix faible, mais il me fallait la travailler avec un professionnel.

Ce que je me suis empressée de faire. Je n'imaginais pas encore faire carrière, je voulais juste être meilleure. Je voulais aussi l'impressionner, qu'il en reste bouche bée. Il en rencontrait tellement, des artistes ! Je ne me considérais pas encore comme une artiste, mais je voulais déjà être sa préférée.

À ce jour, il reste la personne que je veux le plus impressionner. Avec ma tante Moumou !

J'ai commencé à prendre des cours avec Francine Poitras. Elle avait été chanteuse pour le Cirque du Soleil. Elle avait une méthode très physique pour apprendre à chanter et de fait, je crois bien que les quelques premières semaines de leçons, je les ai passées allongée au sol. Je ne respirais pas assez bien pour chanter au maximum de mes capacités, alors il fallait commencer par le début. Respirer... inspirer, expirer, inspirer, expirer... maudit que c'est fatigant de penser à respirer ! Il faut que je le fasse encore aujourd'hui. Il faut même que je le fasse tout de suite... On ne pense pas souvent à s'arrêter pour bien respirer, mais il n'y a rien de mieux pour remettre de l'ordre dans sa tête et ses idées.

Ma prof de chant était souvent frustrée de me voir si peu disciplinée. Je ne répétais pas beaucoup chez moi et préférais ne faire les exercices qu'avec elle. De toute façon, je chante en permanence, mes cordes vocales sont réchauffées sept jours sur sept. En fait, c'est ce que je croyais.

Tayib me conduisait fréquemment à mes cours de chant dans son taxi : il voulait tellement que j'aille au bout de mes rêves. Il me disait que je m'en souviendrais quand je serais une artiste connue. Je m'en souviens aujourd'hui, et même très bien !

Il m'avait même emmenée à Granby, pour ma première audition au concours du Festival international de la chanson de Granby. Granby, c'était si loin dans ma géographie de Montréalaise ! Et quelle déception j'avais vécue là ! Il m'en avait coûté 150 $ pour me faire dire par une des juges que ça ne passait pas du tout ! J'avais présenté une chanson de Laurence Jalbert, dans laquelle, me disait-on, on ne parvenait pas à sentir ma personnalité. Je ne comprenais pas, mais j'ai pris cet échec comme un défi, celui de remonter sur les planches et de réussir. Cependant, malgré mon désir de revanche et même si je me répétais que ce refus ne me touchait pas, j'ai passé quelques bonnes minutes à pleurer dans les toilettes, en arrivant à la maison.

Mais je gagne souvent la bataille. Ironiquement, l'heure de la revanche a sonné pour moi, il y a peut-être trois ans, lorsque le Festival international de la chanson de Granby m'a invitée pour une performance lors de la demi-finale du concours. Et c'est sur scène, en tant qu'artiste invitée, que j'ai partagé l'histoire de ce refus passé avec les participants, les spectateurs et les organisateurs. J'étais la preuve vivante qu'un échec n'est pas une fin et que le chemin reste toujours ouvert, quand on a la persévérance. Belle et cocasse petite revanche !

Se faire du bien

En quelques mois seulement, ma vie changeait et les événements se bousculaient.

J'ai changé d'orientation au cégep : je suis passée en « Sciences humaines et psychologie ». Je m'y retrouvais bien plus que dans les « Sciences de la nature ». Il faut dire que je n'en pouvais plus des nausées que me donnaient les cours de chimie et de statistique.

En même temps que ce changement dans mes études, je monte un projet de fin d'études avec trois autres collègues et l'organisme Le Bon Dieu dans la rue, qui vient en aide aux jeunes de la rue. Ce projet prendra le plus clair de mon temps et sera d'une grande importance dans ma vision de la société québécoise.

Nous avons monté un spectacle, dans l'agora du collège, avec certains jeunes sans-abri avec qui nous avions réussi à établir un lien. Ils pouvaient ainsi s'exprimer sur scène. J'étais si émue de les voir dans un milieu où ils auraient pu normalement se trouver s'ils n'avaient pas fait les mauvais choix qui les avaient menés à la rue. S'ils n'avaient pas vécu des difficultés familiales telles que l'alcoolisme, la violence et la maladie mentale. J'étais émue de voir des jeunes, comme nous en étions nous-mêmes, tout simplement, tout naturellement. Il a quand même fallu que je coure rechercher un de ces jeunes dans la rue : il était allé s'acheter une bouteille de quarante onces de je ne sais quel alcool qu'il avait englouti avant de chanter. Mais, après tout, cela faisait partie de l'expérience.

Parallèlement, nous avions placé dans tout le collège de gros bacs où nous recueillions tuques, mitaines et chaussettes, en fait, tout ce qui tiendrait chaud les sans-abri pendant leurs longues périodes d'exposition au froid hivernal. Les étudiants avaient été d'une grande générosité. Nous avons ainsi réussi, à la fin de la session, à quelques jours de Noël, à arriver au centre du Bon Dieu dans la rue avec des dizaines et des dizaines de boîtes à chaussures dans lesquelles nous avions soigneusement déposé et coordonné les précieux vêtements pour ceux et celles qui en avaient besoin. Nous étions comme quatre mères Noël qui débarquaient sans cheminée. Ça m'avait fait un bien fou. Je me faisais un grand bien à moi-même en rendant les autres heureux.

Ça a été dit et redit, je n'invente rien : donner aux autres fait du bien. C'est très vrai dans mon existence et c'est d'autant plus important que l'on m'a tellement donné à moi... C'est toujours le cas, d'ailleurs. La vie est généreuse avec moi. « *Gracias a la vida* », comme dit la chanson !

Une des choses que j'ai appris à donner à cette époque-là, c'est mon sang.

Une collecte d'Héma-Québec se tenait dans l'agora du collège qui était vraiment, je vous l'avais bien dit, le nerf central de ma vie collégiale. J'étais en âge de donner du sang et je ne voyais absolument pas pourquoi je ne le ferais pas. Alors, malgré ma peur bleue, viscérale, maladive des aiguilles, j'ai donné du sang !

Je l'ai fait chaque fois que ça m'a été possible. Chaque fois que l'on m'a autorisée à en donner. Plus d'une fois, malgré ma bonne volonté, j'ai dû renoncer à faire mon don de sang à cause d'un taux de fer trop bas. Une des infirmières m'avait dit, une fois, que le manque de fer était assez répandu chez les gens en provenance d'Afrique du Nord. Une question génétique, je crois, qui sait si c'était vrai ? Une fois, j'ai même perdu connaissance, mais cela ne m'a pas découragée d'en refaire l'expérience.

Donner du sang devrait faire partie de notre hygiène de vie. J'ai une théorie sur la raison pour laquelle les femmes vivent plus longtemps que les hommes. Pendant une bonne partie de notre vie, nous avons des règles. Je n'ai fait aucune recherche sur le sujet et n'ai rien lu non plus, mais cela me paraît logique. Notre sang se renouvelle ainsi en bonne partie, une fois par mois. Si vous donniez du sang, messieurs, une fois tous les deux mois (disons, je vous donne une chance, là), vous vivriez probablement plus longtemps. En tout cas, vous aideriez un nombre incalculable d'êtres humains. Cela me fait penser que cela doit bien faire quelques années que je n'ai pas donné mon sang ;

je vais me renseigner pour savoir où se tiendra la prochaine collecte. Histoire de me faire du bien.

J'ai d'autres croyances quant à la santé. Peut-être la plus importante est-elle le lien à établir entre les antisudorifiques et le cancer du sein. Je sais bien qu'aucune recherche n'a encore prouvé que les antisudorifiques causaient directement le cancer du sein, mais pensons-y logiquement, pour un moment. On dit souvent que la nature est bien faite, n'est-ce pas ? La nature nous fait éliminer des toxines dans l'urine, les selles et la sueur. Même si cela nous incommode un peu, nous ne penserions jamais nous empêcher d'aller aux toilettes, ce ne serait pas sain. Pourtant, nous choisissons de nous empêcher de suer. C'est sûr que cela ne peut que nous faire du mal.

Le plus souvent, en matière de santé, je fais confiance à mon instinct. Et mon instinct me dit de n'utiliser que des désodorisants naturels, d'éviter le micro-ondes, le sel et les aliments en conserve. Il me dit aussi de manger plusieurs fois par jour des légumes et des fruits qui ont poussé idéalement sur une terre près de chez nous. Je n'ai pas encore de potager, je n'ai pas le temps de m'en occuper, mais ce serait le rêve...

Été 1978. Je suis dans les bras de ma mère. Quelle grâce dans la façon qu'a maman de me serrer ! De l'amour pur.

Moi, avec
la *chedda*,
couverte d'or !

Été 1978,
dans les
bras de mon
père, tout
attendri.
Que j'aime
cette photo !

Avec ma Mani, ma grand-mère. Nous
sommes dans l'appartement du centre-ville
d'Alger, au sixième étage. Elle me manque...

Le salut à la fin de mon spectacle au Festival d'été de Québec, en 2009.
De gauche à droite : Michel Bruno, Denis Courchesne, moi-même,
Alex Ouellet, Andi Pema.

Plusieurs ont répondu avec enthousiasme et je les en remercie du fond du
cœur.

Avec Son Excellence l'ambassadeur du Canada en Algérie, mon ami Robert Peck, dans sa résidence, lors de la visite d'État de la Gouverneure Générale du Canada, où j'ai passé la soirée à pleurer d'émotion.

Moment de grâce dans les jardins de l'ambassade du Canada en Algérie. Je chante l'*Hymne à la beauté du monde*, à la demande de Mme Jean. Novembre 2006. (En arrière-plan, Robert Peck.)

Avec l'incroyable Jean-Sylvain Bourdelais, mon producteur de spectacles.

Avec ma talentueuse copine
Véronique DiCaire, juste
avant un spectacle à Ottawa.
Automne 2004.

Main dans la main, à la Citadelle
de Québec, avec la très honorable
gouverneure générale du Canada,
Mme Michaëlle Jean.

Un bon moment de complicité avec l'incomparable Normand Brathwaite!

Une des photos de la pochette de mon deuxième album.

En duo avec Enrico Macias,
au Festival d'été de Québec.
Un moment magique réunissant
deux générations d'artistes nés
dans le même pays.

Folle séance de signature d'autographes après mon spectacle
à Riadh El Feth, à Alger, en 2007.

Pochette de mon troisième album,
La rose des sables.

Devant l'entrée du sublime théâtre
de l'Opera House d'Alexandrie.

Pochette de mon album éponyme. Mon deuxième. Remarquez
toute la nostalgie sur mon visage.

Mon moment avant que le *show* commence. Solitude dans la loge...

Mon amie Éliane Wiler (à droite) et moi-même (à gauche) déguisées en chats, lors d'une représentation de *Cats*.

Ma belle amie Narimane Doumandji et moi, au lancement de l'album *La rose des sables*.

Au lancement de mon disque *La rose des sables*, avec Florence K., ma complice pour la chanson *Mon amie la rose*.

PHOTO : CHARLES RICHER

PHOTO : BAT DESIGN, MOHAMMED AZIZ

Première du spectacle *La rose des sables*. De gauche à droite : Michel Bruno (guitare), Andi Pema (percussions), Jean-Frédéric Lizotte (violon et guitare), Denis Courchesne (batterie) et Alex Ouellet (basse). Oh, c'est moi au centre !

ARCHIVES PERSONNELLES

Dernier spectacle de la tournée *De neige ou de sable*. À l'arrière et de gauche à droite : Jean-Sylvain Bourdelais, Alex Ouellet, Michel Bruno, François Taillefer, Nick Carbone. À genoux : Patrick Cameron, Guy Chevrier... et moi. LOL.

À la gare du Caire, au départ pour Alexandrie. De gauche à droite : Luc Catellier, Patrick Cameron, moi-même, Michel Bruno, Éric Cyr et Alex Ouellet.

Lors du lancement de mon album *La rose des sables*, avec quelques magnifiques participantes au Rallye Aïcha des Gazelles. Septembre 2008.

Me voici dans
l'impression-
nante entrée de
la somptueuse
ville de Pétra.
En arrière-
plan, la célèbre
Trésorerie.

Le ciel de
Tunis, vu par
un passage
dans le
théâtre de
Carthage. De
toute beauté.
Février 2007.

Dans les rues de Paris ; la tour derrière et la boulangerie à côté. Février 2007.

Mon équipe de tournée sur la terrasse d'un café de Sidi Bou Saïd. Un thé à la menthe accompagné de la brise marine. Parfait !

Entourée de mon allié depuis le début, Pierre Boileau, et de sa conjointe et partenaire, la toujours souriante Lise Lépine.

Spectacle au pied des pyramides d'Égypte, en novembre 2010. Un moment pour lequel je n'ai pas encore de mots.

Détendue, ou presque, sur les hauteurs surplombant la magnifique plage d'Annaba. Algérie, été 2005.

Patrick et moi, en promenade en bateau sur les canaux d'Amsterdam. Octobre 2010.

Tels des bouchons de liège, nous nous laissons bercer par la mer Morte.

Les pieds dans la mer Morte. Dur de quitter un lieu aussi envoûtant...

Ma tante Moumou adorée et moi-même,
en vacances.

Ma joie, mes anges heureux
dans les fontaines. Petit
bonheur tout simple.

Le bonheur se lit sur le
visage de ma mère, qui
tient dans ses bras, pour
la première fois, mon petit
Liam. Décembre 2007.

Mes beaux-parents, Monique et Tom,
couvent avec amour la petite Dahlia,
âgée d'à peine cinq jours.

Pur moment de bonheur. Devant moi, la mer des Caraïbes. Et dans mes bras, mon soleil et ma lune.

Dubaï, février 2007. Derrière, l'excentrique hôtel **Burj Al Arab**, sept étoiles, tout de même !

Avec mon amoureux, ma tante Moumou, mes deux amours et l'une des merveilles du monde. Mars 2010.

Chapitre 11
Amours difficiles

1999

Il faut profiter du vent du changement quand il souffle. Surtout s'il le fait dans la bonne direction. L'année 1999 a été pour moi une année particulièrement venteuse... J'en ai encore les cheveux pleins de brise tant elle m'a balayée dans tous les sens.

Ma relation avec Tayib durait depuis quelques années.

Je ne sentais pas vraiment d'évolution dans notre relation : nous n'avions ni les mêmes intérêts ni les mêmes objectifs. En fait, je ne sentais pas beaucoup de défis dans notre vie de couple. Je pensais aux enfants que nous pourrions avoir ensemble et je me demandais si c'était la vie que je voulais leur donner. Cela manquait d'excitation, de « fun », de découvertes, d'ambitions surtout. Mais à chaque fois que cela m'arrivait de douter de ce que j'avais, je refoulais immédiatement mes réflexions et me cachais derrière un paravent. J'entendais alors une voix qui me rappelait à quel point Tayib m'aimait et à quel point il ferait tout pour que je sois heureuse. Mais est-ce que cela me suffirait ?

Hop, hop, hop! pas de question! Cache-toi vite les yeux, Lynda, et surtout ne pense pas à ce genre de trucs. C'est bien plus facile de ne pas se questionner et de garder sa petite routine, c'est tellement sécurisant!

Je n'avais rien à lui reprocher non plus : il avait bon caractère, n'était pas macho, faisait une superbe hrira (soupe typiquement marocaine... hum que c'est bon!). Il avait beau être occidentalisé au maximum, certaines de ses réflexions m'obligeaient à me questionner sur sa nature profonde, ses convictions. Il avait eu, tout de même, une éducation stricte, fermée, traditionnelle en ce qui a trait aux rôles féminins et masculins. J'avais peur de voir ces limites ressurgir un jour, dans son comportement avec moi ou notre fille (si on en avait une).

Bref, j'étais ambivalente émotionnellement, à la fois consciemment et inconsciemment. Rien n'aurait pu me préparer à ce qui allait se produire durant l'été de cette même année.

Un beau jour du mois de juin, je reçois un coup de fil surprenant. Sam est à Montréal. Mon premier amour est là, dans la même ville que moi et m'appelle pour savoir si j'ai envie de le rencontrer.

Je savais qu'il habitait en France avec ses parents et ses frères depuis quelques années. Nous avions gardé contact par téléphone au fil du temps, malgré la distance et nos vies si différentes. Notre dernière communication remontait à plus d'un an, mais à présent, il était là et je ne voulais qu'une chose : aller le retrouver.

Ma mère m'a emmenée à l'auberge de jeunesse où il avait déposé ses bagages. Nos retrouvailles ont été beaucoup moins chargées d'émotion que ce que j'avais imaginé. Il y avait une retenue des deux côtés. Mais j'avais tout de même les larmes aux yeux en le revoyant. Il n'avait pas beaucoup changé : entendre sa voix et sentir son parfum me donnaient un bonheur fou.

Nous l'avons invité à établir son campement chez nous, le temps de son passage en ville. Il a accepté avec un large sourire de vivre dans le « salon oriental » que ma mère avait aménagé dans le sous-sol de la maison que nous louions, dans le quartier Ahuntsic.

C'est vrai, j'avais oublié de préciser que nous avions déménagé dans une nouvelle maison et que l'amoureux de ma mère avait emménagé avec nous ! Il était fortement épris d'elle et se montrait très serviable envers mon frère et moi. Il avait trois enfants qui venaient passer un week-end sur deux à la maison. Je les aimais profondément et faisais de mon mieux pour qu'ils le sentent et soient à l'aise le plus possible chez nous. Ça me faisait mal au cœur de voir combien leur père leur manquait : je connaissais bien ce sentiment, moi, comme vous le savez. Eux aussi, ils manquaient terriblement à leur père. J'ai appris ainsi les difficultés que vivent les familles reconstituées.

Donc, Sam a habité avec nous quelque temps. Je faisais de mon mieux pour rassurer Tayib en lui répétant que tout irait bien et qu'aucune flamme ne subsistait entre Sam et moi. Mais je ne faisais que me cacher derrière un paravent craqué. Je savais que ce n'était pas vrai et que tout allait changer. Je ne faisais que retarder l'échéance.

Nous nous rendions bien compte, Sam et moi, que nous ne pouvions nous cacher nos sentiments. Il ne voulait absolument pas m'éloigner de Tayib, mais ce fut plus fort que nous. Nous avons passé les deux semaines de son séjour chez nous ensemble, à écouter de la musique, à sortir danser, à aller faire de la bicyclette dans les parcs. Nous nous disions que nous ne nous quitterions plus jamais. Il avait même pris la décision de revenir pour vivre au Québec. Je me trouvais dans un dilemme digne des *Feux de l'amour*.

Nous sortions presque chaque soir, revenions aux petites heures du matin. Il m'accompagnait voir mes amis et nous allions faire de la musique avec mon guitariste. C'était bon. J'avais l'impression de vivre, dans ces moments-là, ce que j'aurais dû vivre avec lui quelques années auparavant, alors que nous étions encore là-bas.

Nous avions été deux adolescents cherchant la liberté, nous étions deux adultes libres à présent. C'était une réalité à laquelle nous nous étions habitués mais séparément. Être libres de nos actes était une nouveauté rafraîchissante par rapport à notre ancienne relation. Et maintenant, nous en profitions à chaque moment passé ensemble.

Tayib était hors de lui, mais je ne peux lui reprocher l'animosité qu'il ressentait envers Sam. C'était clair, il en était jaloux et avait des raisons de l'être, même si je lui disais le contraire.

Je découvrais par contre un côté obscur de Sam, un côté de sa personnalité qu'il n'avait pas en Algérie. Il buvait plus que jamais. Il mentait de façon compulsive. Et même s'il disait m'aimer plus que tout, il me reprochait de m'être arrondie. Il était devenu abrasif verbalement. Il me disait : « *Hanouna* (ma chérie), t'es belle, je t'adore, mais tu es vraiment *smina* (grosse). Faut que tu maigrisses, t'es devenue une *bagra* (vache). »

C'est drôle comme la fille forte que j'étais se laissait insulter de la sorte. Comment ai-je pu laisser quiconque me dévaloriser et être si peu respectueux de ma personne ? C'était vraiment un mystère. Je m'étais pourtant promis, petite, que personne ne me blesserait et que l'homme qui serait dans ma vie n'abuserait pas de moi. Là, je ne tenais pas ma promesse envers moi-même, je m'abandonnais...

J'étais confuse. Il y a toujours des moments dans la vie où l'on se trouve littéralement dans un brouillard, eh bien au moment où Sam est reparti pour Paris en me promettant de revenir pour moi et pour qu'on se bâtisse un avenir ensemble... j'étais, de la tête aux pieds, dans le brouillard.

J'ai pris quelques jours pour réfléchir à ce que j'allais faire de mes amours. Puis, dès que la décision a été prise, j'ai appelé Tayib pour lui dire que notre relation était terminée. Il était dévasté, moi aussi. Il m'avait accordé du temps pour y penser, pour voir plus clairement, pour peser la situation après le départ de Sam. Je l'avais mis à profit, ce temps-là. Il me fallait choisir entre les deux hommes et mon choix s'était arrêté sur... moi. J'avais choisi d'être seule et c'était le bon choix à faire. Je ne l'ai jamais regretté. De toute façon, j'essaie toujours dans la vie d'aller de l'avant sans regret !

Mais les dommages causés par le passage de Sam dans ma vie pour la seconde fois étaient plus importants que ce qu'il y paraissait.

Il m'avait fait douter de moi-même et le résultat avait été douloureux. Je ne mangeais plus. C'était devenu une obsession de redevenir svelte pour lui prouver que je n'étais pas une *bagra*, comme il m'appelait. Certes, je ne serais plus avec lui à l'avenir, mais le ver était déjà dans la pomme. Je ne pouvais plus supporter de me voir grosse dans le miroir. Je déprimais gravement et j'avais décidé de manger le moins possible. Ma famille et mes amis proches en étaient troublés. Je maigrissais.

J'étais anéantie : je m'en voulais tellement pour la blessure que je venais d'infliger à Tayib ! Je me voyais tel un monstre, un « gros » monstre. Je pense que je me sentais tellement lourde que le fait de maigrir me faisait du bien. À défaut de m'alléger de ma culpabilité et de ma tristesse, je m'allégeais de quelques kilos.

Je passais mon temps à pleurer, le plus souvent sous la douche. J'en avais tellement assez de me voir pleurer que j'avais pris l'habitude d'aller pleurer sous la douche pour ne plus distinguer mes larmes. Comme dans la chanson de Mario Pelchat : « Et si je pleure dans la pluie, tu n'y verras que du feu, de l'eau qui tombe sans bruit, que de la pluie dans mes yeux... »

Pendant ces quelques semaines où j'étais dans le brouillard, Patrick continuait à m'écrire. J'aimais qu'il continue de s'intéresser à moi, mais je ne lui répondais pas. Je craignais trop qu'il sente ma déprime entre mes mots, alors c'était le silence complet de ma part. Mais décourager Patrick Cameron ? Bonne chance !

Il ne me donnait pas l'impression d'attendre quoi que ce soit de moi et cela me faisait vraiment du bien. Il m'invitait à des événements reliés à la scène, des événements qui pourraient me renseigner sur la façon de procéder pour faire de la musique. Je me désistais à chaque fois, le temps de remonter la pente. Et quand j'y suis parvenue finalement, j'ai accepté.

Patrick donnait une petite conférence à l'École du Show-business, c'était au mois de septembre. Il voulait que je vienne le rencontrer afin d'entendre différents conférenciers qui se produisaient avec lui, ce jour-là. J'avais fait du progrès sur le plan vocal, et rencontrer quelques personnes bien placées dans le milieu ne me ferait pas de mal. Ce serait un bon début, au contraire. Je suivais alors ma dernière session au cégep avec à peine trois cours et j'avais du temps de libre quand je ne travaillais pas.

Je me suis faite belle et me suis rendue au cinq à sept le retrouver. J'étais nerveuse comme tout de le revoir. Je sentais mon cœur battre la chamade. Qu'est-ce que je dis là ? Mon cœur me jouait carrément le *Boléro* de Ravel... Je crois qu'il était aussi heureux de m'y retrouver que moi de l'y voir. Je n'avais hâte que d'une chose, sortir de là le plus vite possible pour me retrouver seule avec lui.

Quand est enfin venu ce moment, nous sommes allés prendre un verre dans un joli petit endroit, dans le Village. Assis en tête-à-tête, cette soirée de septembre m'a paru marquée par le destin. Ça me semblait tellement être la bonne place. Je ne sais si vous connaissez ce sentiment qu'on a parfois d'être à la bonne place au bon moment. Eh bien, c'était exactement ça. Et c'est précisément là que je suis tombée amoureuse.

Nous avons parlé des heures durant, de tout et de rien. Nous avons mangé, bu et même dansé. Ce qui nous était arrivé, ce soir-là, c'était que nous étions tout simplement tombés amoureux à en perdre la tête. Un coup de foudre à en avoir de la boucane qui nous sortait de la bouche.

Quand est venu le temps de rentrer chez moi, il m'a raccompagnée. Et avant de nous quitter, nous nous sommes embrassés. C'était le sceau qu'il fallait pour confirmer ce que je ressentais depuis le début de notre soirée. Et me voilà la tête dans les nuages, le sourire aux lèvres et l'imagination en ébullition !

Vent de changement et concours de chant

Ma tête bouillonnait. Je sentais que l'homme dont je venais de m'éprendre était le bon. Tout me le disait. Tous les signes que je passais mon temps à observer me le désignaient. Tous les rêves que je faisais me le signifiaient aussi. Mais cela arrivait trop vite... Je me remettais à peine d'une fin de relation assez dramatique et avec un retournement de situation qui aurait fait honneur aux « romans-savons » américains. Étais-je prête à revivre l'aventure d'une relation de couple ? Je n'en étais pas certaine, mais c'est là que j'en étais et cet homme-là me faisait vraiment... tourner la tête. Bref, j'étais partie pour chanter à mon tour : « Mon manège à moi, c'est toi... » Dès que je pensais à lui, mon cœur s'emballait, j'en étais enivrée !

Mais mon allégresse n'a pas duré longtemps. J'ai revu Patrick quelques jours après le magique cinq à sept du Village et il m'a fait tomber une brique sur la tête qui m'a fait débouler des étoiles et des nuages où je me trouvais depuis notre premier baiser. Putain de merde ! il était marié...

Marié... merde ! Et avec un enfant... ! Merde au cube ! Pas possible que ça tombe sur moi, impossible. Je ne suis pas une briseuse de ménage. Je n'ai jamais respecté ces femmes qui piquaient les hommes d'autres femmes. Je me disais que jamais cela ne m'arriverait. Et bang, en plein visage, un direct du droit dans la mâchoire. Il est marié !

Je voulais me donner des baffes : ma pauvre Lynda, tu as craqué pour un homme qui a juré amour et fidélité à une autre femme ! Je ressens encore la douleur que m'avait causée cette nouvelle.

D'accord, leur relation bat de l'aile... Le mariage ne va pas bien... Ils ne s'entendent plus... Il aura beau me dire tout ce qu'il voudra, je n'en ai rien, mais rien à faire... Il est marié et père d'un garçon de trois ans et demi, c'est la seule chose qui compte pour moi !

Je ne sais pas si je dois lui être reconnaissante de se montrer ainsi, d'entrée de jeu, honnête avec moi ou si je dois lui en vouloir de m'avoir laissée tomber amoureuse de lui.

Parce que j'étais bel et bien amoureuse de cet homme et toutes les fibres de mon être me disaient que c'était juste, que c'était ce qui devait arriver.

Je lui ai écrit un message quelque temps plus tard pour lui dire que malgré l'intensité de mes sentiments à son égard, je ne pouvais être avec quelqu'un de déjà pris.

Mais la vie est ainsi faite que, même si l'on met un paravent pour se protéger du vent de changement, si le paravent est craqué, le vent va quand même passer.

Un jour, nous nous sommes retrouvés pour parler. Il m'a dévoilé son amour et son désir d'être avec moi : leur séparation était enclenchée. Je me sentais encore plus coupable. Patrick avait beau essayer de me rassurer, rien n'y faisait.

« Tu n'as rien à voir avec ça. Nous nous serions séparés de toute façon », etc. Rien n'y faisait, j'avais le « C » de coupable imprimé sur le front.

Mais j'étais amoureuse, et plus intensément que je ne l'avais jamais été. Alors, je nous ai redonné la chance de bâtir quelque chose ensemble. Ce ne serait pas facile, au début, je le savais. Mais nous allions finir par être ensemble. Coûte que coûte. Nous le voulions très fort, tous les deux.

Lors d'une de nos dernières conversations, Tayib m'avait souhaité de tomber sur quelqu'un qui me ferait souffrir autant que je l'avais fait souffrir. Et voilà que la vie avait exaucé son vœu ! Je ne pouvais imaginer que ce serait aussi douloureux.

Comme je croyais à la loi du karma, c'était un juste retour des choses : j'avais blessé quelqu'un en amour, je me faisais blesser à mon tour ! Il fallait juste que je passe au travers. Un jour, nous serions mariés, lui et moi, nous aurions des enfants ensemble et nous vivrions une vie trépidante... Un jour... j'en étais sûre, je le savais !

Entre-temps, Patrick, qui était de plus en plus confiant en mes capacités vocales et en mon « talent », m'incite fortement à participer au concours Ma première Place des Arts. C'est un des concours de chant les plus importants du Québec. Il pousse même la confiance jusqu'à me prédire que je gagnerais le concours, les mains dans les poches et les doigts dans le nez. C'est un peu acrobatique, tout ça, mais bon... LOL (*Laughing out loud* : la formule anglaise utilisée dans les *chats* pour signifier « rire aux éclats ». C'est drôle comme cette suite de lettres qui n'a aucun sens normalement s'est glissée, sans qu'on y prenne garde, dans nos communications écrites quotidiennes.)

Je m'inscris donc à ce concours et décide aussi de participer (tant qu'à être dans la veine des concours) à Cégeps en spectacle. C'était ma dernière session au collégial, autant en profiter, on ne sait jamais.

J'ai présenté, lors de ma première prestation dans l'agora du cégep Ahuntsic, une chanson que je venais de découvrir, *Mon amie la rose* de Françoise Hardy, version orientalisée. C'est avec cette chanson que j'ai remporté la finale locale du concours. Patrick était là et me regardait fièrement. Ce succès me fit donc passer en demi-finale provinciale. J'allais y représenter mon collège. Quelle fierté ! Surtout que l'un des juges de la finale locale du concours m'avait fortement encouragée à suivre la nature et à conserver les particularités de ma voix. Ce juge n'était nul autre que M. Petit, Richard Petit. Et aujourd'hui, nous nous retrouvons à travailler sur des projets musicaux ensemble, qui l'aurait cru ?

Tout avait lieu en même temps, les concours, les rebondissements dans mes amours, mon travail comme vendeuse au Centre Rockland (à servir de riches bourgeoises prétentieuses qui se croyaient tout permis), mon inscription à l'Université de Montréal en anthropologie... tout se faisait en simultané ! Et j'étais épuisée.

Tant et si bien que je décide de prendre une session sabbatique avant de commencer mes cours à l'Université de Montréal. Je suis à l'école depuis l'âge de cinq ans. Je n'ai jamais pris de répit en dépit du déracinement et du virage difficile qu'ont représenté mes études en français. Alors j'en ai bien mérité un et je me l'accorde volontiers.

Mes auditions pour le concours Ma première Place des Arts se passent merveilleusement bien et je suis sélectionnée pour faire partie des trente-six interprètes qui vont concourir en quart de finale. Je me souviens, lors de ces auditions, m'être retrouvée devant feu Daniel Guérard, qui était à la tête de la SACEF (Société pour l'avancement de la chanson d'expression française).

Il m'avait dit avant que je sorte de scène : « D'où viens-tu ? Il y a quelque chose dans ta voix, c'est différent. Il faut que tu cultives ça, c'est unique. » Il avait raison. Quel homme de grande sensibilité ! Il nous manquera longtemps.

Je me prépare très sérieusement pour les deux concours avec ma prof de chant. Le jour de la demi-finale de Cégeps en spectacle, Patrick m'informe que quelqu'un de très important viendra assister à ma performance. Un homme du show-business doté d'un grand flair. Il lui avait parlé de moi. Il était capital que lorsqu'il se présenterait à moi, je sache immédiatement de qui il s'agissait. Cet homme, c'était Nick Carbone. C'était lui qui avait enclenché la carrière de la belle Mitsou, de France D'Amour, des B.B. Il avait été à la tête de la compagnie Tacca, directeur général de Polygram, conseiller pour BMG... On parle ici de quelqu'un d'important dans le showbiz québécois.

La demi-finale se déroule relativement bien, considérant que le groupe de musiciens qui m'accompagnaient (des étudiants comme moi) n'avaient aucune notion de musique orientale. Leur faire jouer des accents arabes n'était pas une mince affaire. Résultat : ils se sont trompés tout le long de ma chanson fétiche, *Mon amie la rose*. J'ai écopé de la troisième place au classement, mais qu'importe, je m'étais vraiment éclatée !

Soit dit en passant, ce concours est une merveille ! Les jeunes de diverses disciplines se retrouvent sur une même scène et s'y amusent sans trop ressentir de compétition. C'est vraiment une expérience à vivre !

À la fin de la soirée, un monsieur s'approche de moi. Lunettes sur le bout du nez, tête baissée pour pouvoir mieux m'observer.

« Bonsoir, Lynda. Félicitations. Je suis Nick Carbone. C'est Patrick Cameron qui m'a dit de venir vous voir. Il vous a prévenue que j'allais être là ? »

Ma réponse, roulements de tambour : « Non ! »

Je n'en reviens pas d'avoir répondu « non ! ». Pourquoi, non ? Ça n'a pas de bon sens, c'est vraiment n'importe quoi, aucune idée de ce qui me passait par la tête, mais j'ai répondu « non » ! Mais pas un « non » du genre : désolée, cela m'a échappé peut-être, il a dû... oui, j'ai probablement oublié, merci de vous être déplacé, M. Carbone. Non, rien de tout ça. J'ai répondu « non ! », avec un petit air hautain de Miss Star du Jour ! J'en suis rouge de honte quand j'y pense. Ce n'est pas grand-chose, mais à l'époque, j'en ai vraiment eu honte. Si tu lis ça, Nick, *I just revealed something here, I never dared to tell you.* L'écrire est plus facile. *You know I love you !*

Nick était perplexe et m'a simplement félicitée à nouveau avant de partir.

Pendant que je me dirige vers les membres du jury (en me mordillant les lèvres), Michel Drainville me tire par le bras pour me présenter quelqu'un. Michel était le responsable du service d'animation de mon collège. C'était le premier ami, conseiller et fan des futurs artistes dont il découvrait le talent parmi ses étudiants. Je l'appelais le Parrain ! Il avait aidé, à leurs débuts, Daniel Boucher et Martin Deschamps qui avaient tous deux été étudiants au même collège, avant moi.

Michel me présente alors un homme d'une grande discrétion, qu'il me dit aussi être un « mec » important : Martin Leclerc. Martin était directeur artistique de la maison de disques Gestion Son Image, qui avait dans son écurie (tu parles d'une expression !) ou plutôt dans sa constellation artistique (je préfère) Jean-Pierre Ferland, Gilles Vigneault, Marie-Jo Thério et tant d'autres monuments de la musique québécoise. Martin Leclerc avait aimé ma prestation ! Wow ! Décidément, avoir suivi un peu le son de mes origines s'était avéré payant.

Je rêvais de chanter à la Place des Arts. C'était pour moi tout un accomplissement, un repère dans le monde artistique, une belle référence. J'en aurais eu la chance, lors des quarts de finale du concours Ma première Place des Arts, si les techniciens de la PDA n'avaient pas entamé une grève. À défaut de la PDA, je me retrouve au Monument-National. Bon, ce n'est tout de même pas trop mal !

Mais avant le grand moment au Monument-National, j'ai eu la chance de rencontrer pour la première fois le petit garçon de Patrick. Il était minuscule, le petit homme, gêné comme tout. Il s'agrippait à son papa de toutes ses forces. C'est en voyant Patrick avec son fils que j'ai réalisé l'ampleur et la complexité de la situation. Si tout se passait bien et que la séparation et le divorce de Patrick se déroulaient de façon civilisée, il y aurait ce garçon à protéger et à accompagner dans ce changement de vie. J'allais non seulement être une « blonde », j'allais aussi être une belle-maman. Je ne signais pas uniquement pour Patrick, mais pour un ensemble de liens et de fonctions.

J'aurais beau aimer Patrick de toutes les fibres de mon corps, je ne pourrais jamais lui faire vivre les choses pour la première fois. Je ne serais pas la première femme qu'il aura épousée, je ne serais pas la première à lui donner la joie d'être un père. À mes yeux, c'était un échec, cette impossibilité d'être la première. J'étais consciente que je ne pouvais pas débarquer dans sa vie en espérant tout lui apprendre et tout lui faire découvrir, mais j'étais déçue d'imaginer qu'il vivrait nos premières expériences à deux comme du « déjà vu ». En fait, j'en étais plus que déçue, j'en rageais littéralement. Dieu que je manquais de maturité, du haut de mes vingt et un ans ! Vous savez, je ne me juge pas en disant cela. Je ne fais que m'observer, encore une fois, comme on observerait un enfant en train de bouder dans un coin. Avec tendresse et un peu d'indulgence.

Je le sais, aujourd'hui, que chaque première fois est unique, mais allez le dire à la jeune femme pleine d'insécurité que j'étais ! Enfin, c'est ainsi, on vit ce que l'on a à vivre et on apprend.

Mon *chum* et moi ne nous voyions pas souvent, nous étions fort occupés chacun de notre côté. Patrick était tout chamboulé par les événements qui se déroulaient dans sa demeure. Il s'était retrouvé seul avec le petit, pendant un certain temps, puis avait dû être hébergé par une de ses collègues de travail. Dur de se séparer quand un enfant est au milieu du conflit ! J'essayais de le soutenir dans ces moments difficiles, mais en même temps, je ne voulais pas vivre leur séparation. Cela ne m'appartenait pas ! Je n'aurais pas voulu tomber amoureuse de quelqu'un qui avait encore autant de choses à régler. C'était trop compliqué, ces histoires-là. Je me disais souvent que cela aurait été beaucoup plus simple si j'avais été avec un garçon de mon âge qui aurait eu les mêmes préoccupations que moi. Donc pas d'autres soucis que les études et le loyer. Sans trop de responsabilités familiales. Sans femme ni enfant.

Oh ! J'allais pouvoir m'en tirer avec le petit, je n'en doutais pas. Je ferais de mon mieux pour qu'il ne manque de rien et se sente aimé. Mais le plus gros de mon chagrin venait du fait que j'avais l'impression d'avoir blessé une autre femme. Jamais, au grand jamais, je n'ai pris sa peine à la légère. Je pensais souvent à elle et me mettais à pleurer à chaudes larmes en écoutant la chanson qui, à mes yeux, représente toute la douleur d'une femme trompée : *Je voudrais la connaître*, de Patricia Kaas.

Dieu que c'est douloureux parfois, l'amour ! Une chance que les chansons sont là pour nous dire que nous ne sommes pas seuls. Que tout a déjà été vécu par d'autres que nous.

MPPDA, l'artiste est née

Je suis nerveuse, très nerveuse de me présenter sur scène pour les quarts de finale de Ma première Place des Arts. Patrick ne peut être là pour m'encourager, mais ma famille oui ! Ils sont toujours là de toute façon. Ma tante et moi sommes allées « magasiner » une paire de chaussures pour l'occasion chez Browns. Mais comme je n'en avais pas les moyens, j'en prendrai le plus grand soin et j'irai les rapporter pour me faire rembourser dès le lendemain. Pas très catholique comme façon de faire, mais très pratique, cette histoire de remboursement garanti. Et que dire, sinon qu'une fille doit faire ce qu'il faut pour bien paraître.

Ce soir-là, je chante comme je n'ai jamais chanté jusque-là et il ne reste plus qu'à prier et espérer être prise pour la demi-finale.

Quelques jours après, le téléphone sonne et c'est Daniel Guérard, le porteur de bonnes nouvelles. Je suis prise. Ça a marché ! Je suis totalement en extase. Patrick, lui, n'est absolument pas surpris.

Vingt-quatre heures plus tard le téléphone sonne à nouveau : c'est encore Daniel Guérard. Oh ! Je n'aime pas trop ça... Il me dit : « Il y a eu une erreur, ma chère Lynda. Vous ne passez pas en demi-finale... mais directement en finale ! »

Incroyable, c'est de mieux en mieux ! Et pour ajouter la cerise sur le gâteau, je reçois en cadeau, pour ce passage en finale, des rencontres (un total de vingt heures) avec le metteur en scène Pierre Boileau. Voilà le plus beau cadeau que l'on m'ait fait pour ce qui a trait à la musique. Pierre est un metteur en scène à la feuille de route impressionnante. Dans le milieu depuis une vingtaine d'années maintenant, il aura signé la mise en scène de tant de grands événements que je ne saurais en faire la liste. Des Prix du Gouverneur général aux spectacles thématiques du Festival international de jazz de Montréal, en passant par les FrancoFolies de Montréal, des spectacles télévisés de l'ADISQ et le spectacle du 400e anniversaire de Québec, dont je parlerai dans un autre chapitre.

Cette rencontre avec Pierre changera ma vision de l'interprète et de l'artiste. J'avais appris à chanter avant de le rencontrer. Avec Pierre, j'apprendrai à être interprète et à vivre mes chansons.

Pierre Boileau est encore à ce jour très présent dans presque chaque grand moment de ma carrière. Je le considère comme un « allié ». C'est comme cela que j'appelle ces gens précieux qui ont cru en moi et qui m'ont épaulée tout au long des hauts et des bas de la vie artistique. Un grand monsieur svelte, au regard perçant. Quand on parle à Pierre, il nous regarde dans les yeux : il peut y avoir une tornade qui se déchaîne tout autour, son regard et son attention restent sur nous. Une force et une sensibilité hors du commun.

À ma première rencontre avec Pierre, nous avons regardé l'enregistrement vidéo de ma performance en quart de finale. Il m'a délicatement signalé tout ce qui n'allait pas dans mes interprétations. Mais je suis de nature fière et prends de prime abord plutôt mal toutes les critiques qu'on peut me faire. Je n'étais pas fermée, mais je doutais un peu de la pertinence de ses propos. Il me fit regarder alors la dernière vidéo de Brel. Celle-là même où on le voit chanter intégralement *Ne me quitte pas*. Le plan est serré, l'image, en noir et blanc, l'interprète, à couper le souffle. Je suis sous le choc d'un artiste au sommet de son art. Un coup d'humilité pour mon arrogance de débutante. Je suis en larmes. Je sais que j'ai du travail à faire, je veux faire frémir et chavirer les gens autant que Jacques Brel m'a fait vibrer avec son interprétation. Je veux toucher les gens. Je venais de l'apprendre, de le comprendre, en regardant cette vidéo. C'était dur de contrôler mes larmes. Pierre me passe alors une boîte de Kleenex et me lance : « On va pouvoir commencer à travailler, maintenant. » Et travailler, nous l'avons fait.

Durant l'une de nos séances, j'avais fait écouter à Pierre des chansons que j'aimais. Une en particulier, *Imagine* de John Lennon, version en arabe et en hébreu. Un symbole de paix, pour moi. Il s'en souviendra, comme vous le verrez bientôt.

Le jour de la finale interprètes du concours MPPDA, je suis littéralement gonflée à bloc et fin prête. Nous sommes au Monument-National. Il y a même des médias, wow ! Ça tombe bien, je me suis fait bronzer en cabine pour l'occasion, je n'aurai pas trop l'air d'un zombie. 5 000 $ en prix ! Si je gagne, je pars en voyage en Grèce ! C'est mon rêve, faire le tour des îles, des Cyclades... Seule, oui, parfaitement ! Pour apprendre à me connaître davantage et aller à la recherche de mon moi profond et patati et patata. Respirer loin de la lourdeur qui m'entoure.

Je chante ma chanson porte-bonheur, *Mon amie la rose*, et une autre de Patricia Kaas d'une intensité telle qu'elle fera douter d'elles les autres participantes. Je le voyais. C'est la chanson-titre de l'album de Patricia qui est un de mes favoris de tous les temps : *Le mot de passe*. Si je devais me retrouver sur une île déserte avec quelques albums seulement, celui-ci en ferait partie.

Je ne me remémore pas très clairement comment tout cela s'était fait, mais à la conférence de presse annonçant les gagnants du concours, mon nom avait retenti !

Dans la catégorie « Interprète », les prix Distinction et Radio-Canada : Lynda Thalie !

Oh ! mon Dieu... je suis à la bonne place au bon moment. Quel bonheur ! Je vais faire ce métier, je vais gagner ma vie en chantant !

Ma famille me saute dans les bras. Mon beau-père m'offre une carte de félicitations avec l'image d'une île grecque. Patrick est fier comme un paon. « Bravo, je te l'avais dit, chérie ! » me lance-t-il.

Allez, photos !

Je crois que je vais devoir faire un choix : les études universitaires ou la carrière artistique. La réponse est claire. Je saute !

Une soirée de gala est prévue pour célébrer les gagnants de Ma première Place des Arts. Cela se passe devant public et devant une foule de journalistes curieux d'entendre et de voir de la chair fraîche. Nous devions être rafraîchissants, en effet, avec nos étoiles dans les yeux et ce sentiment que celles qui trônent dans le ciel étaient à notre portée. C'est beau, l'ignorance du débutant !

Comme tout semblait facile. Comme nous étions dans le champ !

Nous avions préparé tout un spectacle pour ce gala et j'étais, comme à l'accoutumée, très nerveuse. Mais ce soir-là, tout particulièrement. J'en perdais même la maîtrise de ma scène. Pourtant, je n'avais rien à prouver, je venais de gagner. Mais quelque chose ne tournait pas rond, je ne me sentais réellement pas bien dans ma peau.

Durant la soirée qui a suivi le spectacle, j'ai compris mon malaise. La future ex-femme de Patrick était là. Elle voulait me voir, m'entendre, connaître la femme qui allait à présent partager la vie de son homme. J'aurais sans doute fait exactement la même chose.

Elle a marché vers moi, s'est présentée en me serrant la main. C'est intrigant, ma façon de réagir aux choses de la vie. J'étais sincèrement enchantée de la connaître. Je me disais qu'elle devait être une femme remarquable. Patrick ne l'aurait pas épousée sinon et ils n'auraient pas eu un garçon ensemble. Elle était belle, élégante et digne. Elle parlait doucement.

Je voulais mieux la connaître. Je voulais savoir ce qui n'avait pas marché. Surtout, je voulais savoir comment éviter les écueils sur lesquels leur mariage avait sombré. Mais ce n'était pas le moment. Chaque chose en son temps, petite, que je me répétais, chaque chose en son temps... Je savais qu'un jour, nous nous entendrions bien, elle et moi. Je le sentais très fort en moi.

Je n'ai pas eu tort. Nous nous entendons fort bien aujourd'hui, et nous nous croisons régulièrement. Elle a même, à quelques reprises, gardé nos jumeaux. C'est vous dire que mon instinct ne me trahit pas souvent ! Mais si je lui avais dit ça, ce soir-là, je crois bien qu'elle m'aurait envoyée prendre l'air.

Chapitre 12

Le grand saut

Propositions, unions et ruptures

J'avais donc remporté le concours Ma première Place des Arts, catégorie « Interprète », en l'an de grâce 2000. Tu parles d'une bonne façon de commencer cette décennie exceptionnelle ! Je le prends comme un signe. Je saute dans le XXIe siècle avec un titre, ouais monsieur ! Et en plus, mon nom et ma voix se retrouvent sur l'album de la PDA, édition 2000.

Des gens importants pour une carrière m'ont déjà vue chanter sur scène grâce au concours. Et avec l'aide de Patrick, je ne tarde pas à avoir des propositions de signature de contrats avec des maisons de disques.

Martin Leclerc souhaite m'avoir dans... la galaxie GSI, et Nick Carbone se dit prêt à me faire signer avec la compagnie « C and C », à la tête de laquelle il se trouve avec nul autre que Guy Cloutier (d'où le C and C).

Bien que je me sente très proche de Nick, je choisis de signer avec la maison GSI. Martin devient, par le fait même, mon gérant. Tout comme celui de presque tous les artistes de la maison de disques, d'ailleurs. Cela me paraît un peu drôle d'être « gérée » par le directeur artistique de la boîte qui produira mon premier album. Il me semblait que pour défendre un artiste, il fallait être détaché du producteur de ses disques, mais tant pis, je plonge et décide de lui faire confiance.

Inutile de vous dire que je ne l'ai pas fait, mon voyage en Grèce ! Les 5 000 $ ont plutôt servi à faire démarrer ma carrière. Commencer une carrière à partir de rien, cela représente beaucoup d'essais, d'apprentissages, d'attentes et de frustrations. Il fallait trouver des auteurs qui sauraient traduire en mots ce que je ressentais, mon message, la direction que prenait ma vie, ce en quoi je croyais... Il fallait trouver des compositeurs qui sauraient traduire en musique la femme que j'étais, ma différence, mes particularités culturelles dues à mes origines, ma voix en un mot !

Et le défi était de taille ! Il fallait en peu de temps rencontrer l'un, puis l'autre, essayer de me diriger à travers ce monde nouveau, apprendre à connaître mes préférences. J'avais une idée de ce que je voulais, de mon genre musical : pop à saveur arabique, mais le dosage n'était pas évident à trouver.

L'amour triomphera
Pendant ce temps de recherches et de décisions, je vivais la plus ardente des passions avec mon Patrick, et tout aurait été presque parfait s'il n'avait été en pleine séparation, car il me parlait constamment de ses chicanes et de ses problèmes. Moi, tout ce que je voulais entendre quand j'étais en sa présence, c'était à quel point il me voulait dans sa vie, dans sa routine, dans sa voiture, dans ses bras, pas des histoires de son ex ! Mais en même temps, je ne pouvais me passer des moments que nous avions ensemble. Je n'en avais jamais vécu d'aussi intenses : je me sentais vivante, il me faisait me sentir vivante, amoureuse, désirée. Je lui donnais ce dont il avait le plus besoin : de la légèreté et de l'amour sans questionnement. Je ne lui demandais pas de comptes, je le laissais prendre son temps pour bien faire les choses. Ne rien brusquer avec son fils. C'était important à mes yeux.

Il avait besoin de souffler un peu et était allé passer quelques jours de vacances en République dominicaine. À son retour, il m'avait offert un petit cadeau, une boîte en bois fabriquée là-bas. C'était *cute*! Nous avions dansé sous la pluie avant de rentrer au restaurant, puis, brusquement, la bombe... il me quittait!

Comment était-ce possible quand au plus profond de mon âme je savais qu'être avec lui était ce qui pouvait m'arriver de mieux dans la vie? Et voilà que j'étais abandonnée par l'homme que j'aimais, et à ce moment précis où tout semblait bien aller pour moi! J'avais envie de lui déchirer le cœur en mille morceaux. J'avais vraiment envie qu'il ait mal, qu'il souffre, qu'il regrette. Qu'il s'inflige des coups tant il regretterait la sottise de m'avoir laissée aller.

J'étais sidérée. Son voyage lui avait fait sentir qu'il fallait faire encore un effort pour le bien-être de son petit garçon. Je n'avais rien contre ça, que le petit soit heureux et se sente bien. Mais moi, qu'est-ce que je devenais dans tout ça? Un dommage collatéral? J'avais l'impression d'être dans une de ces émissions de téléréalité où l'on voit une fille se faire larguer en se faisant dire: « Non mais, qu'est-ce que tu croyais, qu'il allait tout abandonner pour toi? »

Je n'ai jamais demandé à qui que ce soit de laisser quoi que ce soit pour moi. Encore moins d'abandonner une famille. Moi, pour qui l'abandon est la pire douleur, infliger ça à quelqu'un d'autre? Plutôt me briser en deux. Jamais! Tayib m'avait souhaité d'avoir mal, eh bien il était servi : voilà qui faisait vraiment mal!

Bon, eh bien, bonne route, Patrick. « Mais ne me rappelle pas, ne me rappelle plus jamais, t'as compris? Bonne chance! »

Et voilà, c'était fait, *gone, baby gone*! Mais j'étais furieuse, blessée et triste. Le meilleur moyen de remédier à ce rejet inattendu : sortir!

Entre deux crises de larmes, je sortais avec des amis et je rencontrais plein de nouvelles personnes. Je n'allais certainement pas rester à me morfondre dans mon coin. Quand c'est fini, c'est fini. La vie continue, *the beat goes on*. Je trouvais quand même le moyen d'avoir de gros moments de chagrin, mais je travaillais toujours à la boutique de vêtements du Centre Rockland, je cherchais des chansons pour mon album et surtout je sortais encore et encore pour me défouler, danser, retrouver mon amie Éliane qui aimait autant la danse que moi. Des jeunes hommes autour, il y en avait plein. Et je savais que je ne me laisserais pas briser le cœur par quelqu'un que je connaissais à peine, pressentiment ou pas !

Je m'en remettais tranquillement... quand, un jour, le téléphone sonna. C'était le beau Patrick qui voulait que l'on se retrouve pour parler.

Il ne m'aura pas deux fois, j'y vais, c'est d'accord, mais je ne flancherai pas. Il m'a déjà fait trop mal.

J'arrive au restaurant où il m'attend attablé, la mine basse. On ne fait ni une ni deux, à peine sommes-nous face à face que nous éclatons en sanglots, attirant tous les regards sur nous. Nous nous serrons dans les bras l'un de l'autre comme si c'était la dernière fois. Comme si nous étions sur le *Titanic* sombrant dans les flots. Nous ne savons plus quoi faire de tout cet amour. C'était décidément se mentir que de vouloir être loin l'un de l'autre.

Réconciliés et amoureux, nous recommençons à nous fréquenter. Ça commence à devenir une blague, cette histoire ! Mais cette fois, Patrick vient souvent à la maison, passe du temps avec moi et ma famille. Nos fêtes familiales deviennent aussi les siennes.

Il me fait aussi rencontrer ses parents pour la première fois, un peu par surprise alors que nous assistons à un spectacle de magie. La rencontre n'est vraiment pas concluante. Ils sont attachés à l'ex-femme de Patrick et le fait de me voir rebondir ainsi dans la vie de leur fils n'est pas pour leur plaire. Je suis attristée par ce premier contact avec mes futurs beaux-parents. (En fait, je savais déjà qu'ils deviendraient mes beaux-parents, mais pas eux. Et je n'allais tout de même pas les assommer avec mes visions, ce n'était vraiment pas le moment !) Mais en même temps, étrangement, je suis rassurée par leur fidélité qui m'en dit long sur les êtres formidables que je connaîtrai bientôt. J'irai à leur conquête quand le moment sera venu, mais pas cette fois. Il faut que je leur laisse le temps d'absorber ce qui se passe.

J'aurais tellement souhaité avoir un père présent dans ma vie à ce moment-là. Un papa qui m'aime tellement qu'il aurait attrapé Patrick par le chignon pour lui dire : « T'es mieux de prendre soin de ma fille, elle est la prunelle de mes yeux. Tu lui as déjà fait mal et si tu t'avises de lui refaire le coup, tu auras affaire à moi. Compris ? » Mais je n'en avais pas de protecteur comme ça. Je n'étais plus la princesse à son papa. En fait, j'étais une princesse sans roi. J'en ferai certainement une chanson, un jour, de ce sentiment. Dès que j'en serai capable... mais pas maintenant, ça fait trop mal encore !

Pour l'instant, je vis mon amour, crée mon album, rêve en grand, espère le conte de fées artistique dont on parle dans les émissions *Musicographies*. Vous savez, le truc du genre : un producteur la découvre et lui fait enregistrer un disque. Sa première chanson se retrouve au top des palmarès et elle devient le visage de Chanel. Mais il faut aussi éviter les fins du genre : sa vie bascule quand elle tombe dans l'enfer de l'alcool et de la drogue ! Pas mon genre du tout, mais comme dirait Patricia Kaas dans une de ses chansons : « Les contes de fées sont des histoires qu'on raconte pour vous endormir. »

Entre-temps, rien ne se déroule comme je l'espérais. Martin Leclerc est très occupé avec son artiste Daniel Boucher, dont la carrière décolle enfin. J'en suis heureuse pour lui mais... et moi là-dedans ? Oh ! il a bien de la bonne volonté, Martin. Mais ça n'avance pas assez vite. Je rencontre des éditeurs, des auteurs, etc. Rien n'y fait. Je ne clique pas. Patrick décide alors de me mettre en relation avec un auteur-compositeur de « grand talent », comme il me le répète inlassablement.

Je l'ai rencontré, cet artiste de « grand talent » et nous nous sommes vite entendus. Son nom : Nicolas Maranda. En fait, dès la première rencontre, j'ai senti un lien de fraternité entre nous deux. Si l'on choisit réellement notre vie et les gens que l'on recroise sans cesse, alors Nicolas devait certainement être un frère dans une autre vie. Quoi qu'il en soit, nous commençons à créer ensemble. Nous écoutons de la musique, des chansons, les sons de mon Algérie natale. Nous réussissons ainsi à préciser un peu plus mon style musical.

Une des auteures dont les mots ont tout de suite fait mouche avec moi est Béatrice Richet. Je l'avais entendue chanter au concours MPPDA, dans la catégorie « Auteur-compositeur-interprète » et j'ai immédiatement voulu travailler avec elle. Une femme incroyable, et une plume merveilleuse et sensible.

Les premiers textes sont nés rapidement. Aujourd'hui, j'ai compris que la façon dont je créais à l'époque n'était pas celle qui convenait le plus à mon identité musicale. Avant, nous commencions par créer un texte puis nous y collions une musique et une mélodie. Je trouve cela aujourd'hui trop complexe et procède à l'inverse. La mélodie naît d'abord puis un texte est créé sur mesure pour suivre les moindres inflexions de la voix. Je ne cosignais que rarement les textes de mon premier album, *Le sablier*. Je ne me faisais pas assez confiance pour me laisser aller à l'écriture. Mais j'ai appris.

J'ai l'impression d'avoir tant appris avec ces gens incroyables qui m'entouraient ! Rien que de voir le résultat du passage de ma voix dans un micro sur un écran d'ordinateur me subjuguait. C'étaient des peintures... les mots faisaient des peintures et la musique aussi. Une merveille pour la visuelle que je suis !

Nous avançons à un bon rythme, pas assez vite mais à un bon rythme.

Entre la création au studio, rue Saint-Denis à Montréal, et mes rencontres avec x ou y de la planète showbiz pour x ou y raisons, je travaille comme vendeuse à la célèbre boutique de café Aux deux Marie. À l'époque, la boutique était juste en face du studio de Nicolas. Je préparais les mélanges exquis de cafés venus du monde entier. Avec leurs dosages précis et calculés. À chaque fois que les précieux grains sortaient du torréfacteur, je prenais un malin plaisir à enfoncer mes doigts, mes mains et mon avant-bras au complet (propres, rassurez-vous) dans l'énorme tonneau de grains. Un des plus agréables plaisirs sensoriels qui soient. Ça et manger une bonne crème brûlée, être collée sur mon amoureux, voir un ciel étoilé en camping... les sens électrifiés !

Il y avait tant d'artistes qui passaient au café pour y faire des entrevues ! Je me disais qu'un jour, je ferais aussi les miennes là, Aux deux Marie.

Dernière rupture

Mais je ne suis pas au bout de mes peines : Patrick me surprend avec une brusque marche arrière. Il se sent dans un abysse, complètement perdu. Son ex lui demande de faire un dernier effort pour rebâtir la famille. Pour leur petit... Il se sent coupable... trop coupable pour pouvoir être avec moi. Alors, il fait marche arrière. Un coup très dur, encore une fois, qu'il porte à ma foi incassable en notre couple. Je suis plus que dévastée, je suis furieuse.

Cette fois, je me retrouve à pleurer des nuits entières et je crois sincèrement que si Dieu existe, il va venir me chercher.

J'ai pensé me venger, sortir tous les soirs, rencontrer d'autres personnes, mais ça ne me ressemblait pas. Alors j'ai mis une croix sur l'image que je me faisais de notre couple.

Mais il faut croire que le flou de sa vie ne dura qu'un petit moment, parce qu'un matin de Pâques, alors que j'étais sous la douche, Patrick est venu cogner à la fenêtre de chez nous. Ma mère lui a ouvert la porte. Elle était furieuse contre lui pour toute la peine qu'il m'avait fait subir. Elle qui lui avait ouvert sa maison si souvent et qui l'avait serré dans ses bras comme un fils ! Ils se sont parlé brièvement puis elle est venue me dire qu'il était là pour me reconquérir.

Il était trop tard, dans ma tête, trop tard. Mais je suis quand même sortie le voir...

Moi qui rêvais, petite, de voir débarquer mon chevalier sur sa noble monture ! Comme dans *Pretty Woman*. Je ne m'attendais pas à la vision qui s'est offerte à moi : Patrick essayait de faire passer sa monture à lui par la fenêtre ! Un énorme cheval en chocolat ! J'étais prise entre rires et larmes. Attendrie comme jamais. Voilà mon chevalier et son noble (et délicieux) destrier en cacao 70 % ! Nous sommes allés faire une longue promenade dans le parc et puis, je l'ai écouté me supplier de lui donner une dernière chance. Il ferait tout pour que je sois heureuse, pour qu'on soit heureux ensemble, pour longtemps.

Je ne pouvais pas promettre de l'aimer pour toujours. Comment peut-on promettre quelque chose que personne ne pourrait garantir ? Je lui ai promis de faire toujours de mon mieux, à chaque instant, d'être honnête. J'ai établi à ce moment-là ce que j'attendais d'une relation amoureuse avec lui. Lui, l'homme que j'aime.

Je savais qu'il ne voulait plus d'enfant, mais moi, je savais que je ne pourrais pas faire ma vie avec quelqu'un qui ne voulait pas d'un enfant de moi. C'était clair, j'étais née pour être maman, un jour. Alors là, dans ce parc, un matin de Pâques, Patrick m'a fait la promesse que nous vivrions ensemble prochainement et que nous aurions un enfant ensemble, un jour, et qu'il avait déjà hâte de voir ce que le mélange de nous deux donnerait comme petite merveille. Que ça faisait du bien de l'entendre ! Je l'avais vu avec son garçon, je savais qu'il serait un bon papa pour notre enfant aussi. Et plus que tout, je voulais faire ma vie avec lui. J'avais assez attendu, j'avais été assez patiente, je le voulais à moi. Je buvais ses paroles et j'y croyais. J'y crois toujours, même si je reste encore fragilisée malgré toutes les années passées.

Une écorchure, quand elle est profonde, guérit, mais elle laisse souvent une cicatrice qui nous rappelle la douleur. À nous de la cacher, de la banaliser ou de la caresser en nous disant que ça n'arrivera plus jamais. Je choisis la dernière option.

There's no business like show business...

Cette dernière crise surmontée, le temps passe vite, plus vite. Les créations de chansons avancent et survient une des belles surprises de la vie. Nicolas invite un grand musicien à venir faire quelques prises avec nous sur l'album. Ce musicien, c'est Tony Levin, le très doué et très original bassiste de Peter Gabriel. Un grand ! Tony est intéressé par mon genre musical et accepte de descendre de New York. Il sera avec nous pour quelques jours et je suis folle de joie !

Patrick s'était arrangé pour que l'on ait un caméraman en studio avec nous pour filmer ce moment incroyable. Nicolas, qui est un grand fan de Tony, était comme un enfant le matin de Noël.

J'ai été tout bonnement impressionnée par le talent et l'ouverture de l'artiste. Il avait vingt fois plus d'années de métier que moi et pourtant, c'est vers moi qu'il se tournait pour me demander si cela me convenait ou si j'aurais préféré autre chose. Il m'a écoutée et a suivi les directives instinctives que je lui donnais. Un moment de grand apprentissage que j'ai vécu là ! J'en connais qui se seraient pris pour Dieu sur terre et qui ne m'auraient même pas regardée, mais pas lui. J'ai compris que les plus grands restaient les plus grands parce qu'ils savent écouter les plus petits qui débutent. Les grands artistes sont bien conscients qu'ils n'ont pas encore tout vu et que les nouveautés viennent souvent des novices, alors ils gardent le respect des autres parce qu'il y a toujours quelque chose à apprendre d'eux. Qu'importe où l'on est rendu dans la vie. Ces journées-là passées avec Tony Levin m'ont donné confiance en mes capacités de créatrice. *Thanks Tony, stop by for a coffee anytime !*

Ma mère et ma tante nous avaient préparé un festin incroyable pour le studio, ce jour-là. Un couscous végétarien et des salades de poivrons grillés. Tony était ravi de l'accueil très... familial !

Je suis fière de la tournure des choses. L'écriture va bon train avec Béatrice, la composition aussi avec Nicolas. Mon couple va bien lui aussi, nous n'habitons pas encore ensemble mais ça viendra.

Ma tante Moumou est enceinte finalement. Son amoureux, Pierre, et elle ont enfin décidé d'avoir un enfant. Cela faisait des années que je l'espérais. Ils attendent un garçon, comme je l'imaginais. Ce sera un enfant extraordinaire, je le sais déjà. Moumou est si belle, enceinte ! En m'apprenant la nouvelle, Pierre et elle m'ont fait signer un contrat de gardiennage. Une façon originale de partager la bonne nouvelle ! Oui, d'accord, je m'occuperai de lui avec la plus grande des joies.

L'année 2001 se déroula comme un charme. Nous avons même fait une escapade à quatre à La Nouvelle-Orléans, Moumou, Pierre, Patrick et moi. Nous avons vraiment eu du bon temps ensemble. C'était la naissance d'une belle amitié entre nous tous. Patrick et moi étions en voyage, en couple, pour la première fois et nous ne nous lassions pas de nous le dire et de le célébrer.

Et La Nouvelle-Orléans ! Une découverte que cette ville du sud des États-Unis. Si musicale, si festive, si agréable. On ne l'appelle pas « *The Big Easy* » pour rien. J'y retournerais volontiers. Vivement que la reconstruction se fasse sérieusement, mais après la catastrophe de l'ouragan Katrina, je crois bien que plus rien ne sera jamais pareil.

11 septembre 2001

Je regarde souvent les gratte-ciel de Montréal. Et même si je les trouve modernes et beaux, je pense très souvent que les humains sont arrogants en allant titiller les cieux de la sorte. À empiler étage par-dessus étage dans un pays qui a tant d'espace.

Je ne peux passer sous silence ce moment qui a changé le destin de plusieurs et la direction politique, sociale, géographique et économique de moult pays. Ce jour qui a même changé mon parcours artistique.

Les événements du 11 septembre 2001 ont été un tournant dans mon existence. Ce matin-là, j'étais revenue chez moi après avoir passé la nuit chez mon amoureux. J'ai ouvert la télévision sur CNN pour découvrir que, quelques secondes auparavant, quelque chose s'était passé. Des flammes sortaient du flanc d'une des tours du World Trade Center, des flammes très louches.

J'appelle alors Patrick au travail pour lui suggérer d'allumer la télévision et de la placer sur CNN. Je raccroche et continue à regarder ce drôle de trou embrasé sur le bâtiment que j'avais visité l'année d'avant, pour mon anniversaire. Et du coup, un second avion percute la deuxième tour. Percuter n'est pas le mot, fondre serait le bon. L'avion avait foncé dans la bâtisse. C'était trop, je le savais bien que c'était un attentat terroriste, ça ne pouvait être que cela. Nous pouvions voir, en direct, des gens qui sautaient des immeubles en feu. C'était insoutenable. J'appelle Moumou pour aller la rejoindre, je ne veux pas vivre ce moment seule, je suis tout à l'envers. Son *chum* vient me chercher en auto. Tout s'est enchaîné à la vitesse grand V : chute de la première tour, puis de la seconde, l'attaque contre le Pentagone. L'horreur !

Je me souvenais de la photo que j'avais prise avec ma tante Moumou et Pierre, au sommet de l'une des tours du World Trade Center. C'était il y avait à peine un an, à l'été 2000. Nous étions allés tous les trois passer un week-end à New York. C'est fou. Tout cela n'est plus !

J'étais plus que troublée. Il ne restait qu'une chose à faire, créer de la musique avec Nicolas qui était dans le même état que moi. Ce jour-là, j'ai chanté longtemps, et pleuré. Nicolas, lui, s'accrochait à sa guitare et la faisait pleurer elle aussi.

Les jours suivants n'ont été qu'analyse de la catastrophe et discussions. Puis la paranoïa s'est installée. Qui a fait quoi ? Qui blâmer pour tous ces morts ? Quel pays accuser d'avoir armé ces agents du mal qui ont volé à l'Amérique son insouciance ? Et le Pentagone... a-t-il été attaqué ou non ? Ce trou dans un de ses murs a-t-il vraiment été causé par un avion ou plutôt par un missile ? J'étais et je suis toujours de ceux qui croient en une certaine théorie du complot.

La guerre contre l'Afghanistan était devenue imminente. Il fallait une guerre pour détruire un homme, ben Laden. C'est logique, n'est-ce pas ?

Même si j'ai une sainte horreur du mot guerre et de tout ce qu'il évoque, voir un pays ou une coalition contribuer à la libération de ces hommes, ces enfants, ces femmes, opprimés par les talibans ne pouvait que me réjouir. Les femmes sous leur burqa étaient restées invisibles jusqu'au jour où l'on a parlé d'attaquer l'Afghanistan. Je n'aime pas les guerres, personne n'aime les guerres. Elles ne sont que souffrances et destructions. On ne gagne pas une guerre, c'est impossible ! Dès que l'on perd une vie, un bras, une jambe ou le respect de la vie humaine, on a déjà perdu. On a tous perdu. Mais j'étais quand même heureuse que l'on braque finalement les projecteurs sur les pauvres femmes afghanes. Le monde entier les avait ignorées et enfin on parlait d'elles et on voulait les libérer des mains des méchants. On voulait voir sous leur grillage... on voulait les entendre. Tant mieux, il était plus que temps.

Quelques cinq jours après la chute des tours jumelles, je reçois un appel assez inattendu. Pierre Boileau, avec qui j'avais suivi mes ateliers de mise en scène pour le concours Ma première Place des Arts me contacte pour me demander de chanter au Centre Molson (aujourd'hui le Centre Bell, ça ne rajeunit personne, n'est-ce pas ?). Il avait préparé un spectacle intitulé *Le printemps du Québec à New York*, mais le 11 septembre était venu et tout était tombé à l'eau. Alors il refaisait le spectacle à Montréal et me demandait de chanter la chanson finale. D'accord, mais laquelle ? Eh bien, celle-là même que je lui avais fait écouter quelques mois auparavant : *Imagine* de John Lennon, en arabe et en hébreu. Voilà, mon premier vrai concert serait au Centre Molson, incroyable ! Sur la même scène défileront Bruno Pelletier, Éric Lapointe, Luce Dufault, Céline Dion... et moi, une petite débutante.

J'annonce la nouvelle à Patrick en lui demandant à la blague au téléphone : « Dans combien de temps penses-tu que je vais faire le Centre Molson ? »

— « Oh, pas avant deux ans... si tout va bien ! Même trois, peut-être. »

— « Et qu'est-ce que tu dirais de la semaine prochaine, bébé ? »

Les jours suivants sont une succession de va-et-vient entre l'hôpital, où Moumou se trouve pour donner naissance à mon cousin, et mes répétitions.

Ryan voit le jour enfin. Je suis avec son papa, à l'extérieur de la salle d'opération où se déroulait la césarienne. Nous sommes les premières personnes à l'avoir vu, deux minutes seulement après sa naissance : il était le plus grand et le plus beau de toute la pouponnière !

Et c'est pour ce beau petit bonhomme que j'ai chanté, le jour J, cette chanson d'espoir en y mettant toute l'émotion du monde. Chanter devant seize mille personnes ! Moi qui pensais que j'allais être nerveuse, eh bien, pas du tout ! Je m'étais avancée sur l'énorme scène tout à fait à mon aise, tout à fait calme et heureuse. Je me sentais belle. La maison de disques m'avait payé une styliste et un passage chez la coiffeuse. Je faisais vraiment une entrée en grande. Je ne me doutais pas alors de tout ce qui restait à venir.

Radios, MusiMax, contes de fées et frustrations

Je décide de me détacher de la gérance de Martin Leclerc. Il est beaucoup trop occupé avec Daniel Boucher pour qui ça roule à plein régime. Et d'un commun accord, Patrick et moi décidons de faire route ensemble. Martin, en vrai gentleman, me laisse partir sans aucun problème. Il reste dans la production des albums en tant que directeur artistique de la maison de disques, mais il n'est plus mon gérant. C'est Patrick qui s'occupera de ce volet à présent. Depuis le tout début, il a été mon mentor, mais maintenant, il va prendre les rênes de ma carrière. C'est d'accord, je suis prête pour l'aventure. Nous signons un contrat ensemble. Wow ! Je me dis que désormais nous sommes vraiment liés : il ne pourra plus se défaire de moi.

Il s'avère être un gérant acharné. Lui qui n'avait jamais fait ça...

Les mois filent. La production de l'album est arrêtée quelques semaines à cause d'un problème de budget. Je me morfonds dans mon coin, le temps que la petite chicane entre la maison de disques et le réalisateur soit résolue. Ça me paraît une éternité.

Quand tout reprend, nous décidons d'un premier *single* pour les radios. Ce sera *Marsa*, une chanson sur l'exil, en français et en arabe algérien. Elle est envoyée dans toutes les radios et doit passer par un comité d'évaluation. Ah ! je ne le savais pas, ça, tiens, tiens. Ils peuvent refuser de faire passer une chanson ?

Bon, je me dis que ça ne me concerne pas, ça. Je ne considère même pas la possibilité qu'on puisse la refuser. Ce qui m'occupe à ce moment-là, c'est de trouver un bon look pour la séance de photos, pour la réalisation de la pochette de mon album, des affiches, du site Internet. J'apprends tout ce que je peux apprendre, et il y en a tellement ! Je travaille aussi avec une metteure en scène pour préparer mon lancement de disque au Théâtre Corona : elle s'appelle Dominique Giraldeau. Je suis très fière de travailler avec elle, cette femme qui avait travaillé avec Céline Dion pour sa dernière tournée avant qu'elle ait un enfant. Dominique était superbe dans sa façon de me faire perdre mon insécurité. Nous essayions de trouver ensemble ce qui me ressemblerait le plus comme spectacle. Tout était à définir. Nous travaillions également avec un éclairagiste d'expérience à trouver un concept d'éclairage, disons... lumineux ! Son nom : Guy Chevrier. Il me suivra depuis.

Comme c'est incroyable de voir ses chansons mises en lumières ! En les créant, en les enregistrant, je leur applique toujours, mentalement, une couleur, un chiffre... je me vois les chanter. Et voir se concrétiser un château de lumières autour d'elles tenait vraiment pour moi du merveilleux.

Les nouvelles des radios commerciales ne sont pas très bonnes. Au premier passage au comité, on refuse de passer ma chanson. La raison ? Je chante en arabe. Depuis le 11 septembre, les arabes n'ont pas la cote.

« Oui, mais les gens pourront faire la part des choses. Tous les Arabes ne sont pas des terroristes ! »

Je m'enflamme très vite. En fait, je n'arrive pas à y croire. Je n'ai absolument rien à voir avec le 11 septembre, pourquoi donc les gens ne voudraient-ils pas m'entendre ? Ma déception est grande : en fait, c'est tout le rêve, le conte de fées qui s'effondre à cause de quelques réponses négatives des radios. Certes, elles ne refusent pas toutes de passer *Marsa*. Les radios en région, les radios communautaires et Radio-Canada n'hésitent pas à la faire tourner. Mais pas les grosses radios commerciales. La chanson, à leurs yeux, est trop pop, les sonorités trop arabiques, ça ne ressemble pas à ce que les Québécois aiment.

« Mais laissez-les donc en juger, bande d'obtus ! Laissez-les dire s'ils aiment ça ou pas ! » Nous demandons à faire passer la chanson deux et même trois fois devant les comités en espérant un changement d'opinion. On nous demande parfois d'attendre une semaine ou deux parce que le comité ne se rencontre qu'une fois par semaine, et quand il y a une nouveauté de Britney Spears fraîchement envoyée par les États-Unis... priorité à nos maîtres les Américains ! Les artistes québécois peuvent attendre en mangeant des biscuits soda chaque soir ! Je nous vois agir comme de vrais colonisés. Non, même pas « agir », « réagir » est le mot approprié.

On nous fait changer la vitesse du *single*, sa longueur, couper par-ci par-là... tout pour fabriquer une pièce sur mesure pour le format radiophonique. Mais rien n'y fait, la *tune* ne passe pas à la radio.

Vidéoclips : *Marsa* et *Pour toi*

Nous entamons les préparatifs en vue de la réalisation d'un premier vidéoclip pour mon *single* radio, *Marsa*. Nous aurons une grande et belle équipe. Le tournage se fait de nuit, dans un lieu que l'on appelle Le Bain Mathieu. C'est un grand espace, avec une piscine vide au milieu. Il sert souvent de lieu de tournage et pour toutes sortes d'événements.

Le soir du tournage, j'ai un trac fou. Comment savoir quoi faire ? Et si je n'étais vraiment pas bonne ? Oh ! mon Dieu, comment me suis-je retrouvée au milieu de tout ça ?

Puis d'un coup, la réalité me frappe. Tous ces gens : réalisateur, éclairagistes, directeur photo, producteur, caméraman, styliste, maquilleuse, monteur, gérant, responsables des *snacks* pour l'équipe, teneurs de câbles de caméras, techniciens, responsables de la pause de rails pour le mouvement circulaire des caméras, etc., tous sont là pour moi ! Parce qu'il y a des gens qui croient en moi, en mon talent et en mes capacités. Tous ces gens... pour moi. Je suis touchée, émue et pleine de gratitude.

Allons, je ne serai pas timide, je vais me bousculer et donner plus que mon cent pour cent. Ils ne regretteront pas de m'avoir fait confiance.

Le tournage dure toute la nuit. Je suis épuisée. De plus, il fait un froid mordant dans la piscine vidée du Bain Mathieu. Les membres de l'équipe portent même des mitaines et des tuques. Je suis frigorifiée avec mon petit ensemble de lin blanc et mes pieds nus. Tant pis, j'aurai un rhume, et puis après ? Un beau vidéoclip, mon premier, c'est tout ce qui importe en ce moment.

La dernière scène avec le sable est tournée à cinq heures trente du matin. Exténuée, je reçois les cristaux de verre (qui imitent le sable) dans les yeux, mais je continue.

Tout est fini, j'entends enfin le réalisateur crier : « *It's a wrap!* Fini, on ferme le plateau ! » Tout le monde applaudit. On se félicite mutuellement. On ramasse toutes les choses et on part. Patrick et moi nous asseyons dans la voiture, nous nous regardons un instant puis éclatons en sanglots. *We did it!* On l'a fait ! Je t'aime... je suis fier de toi... et moi aussi... merci, *babe* !

Une fois le montage du vidéoclip terminé, les premiers et deuxièmes correctifs apportés et tout le tralala, notre œuvre d'art est envoyée à MusiquePlus et à MusiMax pour... passer devant le comité !

Une semaine passe, puis deux... le vidéoclip est refusé sur les ondes.

En fait non, il n'est pas totalement refusé, mais c'est tout comme. Ils le prennent en rotation extralégère, durant la nuit. Donc les insomniaques du Québec vont pouvoir profiter (s'ils ne sont pas aux toilettes parce que ça passe vite, un vidéoclip de 3 minutes 45 secondes) de nos 20 000 $ d'investissement pour le réaliser. Bravo !

Je vous avouerai qu'à ce moment-là, j'ai éprouvé un immense sentiment de découragement face au métier (tout comme en ce moment d'ailleurs, il y a des choses qui ne changent pas, il faut croire, mais chaque chose en son temps !). Je ne m'attendais absolument pas à autant de résistance.

Patrick me fait garder le cap. Ma famille continue de m'encourager et m'épaule du mieux qu'elle peut.

Comme dirait le personnage de Kirikou dans le fabuleux film d'animation *Kirikou et les bêtes sauvages* : « Si je lâche prise, je serai perdu. Je ne vais pas lâcher prise... Je ne vais pas lâcher prise ! »

Chapitre 13
Partie pour la gloire

Malgré la lenteur de la réaction des radios et des chaînes musicales, ma carrière va bon train. Le lancement de mon album approche à grands pas, mais je suis appelée, avant, à aller chanter devant Sa Majesté la reine Élisabeth II. Le metteur en scène Pierre Boileau (l'ange gardien toujours là pour m'offrir des moments de grâce) m'invite à participer aux festivités du jubilé de la reine, pour le cinquantième anniversaire de son accession au trône.

Je me dis que c'est incroyable en comptant les bénédictions qui jalonnent ma vie. Je n'ai même pas encore d'album sur le marché et j'ai déjà chanté devant seize mille personnes et je m'apprête à le faire à nouveau devant la reine ! Merci ma belle étoile.

Quand le jour J (comme jubilé) est arrivé, c'est avec un calme olympien que je me suis avancée sur l'énorme scène extérieure placée juste devant le parlement d'Ottawa. La reine sur son trône, tout son entourage et le premier ministre du Canada étaient tous assis sur la scène, à l'extrême gauche.

J'ai chanté *Imagine* de John Lennon, accompagnée par une chorale de deux cents personnes dont un chœur d'enfants. Ce fut grandiose ! Et quelle chance que de rencontrer cette grande dame qui a fait, vu et vécu tant de choses ! Qu'on l'aime ou pas, que l'on soit fédéraliste, nationaliste, séparatiste, ou qu'importe, il faut rendre aux Windsor ce qui appartient à Élisabeth. Et la féministe en moi est fière de ses accomplissements et de sa force.

Lancement de *Sablier*

Le jour de mon premier lancement de disque, je suis dans tous mes états. Rien ne réussit à me calmer. Toutes les répétitions du monde n'apaiseront pas ce trac dévorant, consumant, qui brûle ma chair à m'en donner la nausée. Comment réagiront les médias ? Quelles questions va-t-on me poser et surtout, quelles réponses intelligentes vais-je pouvoir formuler ?

Une chose à la fois, petite... On est au Québec, pas à Paris. Les journalistes ne sont pas là pour te piéger, pour te faire mal paraître. Tout ira bien. Tout le monde est là pour faire de ce lancement un succès. Mes musiciens sont tous des gens de grand talent qui sont également reconnus pour leur expérience. Je suis jalouse de leur confiance, mais en même temps rassurée d'avoir ces messieurs si doués pour m'épauler. Je suis prête mentalement.

Les entrevues se sont succédé avant que je monte sur la scène du Corona. Un charme. En me concentrant dans les coulisses, j'écoute d'une oreille la présentation que fait de moi Martin Leclerc. Hum, sa voix me semble nerveuse. Je l'entends dire : « ... Merci d'être là, mon nom est Martin Leclerc, de GSI Musique... (jusque-là, tout va bien)... j'ai l'honneur de vous présenter... Lynda Lemay... » Aaahhh ! Pas Lynda Lemay, Martin, Lynda Thalie... Thalie... Thalie ! Dis Thalie, Martin ! T'as été le gérant de Lemay, mais tu travailles avec moi maintenant. Ça part mal... Zut ! Il corrige enfin. Ouf !

Ma prestation se déroule à merveille. Tout le showbiz est là, mais surtout, ma famille et mes amis sont tous présents et sont fiers de moi. Ça n'a pas de prix. Même mes beaux-parents sont là.

Nos relations se sont beaucoup améliorées et nous nous sommes grandement rapprochés durant les derniers mois. Ils savent bien que j'aime leur fils et que leur petit-fils m'est aussi très cher, nous nous habituons tranquillement les uns aux autres. Nous nous apprivoisons doucement, comme le renard et le petit prince dans l'œuvre de Saint-Exupéry.

Il y avait même des nouvelles connaissances de la communauté algérienne de Montréal, avec qui Patrick avait pris contact au cours des derniers mois. Des connaissances qui sont toujours là autour de moi, aujourd'hui, et envers qui j'ai une grande reconnaissance.

Nous sommes tous ravis du succès du lancement et célébrons ensemble dans un restaurant, juste à côté du Corona. Martin se confond en excuses pour son lapsus un peu plus tôt ; il se sentait si mal, le pauvre. Bon, allez, ce n'était pas grand-chose, c'est déjà oublié, va... ou presque, puisque je vous en parle encore ici.

Les critiques sont bonnes, même très bonnes, au sujet de mon album. La promotion, à présent, est continuelle. Donner des entrevues fait de plus en plus partie de mon quotidien, mais ça n'a rien d'usant pour l'instant.

Patrick, mon gérant, confirme un premier spectacle de Lynda Thalie au Kola Note de Montréal, puis aux FrancoFolies de Montréal. J'étais si heureuse de faire l'affiche dans le cadre des FrancoFolies. Ce n'était pas ma première apparition là, puisqu'en 2000, j'y avais déjà chanté, sur une scène extérieure, avec les gagnants du concours MPPDA. Mais cette fois-ci, mon nom figurait sur le dépliant du festival ! J'y suis, donc j'existe ! Pas tout à fait, peut-être, mais c'était tout de même très significatif pour moi.

Entre-temps, on m'annonce qu'il y a des auditions pour faire la version québécoise de la comédie musicale qui remporte un grand succès à ce moment-là en France, *Le petit prince*. Il n'y a qu'un seul rôle féminin, celui de la Rose.

Ce rôle-là était à moi ! Au fil des années, j'avais participé à maintes auditions sans que le résultat soit concluant. Mais je n'avais malgré tout aucun pressentiment en m'y présentant.

Pas de papillons, de visions, pas de signes et pas de rêves, rien. J'avais auditionné pour *Les parapluies de Cherbourg, Notre-Dame de Paris* (mais j'étais trop jeune à l'époque pour ce rôle, même si je rêve encore d'être Esmeralda un jour !)... et qui sait quelle autre comédie musicale, je ne m'en souviens même plus.

Mais ce rôle-là était pour moi !

Je me disais que la chanson *Marsa* avait été un signe. Cela faisait des mois que je chantais ces paroles : « Dessine-moi un mouton, pour les rêves que j'emmène dans les voiles. Dans mon étoile, les arbres s'enracinent plus d'une fois... » Ce texte était sans doute prémonitoire !

Je passe audition par-dessus audition pour ce rôle. Pour la dernière, Patrick m'avait préparée en me disant que ce n'était qu'une répétition et une simple révision de tonalité. Une fois arrivés à la Place des Arts, il me demande de rester dans la salle de bains pour répéter, qu'il viendra me chercher quand ce sera mon tour. J'obéis et le moment venu, en entrant dans la salle pour ma répétition, je me retrouve face à Richard Cocciante. Le compositeur du *Petit prince*, de *Notre-Dame de Paris*, « *The* » Richard Cocciante !

Le même que j'écoutais, petite, sur les disques que ma tante Moumou rapportait d'Italie quand elle y étudiait. Je demeure comme figée un instant, je me revois assise dans le salon, à Alger, en train d'écouter la chanson que je préférais de lui : *Bella senz'anima.* Que je l'ai écoutée, cette chanson ! (En fait, je viens de la faire jouer en écrivant ces mots : elle est trop belle et la voix de Richard Cocciante me donne la chair de poule...)

Je suis donc face à lui, il me salue de sa voix un peu rauque. Je pense vite que ma tante va tomber à la renverse quand je vais lui dire ça. Je lui chante la chanson de la Rose. Ma chanson ! Et puis je lui lance « à bientôt » et je m'en vais.

La réponse se fera attendre, je le sais. Bien des chanteuses ont auditionné pour le rôle. Alors je demande au ciel un signe. Des signes ne tardent pas à se manifester un peu partout autour de moi. Le plus flagrant est lorsque je suis dans la région de

Québec pour un enterrement et que nous traversons un ruisseau dont le nom est « les Petits-Princes ».

Le lendemain, je recevais un appel m'annonçant la bonne nouvelle.

Je suis aux petits oiseaux. Je vais jouer dans une comédie musicale et partagerai la scène avec plein de petits garçons (qui joueront à tour de rôle le petit prince, vu leur jeune âge et leur obligation d'aller quand même à l'école). Je serai en outre sur scène avec Michel Rivard, un grand de la musique au Québec. Quel honneur ! 2003 promettait d'être une grande année, à ce que je voyais. Nous aurions un nombre interminable de répétitions, mais pour lesquelles nous ne serions pas payés. Dans la loi de l'Union des Artistes, au Québec, les artistes ne sont pas payés pour les répétitions, mais on nous offre un bon cachet pour chaque représentation et un minimum de vingt représentations. C'est comme un investissement involontaire, si l'on veut. Drôle de façon d'encourager les artistes débutants qui n'ont qu'une hâte, vivre de leur art. Enfin !

2003, année de bouleversements !

Comme nous sommes sur une bonne lancée depuis la sortie du disque, à la fin de 2000, la compagnie de disques décide de lancer un nouveau *single*, ce sera *Pour toi*, la chanson la plus pop de l'album. En fait, nous voulions donner un « bonbon » aux radios commerciales de sorte que les tout-puissants décideurs n'aient aucune raison de refuser de me diffuser.

Nous tournons un vidéoclip pour la chanson. Un superbe vidéoclip, d'ailleurs. Sur fond blanc. On peut même voir dans la vidéo le fils de Nicolas Maranda, qui était tout bébé dans les bras de sa maman. Vraiment *cute*.

Ma mère et Moumou préparent encore un énorme couscous pour toute l'équipe du tournage, ce qui ajoute une chaleureuse ambiance familiale au processus.

Et pourtant, malgré tout le professionnalisme et la douceur du réalisateur, du directeur photo et du chef d'éclairage sur le plateau, j'allais ressortir de ce tournage avec une blessure à mon amour-propre.

À l'époque, je n'avais pas le corps que je voulais... je ne l'ai toujours pas, d'ailleurs, mais c'est là un complexe commun à presque toutes les femmes. Je n'en connais pas beaucoup qui sont fières de leur physique à cent pour cent. J'avais une culotte de cheval. Ce n'était pas moche, juste très difficile à filmer (paraît-il) parce que ça ne faisait pas très... esthétique. Je n'en avais jamais été gênée auparavant, mais là, à voir toute une équipe perplexe devant les écrans, à se demander comment cacher mes courbes trop évidentes, je me sentais humiliée. J'aurais voulu que la terre s'ouvre sous mes pieds et m'engloutisse. Comme ce n'était pas possible, j'ai ravalé mes larmes et je suis restée forte et souriante. Je n'ai pleuré qu'une fois rendue à la maison.

Cela ne m'arrivera plus jamais ! J'ai décidé d'avoir recours à la chirurgie esthétique et j'ai réglé le cas rapidement. Rendez-vous pris en clinique, une heure, liposuccion, merci beaucoup, bye-bye culotte de cheval. Très bonne décision, une bonne chose de faite !

Depuis peu, j'avais emménagé avec mon beau Patrick dans sa maison. Nous formions une belle petite famille. Nous n'avions ni chaises ni table au début, alors nous mangions par terre. Son ex-femme était partie avec sa part du mobilier et nous achetions peu à peu ce qui nous manquait.

Je travaillais encore dans une petite billetterie de l'agence de transport de la Rive-Sud. Ça ne me rapportait pas grand-chose, vu que je ne pouvais me permettre beaucoup d'heures. Il me fallait être disponible pour la musique. La responsable, Marie-Josée, était avec moi d'une compréhension et d'une flexibilité ! Je lui dois beaucoup.

Patrick et moi multipliions les déplacements un peu partout en province pour faire de la promotion et rencontrer les médias. Et après chaque entrevue, il me corrigeait pour que mes entrevues soient parfaites. Mais elles ne l'étaient jamais, bien sûr. Ce n'est pas possible d'être parfaite... alors il me corrige encore, LOL.

souviens une fois de m'être retrouvée avec Michel Rivard qui grattait sa guitare en chantant une chanson, tout simplement, pendant que je le regardais. Je me sentais si choyée.

Richard Cocciante était arrivé quelques jours avant la première médiatique de la pièce, au Théâtre Saint-Denis de Montréal. Après chaque répétition générale, il me demandait de chanter ma chanson plus fort, et encore plus fort pour qu'il sente l'émotion vive de cette Rose abandonnée par son petit prince. J'avais beau hurler, ce n'était jamais assez. En dépit du fait qu'au plus profond de moi, je sentais qu'il fallait la rendre en douceur, cette chanson-là (c'est une chanson de regret et non de rage), j'avais donné mon maximum vocal lors des deux avant-premières du spectacle. Mais M. Cocciante m'avait dit que j'aurais pu lui donner encore un peu plus de mordant. Eh bien, tant pis, advienne que pourra, pour la première médiatique, je n'en ferai qu'à ma tête.

Le jour tant attendu arrive, nous sommes tous à bout de nerfs. Patrick surtout. Il est souvent aussi nerveux que moi, d'ailleurs. La difficulté technique et la complexité du décor et des déplacements étaient telles que même mon apparition sur scène était chronométrée aux répétitions de façon que mon arrivée se fasse exactement au moment voulu. Mon costume était une longue robe dont le col en cuir formait des pétales, dont je contrôlais le mécanisme permettant de les ouvrir et de les fermer. Je rentrais sur scène dans le noir total, guidée par un technicien et un des habilleurs (en cas de problème du mécanisme), les pétales fermés sur le visage. Je me glissais dans un petit espace du décor, sous la planète du petit prince. Je n'avais que dix-sept secondes pour être en place avant que le petit espace où je me trouvais ne commence à monter hydrauliquement pour apparaître sur scène. Magie !

La première est un succès. Je rends la chanson avec grande douceur et beaucoup de sensibilité. Tout le contraire de ce qui m'avait été demandé. Je craignais un peu la réaction de Richard Cocciante après le spectacle, mais le voilà qui me lance : « Bravo, c'était parfait, là tu l'as fait comme il fallait ! » Décidément, il fallait que j'écoute plus rapidement mon instinct.

Puis, nous nous retrouvons dans les loges du Théâtre Saint-Denis. Richard prend place au piano et se met à chanter. J'ose alors lui demander : « Pouvez-vous me chanter... *Adesso siediti...* ? » Et là, rien que pour moi, il a chanté celle que je venais timidement de lui fredonner. La chanson que je préfère de lui... *Bella senz'anima*. Merci la vie pour ce moment de grâce !

Saisir sa chance : Michel Rivard

Alors que nous sommes à Québec pour plusieurs représentations du *Petit prince* au Grand Théâtre, j'apprends que Michel Rivard va donner toute une série de spectacles dans le cadre des FrancoFolies de Montréal, des spectacles dans lesquels il recevra, ou plutôt invitera, des artistes de son choix à partager la scène avec lui. Après discussion avec ma tante Moumou et Patrick, je me décide à approcher Michel pour lui demander de faire partie de son spectacle.

Ça me prend tout mon courage pour oser lui demander : Michel, invite-moi à chanter avec toi. Tu ne le regretteras pas. Ce n'est pas évident, commencer une carrière, Michel, on a besoin que quelqu'un nous donne une chance.

Il prend quelque temps pour y penser et accepte finalement de m'avoir sur scène pour le tout premier spectacle, les autres ayant déjà tous fait leur plein d'invités. Mais je ne serai pas dans les feuillets promotionnels vu que j'ai été programmée à la dernière minute. Je n'y vois aucun inconvénient. Il me remet gentiment quelques-uns de ses disques et me demande de choisir la chanson qui me ressemblerait le plus. Je choisis *Pleurer pour rien*. Pas besoin de vous expliquer pourquoi, je crois que le texte le dit. Car pour me ressembler, il me ressemble, c'est le moins qu'on puisse dire !

Le grand jour venu, je suis prête ! J'ai répété quelques fois en studio avec Michel et ses musiciens. Les spectateurs semblent tous agréablement surpris de me voir là, sur scène. La chanson est vraiment un beau succès et c'est pour moi tout un moment d'émotion.

Michel m'a remerciée de lui avoir proposé cette participation, il en était très content. En fait, tout le monde a tant apprécié cette interprétation qu'elle a été choisie pour faire partie d'un coffret anthologie des chansons de Michel Rivard. Ce coffret est sorti sous étiquette Audiogram. Tout un honneur !

Quelques mois plus tard, c'était mon tour d'inviter Michel à faire une apparition lors d'un spectacle unique intitulé *Voix croisées* que Patrick et moi montions de toutes pièces pour le Festival du monde arabe de Montréal. La vie est bien faite, non ?

Entre-temps, je suis invitée à enregistrer une chanson avec Marie Denise Pelletier pour son album *Les mots de Marnay*. Une autre grande de la chanson québécoise. Décidément, je suis touchée par cet intérêt qu'on me porte.

Le titre de la pièce ? *La croix, l'étoile et le croissant*. Trois voix, trois femmes, trois religions. Une pièce sublime ! J'ai alors découvert une artiste et une femme d'un professionnalisme et d'une générosité hors normes. En fait, je me suis liée d'amitié avec Marie Denise et à ce jour, nous sommes encore proches et avons beaucoup de respect et d'admiration l'une pour l'autre. J'ai également été invitée à chanter avec elle lors du lancement de son album et lors de quelques-uns de ses concerts.

Stress, money and rock and roll

Malgré toutes les activités artistiques de l'année 2003, nous vivions toujours, Patrick et moi, au milieu de difficultés financières importantes. Pourtant, nous étions loin d'être des dépensiers excentriques. Une chance, au moins, qu'il y avait cet amour que nous nous portions l'un à l'autre. Nous avions fait nôtre l'expression « vivre d'amour et d'eau fraîche ». Et puis nous nous remontions le moral mutuellement. Quand l'un des deux était submergé par le découragement, l'autre, souvent, se chargeait d'aider le navire à garder le cap. Nous nous imaginions le superbe futur qui se dessinait déjà devant nous, et nous passions au travers de l'orage.

Mais une fois passées les représentations du *Petit prince*, il n'y avait absolument plus de rentrées d'argent au foyer.

J'avais quitté mon travail à la billetterie pour ne me concentrer que sur la musique. Il fallait que je le fasse, il fallait sauter dans le vide, même sans savoir de quoi nous vivrions. Patrick travaillait avec moi et était donc payé en même temps que moi sur les événements et les contrats. Les événements étant rares, les chèques de paie l'étaient aussi !

Nous vivions un stress immense. Heureusement, la famille nous aidait, mais comme nous ne voulions pas abuser, nous préférions alourdir nos cartes de crédit. Nous n'allions pas à l'épicerie aussi souvent que nous l'aurions souhaité. L'argent que nous avions pour les achats, nous le réservions pour les semaines où Patrick avait la garde de son fils. Heureusement, d'ailleurs, qu'il avait la garde partagée, car si nous avions dû faire vivre le petit toutes les semaines, je ne sais pas comment nous y serions parvenus.

En tout cas, une semaine sur deux, nous mangions beaucoup, beaucoup de céréales. Et nous achetions exclusivement les céréales qui offraient en prime un billet de cinéma gratuit. Nous réussissions donc quand même à aller voir des films, en cachant, dans mon gros sac à main, un contenant rempli d'eau pour ne pas avoir à en acheter. J'emmenais aussi de petits trucs à manger pour ne pas acheter de pop-corn. Dur, dur pour un couple, le manque d'argent. Ça touche l'ego. On se sent moins à la hauteur, on est mal dans sa peau, on se dispute pour un oui ou pour un non. On est impatient. On déprime. On veut que ça aille mieux mais sans savoir par où commencer ou quoi changer. On finit par ne plus savoir si on est à la bonne place, au bon moment.

Pour ajouter au supplice, ma grand-mère adorée, ma chère Mani qui devait nous rendre visite à Montréal, s'était éteinte brusquement. Elle était tombée malade et ne mangeait plus, mais aucun médecin n'avait vu que son cas était aussi grave. Juste avant sa mort, ma mère et ma tante Moumou avaient acheté leurs billets d'avion pour se rendre à son chevet. Elles l'avaient appelée pour lui demander de les attendre et de prendre soin d'elle. Mais je crois que ces retrouvailles auraient été trop émouvantes pour elles et Mani devait le sentir. Alors, elle n'a pas attendu ses filles pour mourir. Elle est décédée la veille de leur arrivée.

La peine de ma tante et de ma mère était sans fond. Elles qui voulaient serrer leur mère dans leurs bras une dernière fois... Mani fut enterrée le lendemain de sa mort, comme le veulent la coutume et la loi musulmane.

Pour ma part, je ne peux toujours pas mesurer le chagrin de cette perte.

J'avais vu le visage de ma grand-mère en chantant, le soir même de sa mort, alors que j'étais en spectacle à Québec.

Je savais bien que je ne la verrais plus de son vivant... mais passer ainsi du pressentiment à la réalité me faisait basculer dans un abîme de remords. Je n'étais pas là à son départ. Je n'avais pas tenu sa petite main plissée. Je ne lui avais pas dit que je l'aimais, que je l'aimerais toujours. Je ne lui avais pas demandé pardon. Je n'avais pas embrassé son front, ses joues de pêche. Je n'étais pas là et rien ni personne ne pouvait y changer quoi que ce soit. Il me fallait vivre avec ça, point à la ligne.

C'est peut-être cliché, mais je sais aujourd'hui qu'elle est là à veiller sur moi. Pas tout le temps, mais elle est là quand je l'appelle. Le reste du temps, elle se repose.

Croisons les doigts, croisons les voix !

Nous avions tant travaillé pour le spectacle *Voix croisées* ! Que de promotions, que d'appels téléphoniques et que de nuits blanches ! Mais qu'importe ! Mes invités ont été superbes. Nous voulions créer un pont entre deux cultures : la québécoise et l'arabe. D'où l'invitation faite à Michel Rivard et à Marie Denise Pelletier de venir prêter leurs voix, le temps d'un spectacle. À mon grand bonheur et de façon inespérée, Luc De Larochellière s'est greffé à notre troupe, car lui et Marie Denise avaient le même gérant, alors le contact s'est fait rapidement et naturellement. J'avais aussi deux autres artistes d'origine algérienne sur scène avec moi pour ajouter quelques touches orientales au mélange. Entendre tout le monde à la fin du spectacle chanter, ensemble, la chanson *Ya Rayah*, une grande chanson du répertoire algérien, était vraiment touchant... Ils chantaient tous en arabe algérien ! Luc De Larochellière brandissait à bout de bras le grand carton sur lequel j'avais écrit les paroles phonétiquement, en lettres latines. C'était si drôle et j'en étais si fière de ce succès-là ! Dieu qu'on en avait besoin, Patrick et moi, de cette réussite !

Nous avions travaillé d'arrache-pied pour remplir le Théâtre Corona. Patrick était tendu plus que jamais. Il avait invité tout le monde de façon personnalisée. Il ne dormait plus et se montrait d'une exigence éreintante envers moi, ce qui ne manquait jamais de me faire péter les plombs.

Mais même après les plus grosses chicanes, j'avais encore l'amour qu'il fallait pour aller vers lui et faire en sorte que tout aille mieux. Ce n'est pas de l'eau que je mettais dans mon vin, mais une rivière ! Mais je lui ai fait alors promettre que plus jamais nous ne nous engagerions dans un projet aussi stressant. La vie est trop courte pour la perdre dans les discordes.

Vers la fin de l'année, la veille de Noël, sans le sou, nous nous envolons tout de même, pour la première fois, en amoureux, vers Cuba. Une semaine de vacances qui nous a permis, j'en suis sûre, d'éviter une dépression. Je me sentais sur le bord d'une falaise ; le *burn out* était en bas, en train de m'attendre et je ne voulais absolument pas le rencontrer.

C'était la première fois que je voyageais en formule « tout inclus ». Une bénédiction ! J'ai découvert les fonds marins et la plongée en apnée, les langoustes, le pina colada, l'eau turquoise. Pas moyen de faire autrement désormais : aller dans le Sud à Noël serait une tradition. Et advienne que pourra.

Au retour de ce voyage, j'ai participé pour la première fois à une nouvelle émission musicale qui allait me faire connaître un peu partout dans la Belle Province. L'émission s'appelait *Belle et Bum* et l'animateur était nul autre que Normand Brathwaite. Dès que je l'ai vu, j'ai eu l'impression de retrouver quelqu'un que je connaissais déjà. Je ferai bien des apparitions télévisées au cours des années suivantes, mais celles où j'étais avec Normand et toute l'équipe demeurent celles que je préfère, et de loin.

Petite parenthèse : *Belle et Bum* dure toujours, comme vous le savez sans doute. Au moment où j'écris ces lignes, je viens de participer il y a à peine cinq jours à ma onzième émission. Je suis considérée aujourd'hui comme l'une des chouchoutes de l'émission.

Paris et le diffuseur endormi

Mais passer à la télévision n'est pas tout. Une artiste doit aussi, doit surtout se retrouver sur scène. Et pour vous dire franchement, c'est là que je me sens vraiment vivre. Même si, juste avant, j'aurais plutôt envie de mourir tant le trac me dévore.

Alors, avec les musiciens et sous la direction de Patrick, nous participons à des *showcases*, ces mini-spectacles de vingt minutes que l'on donne devant une multitude de diffuseurs de spectacles (de toute la province ou de certaines régions spécifiques) réunis dans une seule et même salle. Ces mini-spectacles sont généralement assez intimidants parce que la chance de faire une tournée de plusieurs salles en dépend.

Lors d'un de ces *showcases*, le premier même, destiné aux diffuseurs du ROSEQ (Réseau des salles de l'est du Québec), j'entame ma première chanson, le trac au ventre, quand je m'aperçois brusquement que le diffuseur, assis au milieu de la première rangée, dort profondément. Pire encore, il ronfle !

Je viens de faire six heures de route avec mes musiciens et Patrick, pour arriver au village de Petite-Vallée où se déroule le mini-spectacle, j'ai répété avec mes musiciens inlassablement pour que ma prestation soit parfaite et à la hauteur, Patrick et moi, nous nous sommes investis mentalement, financièrement, etc., et devant moi, il y a un type qui se paie le luxe de roupiller ! C'est vraiment le bouquet ! Je suis insultée !

Que pensez-vous que fut ma réaction ? Eh bien rien, je n'ai rien dit ! Je n'avais pas assez d'expérience ni d'audace pour réagir à cet affront. C'en serait autrement aujourd'hui, croyez-moi !

Qu'importe, nous avons quand même réussi à obtenir une première tournée, une vraie, qui nous emmènerait l'été suivant jusqu'à la ville de Natashquan. Au bout de la route, tout au nord.

J'ai vu de ce beau pays bien plus que certains Québécois « de souche ». Car j'ai eu la chance de beaucoup y voyager. Je l'ai parcouru en long et en large, j'en ai parlé, je l'ai chanté, je l'ai défendu... je l'ai même goûté ! Et comme il me coule dans les veines maintenant ! Comme j'ai aimé parcourir les routes du Québec et découvrir les villes, les villages, le beau Saint-Laurent, la Gaspésie, la Côte-Nord... Ce beau pays, c'est chez nous. C'est chez moi.

Mais les déplacements de 2004 ne se font pas uniquement au Québec. Patrick et moi allons à Paris ensemble, pour la première fois. On vise haut, on vise grand ! Notre objectif : faire du démarchage, rencontrer des maisons de disques et quelques personnes clés que nous avons identifiées au préalable.

Grâce à une subvention, j'ai réussi à couper le coût de mon billet d'avion en deux. Mais ce premier séjour à Paris n'allait rien avoir de vraiment *glamour*. Nous dormions dans une chambre miniature, dans un CISP (Centre international de séjour de Paris), un centre d'hébergement à petit prix. Nous mangions des sandwichs à presque tous les repas. Des croissants, des petits pains, enfin, c'était pas mal quand même !

Nous avions rendez-vous par-dessus rendez-vous et nous avons passé la semaine à courir d'un coin à l'autre de la Ville lumière. Nous en rions encore en pensant que nous avons pratiquement fait toutes les bouches de métro de la capitale ! Les rencontres n'étaient pas très concluantes, mais nous étions à Paris, et le seul bonheur de nous embrasser sous la tour Eiffel scintillante suffisait à nous rendre le sourire.

Nous avons gardé le contact avec certaines des personnes que nous avons rencontrées lors de ce premier séjour en France. Nos chemins se recroiseront un jour.

Pour l'instant, nous faisions notre bout de chemin bien seuls, Patrick et moi. De plus en plus, d'ailleurs, car nous

nous étions séparés définitivement de ma maison de disques, GSI, avec laquelle ça ne marchait plus. Nous n'allions pas dans la même direction et, dans ces cas-là, mieux vaut aller voir ailleurs.

Mais il nous a fallu du courage pour sauter ainsi encore une fois dans le vide. Nous retrouver sans le sou, sans contrat de disque et sans maison de disques pour nous aider ne fut certes pas une mince affaire.

Et contrat ou pas, je devais absolument entamer la création de mon deuxième album. Cette fois-ci, j'en ferais plus, beaucoup plus. J'ai un nouveau guitariste dans le groupe qui a remplacé Nicolas Maranda, parti pour l'Afrique du Sud. Son nom : Michel Bruno. Il a vite su devenir un maillon important dans le « son de Lynda Thalie ». En fait, il est aujourd'hui pour moi comme un frère et c'est ensemble que nous créons la majorité des pièces de mes albums.

C'est donc principalement et tranquillement avec Michel que j'ai composé ou, plutôt, cocomposé (c'est plus juste) les pièces de mon deuxième album.

Pendant ce temps, Patrick se démenait à la recherche d'un nouveau contrat, muni d'un enregistrement de trois nouvelles chansons (un démo, comme on dit). Mais il avait un rêve en tête, le Patrick... Il souhaitait me faire faire un retour en grandes pompes en Algérie. Je dis bien « il avait un rêve », parce que ce rêve, je ne le partageais pas du tout. Je ne voulais même pas y penser. Retourner en Algérie, mais pourquoi ?

J'avais même peur d'imaginer y reposer les pieds. Nous avions eu tant de mal à quitter le pays ! Nous l'avions même quitté illégalement, alors, comment y rentrer en grandes pompes ? Par la grande porte ? Comment ?

Enfin, ce n'était pas encore fait, alors je pouvais respirer tranquille...

N'empêche que lorsque Pat a quelque chose dans la tête, il ne l'a pas dans les pieds. Il fera tout pour y parvenir. Envers et contre tous... et même contre moi !

Du Ritz à la Place des Arts

Pour acquérir une notoriété auprès des gens du métier, pour que notre talent soit de plus en plus reconnu et pour que notre carrière soit en constante évolution et ne cesse de marquer une certaine ascension, il faut que l'activité artistique se poursuive.

Donc il faut donner des spectacles. Et pas mal, à part ça.

Mais pour monter des spectacles, il faut de l'argent.

Pour avoir les meilleurs musiciens sur scène, il faut de l'argent.

Pour avoir une belle robe de scène, il faut de l'argent.

De l'argent, du *cash*, de l'oseille, du blé, des sous, du flouze, *draham*, du pognon, des bidous, des dollars, beaucoup de dollars !

Mais de l'argent, nous n'en avions pas. Alors il fallait trouver quelqu'un qui en aurait et qui serait intéressé à nous sponsoriser, nous commanditer, nous subventionner, nous en faire don, qu'importe ! Un mécène, un amoureux de la musique. Ou quelqu'un qui voulait tout simplement que l'on parle de lui. Pour nous, ça n'avait pas d'importance. Une aide, c'est de cela que nous avions besoin. Et Patrick a fini par la trouver.

Cela choquera peut-être de me voir autant parler d'argent et c'est vrai que c'est sans doute un peu disgracieux, comme considération. Mais c'est surtout bas et disgracieux d'en parler quand on en a plein ses coffres. Quand l'argent devient notre souci premier, au point de faire presque passer l'art au second plan, alors on en parle, on s'en inquiète, que voulez-vous. Cette situation est la triste réalité de bien des artistes québécois qui sont incapables de payer leurs factures. Il m'est arrivé à maintes reprises de discuter avec d'autres chanteuses et chanteurs, pourtant de grande renommée, et vous seriez surpris de savoir le nombre d'artistes que l'on entend à la radio et qui remplissent des salles de spectacles tout en étant employés dans des centres d'appels, des billetteries (comme moi je l'étais). Vous seriez surpris de savoir qui d'entre ces incroyables créateurs est contraint de se bourrer de beurre d'arachides et de biscuits soda. Qui se prive d'aller chez le dentiste parce que c'est une trop grosse dépense. La faim sous le *glamour*! L'estomac vide sous les paillettes. C'est tout simplement honteux. Quand un artiste n'a pas de contrat, il ne reçoit pas de chômage, pas d'aide sociale. Il n'a absolument rien! Et avant de toucher un sou sur la vente d'un disque, il faut d'abord rembourser les sommes investies dans sa production. En somme, il n'y a pas beaucoup d'artistes au pays qui réussissent à être effectivement payés par la vente de leurs albums. La plupart du temps, le nombre d'albums vendus n'est même pas assez important pour couvrir la dette de la production. Notre marché québécois est bien trop petit. Nous n'avons pas assez d'acheteurs. Alors, quand ces derniers achètent par centaines de milliers des produits de la « Star Académie », si bons soient-ils, il ne reste plus grand-chose pour le reste des artistes et artisans de la chanson. *That's the name of the game.* C'est la vie!

Revenons à nos moutons, ou plutôt à nos sous.

Patrick a donc réussi : un monsieur d'une grande générosité était prêt à nous aider. M. Fares Fares. Nous avons fait sa connaissance lors d'une soirée privée au Ritz Carlton de Montréal. Un « corpo », comme diraient les gens du showbiz. Nous étions invités par une dame du nom de Mona. Ce n'est pas le genre de soirées dans lesquelles les artistes aiment trop se produire. En effet, quand le bruit de fond est celui de cuillères et de fourchettes, et que les gens ne sont pas là pour écouter de la musique mais pour faire des affaires, on se sent un peu comme un meuble. Ce n'est pas très gratifiant. Mais le but de l'exercice est de faire des contacts et ce fut le cas pour nous. Nous avons rencontré Fares Fares. Il a compris le potentiel de l'artiste, j'ose le dire. Séduit, il a tout de suite su que s'il nous aidait, ce ne serait pas de l'argent jeté par les fenêtres, mais un véritable investissement dans l'art.

Il nous a donc signé un chèque de quelques milliers de dollars pour que nous produisions nous-mêmes une série de spectacles au Studio-théâtre de la Place des Arts. De quoi payer les musiciens, les différents frais et les billets de faveur que nous offririons aux gens du milieu qui voudraient bien se déplacer pour me voir. Je ne serais pas payée, Patrick non plus. Notre salaire... eh bien, ce seraient ces gens que nous séduirions par le potentiel du projet. Viendrait peut-être alors ce nouveau contrat de disque qui nous permettrait de commercialiser le deuxième album. Quelques membres du jury de l'ADISQ pourraient aussi être présents, qui sauraient apprécier mon spectacle, qui sait ?

Et ça a marché, mission accomplie ! Le mot est passé que j'étais une artiste à voir et à entendre. Jean-Sylvain Bourdelais, le producteur des spectacles de Serge Lama et de Claudette Dion, au Québec, m'a fait signer un contrat de spectacles. Je le connaissais depuis quelques années, car Patrick et lui avaient travaillé ensemble quelques mois sous la bannière d'Avanti, avant que la division « spectacle » ne ferme ses portes. Je suis très heureuse de travailler avec lui. Il est, sincèrement, un des hommes les plus honnêtes qui existent sur cette planète. D'une grande spiritualité et d'une gentillesse à toute épreuve. Une des seules personnes au monde à pouvoir me faire signer un document sans même que j'y jette le moindre coup d'œil. C'est dire à quel point je lui fais confiance !

Ainsi donc, Patrick, Jean-Sylvain et moi ferons route ensemble. Mais un autre maillon fort va se joindre à la bande : Nick Carbone. Il sera le directeur artistique de l'album. Oh ! il sera payé pour ses services, mais l'avoir comme directeur artistique nous ouvrira d'autres portes dans notre recherche d'un contrat de disque. C'est une figure de confiance dans le domaine et en règle générale, quand Nick dit que c'est bon, c'est que ce doit être bon. Son franc-parler est bien connu, également. Nick ne mâche pas trop ses mots. En fait, il ne les mâche pas du tout, ou alors, à peine. Mais ça, c'est Nick !

En fin de compte, à force de travailler avec Patrick, Jean-Sylvain, Nicolas Maranda (réalisateur encore une fois) et moi-même, sur ce second opus, Nick ne voulait plus le laisser aller. Il avait peur qu'une nouvelle boîte n'en prenne pas assez soin et ne le défende pas comme il le méritait. Alors, il a décidé de fonder sa propre maison de disques : Carbone Music. Flatteur, très flatteur même, pour moi, mais grosse pression en même temps.

Nous sommes tous réjouis de former une si belle équipe. Je me disais en Cadillac. Nick était confiant à cause de ses contacts et de tout ce qui se ferait dès la sortie de l'album, à l'automne 2005. Le temps nous le dirait. Pour ma part, j'étais pleine d'espoir, mais je gardais une certaine réserve. J'avais été si déçue par le caractère fermé du monde québécois de la musique que je ne voulais pas faire la même erreur et croire au déroulement du tapis rouge suivi d'une ascension en flèche dans les palmarès. Mieux valait rester calme et sereine en attendant de voir quelle tournure prendraient les choses.

Une de nos nouvelles connaissances dans la communauté algérienne, une personne particulièrement active, avait mis Patrick en contact avec l'ambassadeur du Canada en Algérie du moment, M. Robert Peck.

Cette connaissance est Lamine Foura. Très impliqué dans les médias communautaires, il travaillait chez Bombardier. Lamine a cru en moi dès le début : c'est avec lui que j'ai eu ma première entrevue sur les ondes de la radio communautaire algérienne. Il est d'ailleurs toujours présent dans tous les événements d'importance où je me produis. Je suis certaine qu'il doit être aussi fier de moi que l'est mon frère. Je me sens honorée et chanceuse de le connaître parce qu'en plus d'être d'une grande ouverture d'esprit, il est d'une sincérité émouvante et fait plus que bien des gens réunis pour l'intégration des immigrants du Maghreb au Québec.

En nous faisant connaître Son Excellence Robert Peck, il venait de faire faire un bond considérable au rêve de Patrick de me voir retourner en Algérie.

M. Peck est un artiste dans l'âme, un homme d'une grande culture. Son père ayant vécu en Algérie et ayant aimé profondément le pays, il vouait lui aussi à mon pays natal un amour exceptionnel. Tout au long de son mandat, il a fait énormément pour resserrer les liens entre le Canada et l'Algérie, les deux repères de ma vie !

Nous ne le savions pas encore, mais Robert Peck et sa douce épouse, Maria, allaient devenir de grands amis.

Chapitre 14

Retour vers le passé

Qui l'aurait cru ?

À la fin de 2004, Patrick et moi sommes partis pour notre séjour tradionnel à Cuba. Mais cette année-là, l'escapade du ressourcement mental s'était transformée en une réunion familiale. Les parents de Patrick avaient en effet décidé de payer le voyage d'une semaine à tout le monde. Il y avait là Patrick, le petit et moi, Stéphane, le frère de Patrick, sa conjointe enceinte d'une petite fille et leur garçon. Un grand moment de retrouvailles qui nous fit le plus grand bien à tous. Et Patrick me surprit avec une demande en mariage, alors que nous étions tous attablés dans un charmant restaurant, magnifiquement situé sur la plage. L'émotion était telle que nous nous sommes tous mis à pleurer. Y compris les voisins des tables d'à côté ! J'étais la plus heureuse des filles sur terre.

Patrick avait eu aussi la délicate attention de demander secrètement ma main à ma mère avant notre départ et d'en parler également à ma tante. J'ai été touchée par ce geste plus que je ne saurais le dire.

Ainsi donc, nous étions fiancés, lui et moi, fiancés ! Qui l'aurait cru après les débuts plutôt houleux de notre relation ? Moi, j'y avais cru !

Il m'a passé la bague de fiançailles au doigt et nous avons dansé et fêté jusqu'aux petites heures du matin. Le restaurant puis l'hôtel nous ont offert chacun une bouteille de champagne en guise de félicitations. Et mon nouveau beau-père nous en a acheté une troisième !

Une bague au doigt, ça ne change pas le monde, sauf que...

Sauf que la petite fille qui appréhende toujours de se faire abandonner venait de recevoir une confirmation que son amour voulait la garder à lui. Voulait que leur couple dure. Et ça, ça n'a pas de prix et ça ne se mesure pas au nombre de carats sur une bague.

Voyage au pays des mille collines

Au début de 2005, nous avons eu la confirmation que nous partirions en tournée ! En fait, c'est juste avant notre départ vers les eaux turquoises de Cuba que nous avions reçu la proposition inattendue de cette tournée internationale. Mais à notre retour, c'était confirmé !

Et où croyez-vous que c'était ? En France ? Non. En Belgique ? Non plus. Aux États-Unis, en Angleterre ? Encore moins !

Au Rwanda !

Le Rwanda. Qui a déjà bien pu rêver de visiter le Rwanda ? Pourtant, le Rwanda m'appelait.

La Quinzaine de la Francophonie s'y tenait en mars de cette année-là et on me proposait d'y représenter le Québec. En fait, une de nos connaissances, un journaliste de Radio-Canada du nom de François Bugingo, avait donné mon nom aux organisateurs et à l'ambassade du Canada au Rwanda. C'est ainsi que s'est faite ma première tournée à l'étranger.

Première sortie du Québec et je suis la représentante de ce qui se fait artistiquement dans notre belle province. Pas mal, n'est-ce pas ?

On m'a dit que l'horreur du génocide de 1994 était de l'histoire ancienne et que le pays et ses habitants remontaient bien la pente. Que le calme régnait depuis une dizaine d'années. Une chose était sûre en tout cas, c'est que tout le monde, là-bas, avait un grand besoin de musique. Le projet de tournée s'est concrétisé dans le temps de le dire. Les virements bancaires sont faits, les billets d'avion achetés, les spectacles organisés dans les quatre coins du pays. Nous allons, Patrick, Michel Bruno (mon guitariste, pour l'occasion), Denis Courchesne (mon talentueux batteur depuis le tout début et maintenant ami) et moi-même, au Rwanda. Le pays des mille collines.

Nous arrivons à Kigali, capitale du Rwanda, au mois de mars 2005, après un voyage plus que mouvementé, sans bagages, sans instruments et sans vêtements, sauf ceux que nous portons sur nous.

Quelqu'un a dû me jeter un sort pour tout ce qui est valises et bagages, décidément ! C'est incroyable, vous allez voir...

Nous avions fait une escale très animée à Amsterdam où nous avions visité le fameux Red Light. Notre avion en direction de Nairobi, au Kenya, notre deuxième escale, avait pris du retard. Mais qu'est-ce que je vois en décollant du sol kenyan pour aller vers le Burundi puis le Rwanda ? Nos valises et nos instruments de musique qu'on transporte vers un autre avion en attente sur la piste !

Et puis voilà que ces mêmes instruments, placardés pourtant de collants « FRAGILE », se mettent à rouler dans tous les sens et à faire des tonneaux sur la piste tant on les manipule avec soin. Patrick, notre organisateur et directeur de tournée ne peut rien y faire ; il est catastrophé et crie à pleins poumons : « Gang de sans-dessein, gang de sans-dessein ! » Mais les « sans-dessein » ne peuvent apparemment rien y faire non plus, alors... Alors, rassemblez vos mains, mes frères, pour une prière...

Arrivés à Kigali, nous rencontrons l'homme qui est derrière toute cette tournée et qui y a travaillé d'arrache-pied pour que tout soit à notre satisfaction, M. Jacques Laberge, le consul du Canada au Rwanda.

Nous sommes complètement décalés par plus de trente heures sans sommeil et plus de dix-sept heures de vol. Mais il nous faut encore donner une description de nos valises et montrer par gestes leurs grandeurs approximatives. Heureusement, M. Laberge s'arrange rapidement pour que l'on ait notre matériel dès le lendemain matin. Mais pour le moment, une soirée en notre honneur est donnée à sa résidence. Nous y assistons en réalisant à peine que nous nous trouvons au centre de l'Afrique. Au centre de la terre mère. Je suis si fatiguée que des séquences entières semblent aujourd'hui avoir disparu de ma mémoire quant au déroulement de la soirée. Comme lorsqu'il manque des plans dans un vieux film.

Le lendemain, nous partons déjà vers notre première représentation, à Ruhengeri, un des coins les plus reculés du Rwanda. Nous traversons les fameuses collines qui semblent s'étendre à l'infini et que nous découvrons avec émerveillement. Tout de suite, je tombe amoureuse de ce pays. Dans les rues, il y a des gens, beaucoup de gens. Tous marchent, tous sont dehors. Ils n'ont pas grand-chose, mais les jeunes enfants ont le sourire accroché aux lèvres. Les personnes qui nous accompagnent, dont M. Laberge, nous racontent comment des milliers d'enfants ont péri pendant le génocide et comment, pour guérir de cette perte effroyable, les parents ont fait tout plein d'autres enfants. Non pas pour oublier l'horreur, mais pour que renaisse la beauté et l'espoir. Je rencontrais un peuple qui faisait tout pour survivre et pour aller de l'avant. Toute une leçon de vie, mes amis !

Quelle beauté aussi que ce pays ! Je ne saurais vous raconter toutes les découvertes que nous avons faites et toutes les anecdotes que nous avons vécues lors de ce passage en terre rwandaise, mais je peux seulement vous confirmer que j'y retournerais demain matin si on me le demandait. Notre premier spectacle avait lieu au pied des volcans. L'endroit même où l'on avait tourné le film *Gorillas in the Mist*. Une vraie carte postale, je vous jure !

Nous venions leur offrir un spectacle et ce sont les habitants qui sont venus à nous en chantant et en dansant des danses traditionnelles. Je n'ai pas assez d'adjectifs pour vous raconter ces moments bénis. De ville en ville, notre amour pour cette terre et pour ses gens grandissait. Butaré, la ville universitaire, Gisenyi, au bord du lac Kivu, et Kigali nous ont séduits.

Figurez-vous qu'en plus, à partir de la ville de Butaré, j'ai donné une entrevue téléphonique, en direct, à Monique Giroux, la très renommée animatrice de la radio de Radio-Canada. Monique est probablement la bibliothèque vivante et parlante de la musique francophone au Québec. La référence... Et j'ai la chance d'avoir eu son appui dès mes débuts. Cette entrevue a créé un précédent : dorénavant, Monique et moi tenterons de nous retrouver en entrevue dans chacune de mes destinations.

Nous avons même eu droit à un safari dans le parc national de l'Akagera, aux frontières de la Tanzanie et du Rwanda. On nous y a raconté comment les gens affamés chassaient et mangeaient les animaux de la réserve. Nous avons vu, également, un vieil éléphant mâle boire sa bière de banane quotidienne que lui procuraient les gardiens de la réserve. Nous avons joué, marché avec les habitants et mangé des brochettes de chèvre à chaque repas ou presque, à tel point que tous autant que nous sommes, nous ne pouvions plus les voir ou les manger. Cependant, même malades, comme nous l'étions tous plus ou moins, nous réussissions à apprécier notre chance de découvrir ce merveilleux endroit.

Et que dire des spectacles ?

Les gens qui venaient nous voir n'avaient pas grand-chose en poche, mais ils n'hésitaient pas à monter sur scène pour me lancer quelques billets de francs rwandais, comme le veut la tradition quand le spectacle est apprécié. Certaines personnes s'élançaient aussi sur scène, un petit bout de tissu en main, pour m'essuyer le front et garder ma sueur avec eux. Les Rwandais n'applaudissent pas après les chansons, mais pendant. Ils ne veulent pas que l'on arrête de jouer, alors ils ne vont certainement pas nous encourager à le faire ! Au bout du deuxième spectacle, nous jouions presque de façon continuelle, ça les rendait heureux. Et nous encore plus, de les voir danser et sourire.

Nous avions reçu quantité de vaccins avant le départ et prenions, tout le long du voyage, des pilules pour nous prémunir contre la malaria. Mais nous avons dû arrêter d'en prendre parce qu'elles nous rendaient plus malades qu'autre chose !

Je me souviendrai toujours à quel point mon corps était en véritable état de choc pendant le safari. Mon mal de ventre ne ressemblait en rien à ce que j'avais connu jusque-là. Nous étions allés nous reposer dans un hôtel cinq étoiles au beau milieu du parc national. Un hôtel extraordinaire, mais vide. Il n'y avait pas un chat ! Enfin, il y avait tout de même plein d'autres animaux...

Pendant que nous essayions de nous remettre de nos maux au bord de la piscine, nous regardions des hirondelles qui y plongeaient pour y boire. Puis une quarantaine de babouins arrivèrent. On nous conseilla de protéger nos biens parce que les babouins sont connus pour être voleurs. Il paraît qu'ils savent même ouvrir les portes des voitures pour en dévaliser le contenu. Et le mâle dominant trônait au-dessus du toit de l'hôtel... impressionnant !

Nous qui étions là en journée de congé, imaginez notre surprise de voir débarquer une vingtaine de journalistes pour une quasi-conférence de presse improvisée. Ils reçoivent la visite de si peu d'artistes que la moindre attention les comble de bonheur.

Et je peux vous assurer qu'après notre départ, il n'y avait que trois artistes chouchous à la radio : Céline Dion, Corneille (qui est d'origine rwandaise) et Lynda Thalie.

C'est en ce beau pays que j'ai commencé ma collection de figurines d'hommes et de femmes. Un couple par pays que je visite. J'ai l'impression de savoir par la forme, la grandeur et les détails de ces figurines comment l'homme et la femme sont perçus dans le monde. Quelles sont leurs différences, ce que les gens du pays en perçoivent. Honnêtement, je découvre, en vous écrivant, la raison, qui jusque-là m'était restée cachée, de cette collection. C'est que je veux voir si l'égalité homme-femme existe quelque part dans le monde.

Juste avant que nous décollions du sol rouge du Rwanda, le consul Laberge a reçu un appel provenant d'un autre pays africain. C'était l'ambassadeur Peck qui appelait d'Algérie pour nous dire que la tournée de retour dans mon pays d'origine allait se faire et qu'il allait tout mettre en œuvre dans les prochains mois pour que ce grand moment ait lieu en juin de la même année.

En juin ? En juin, c'est trop tôt pour moi, trop rapide pour mon état psychologique. Je ne suis pas prête. Je ne serais pas prête… Je me console en me disant que la chose n'est pas encore faite et que, si j'ai de la chance, le tout ne se concrétiserait qu'un an plus tard, au moins. La bureaucratie algérienne est complexe : à côté, les dix travaux d'Astérix passeraient pour une partie de plaisir. C'est comme un puzzle de mille morceaux. Mille et un morceaux, même !

Je décolle de Kigali, toujours avec mon mal de ventre. Puis de Nairobi, en me disant que mon vol vers Montréal sera un enfer, je me sens tellement malade. Et effectivement, quelques minutes après le décollage, je perds connaissance. Heureusement, il y a un médecin à bord. On m'allonge sur trois sièges et je m'endors. En fin de compte, le voyage se passe beaucoup plus vite que prévu.

Patrick connaissait ma prédisposition aux évanouissements, ce n'était pas la première fois que je m'évanouissais en sa présence. Cela m'arrivait, depuis mon plus jeune âge, dès que je faisais face à un choc physique. J'avais passé une série de tests : sanguins, électrocardiogrammes, électroencéphalogrammes, etc.

Je faisais tout simplement des syncopes réflexes. Le Dr Banner se transformait en Hulk, quand il avait mal. Moi… je m'évanouis. Et je me réveille exactement là où je me suis évanouie et je suis encore tout habillée, contrairement à Hulk. Mais le mal de tête qui s'ensuit, je ne vous dis que ça ! Je ne choisis évidemment pas le lieu de ma chute, cela peut m'arriver n'importe où et je me retrouve souvent dans de drôles de situations. C'est ainsi que j'ai déjà cassé le réservoir des toilettes, à la maison, avec ma tête. Le pauvre Patrick paniquait au début de notre vie commune. Maintenant, il sait mieux comment réagir étant donné le nombre de fois où il m'a vue défaillir !

Je me suis donné pour règle de m'asseoir dès que le malaise se fait sentir, au premier symptôme. Cela m'évite de tomber de haut.

Dès notre retour chez nous, me revoilà à l'émission *Belle et Bum*, avec Normand Brathwaite. Malade et avec dans le corps un décalage horaire de sept heures, je ne quitte ma loge que pour aller sur scène. Une vie *rock and roll*, mais palpitante, me dis-je... quelle chance j'ai !

L'Algérie m'accueille

Pour ce qui est de la tournée en Algérie, les choses avancent vite, à ma grande surprise ! Patrick est appelé à se rendre en Algérie pour un premier voyage d'inspection afin de préparer la tournée qui approche à grands pas.

Je suis bouleversée. Il se rend en Algérie, mon Algérie, pour la première fois, sans moi !

Je ne serai pas là pour lui montrer les lieux dont je lui ai tant parlé ! Mais je n'ai le choix que de le laisser découvrir mon pays d'origine de ses propres yeux. Je n'ai aucun contrôle là-dessus et ça m'agace au plus haut point. Mais finalement, je comprends la sagesse de la vie. Elle nous dirige vers ce qui est le mieux pour nous.

Il est parti au mois d'avril 2005, tandis qu'à Montréal, je m'occupais de son petit garçon, dont c'était notre tour d'avoir la garde. En direct du mont Royal où je me trouvais avec le petit James, j'ai parlé avec Patrick, qui m'a confirmé la tournée pour juin. Il me parlait du bord de la mer : il était à Sidi Fredj, tout près du phare où j'allais, petite fille, ramasser des oursins. Le bonheur s'entendait dans sa voix et sans savoir pourquoi, je me suis mise à pleurer à chaudes larmes. Peut-être le caractère désormais incontestable de ce retour, la peur ou cette tristesse qui m'habite dès que je songe à la terre de ma naissance. Mais ce jour-là, en tout cas, je ne pleurais certainement pas pour rien. Il n'y avait pas moyen de faire marche arrière.

Avec l'aide de l'ambassadeur Peck, Patrick nous avait trouvé un sponsor important pour la tournée : Nedjma (qui veut dire étoile), une des trois plus importantes compagnies de téléphonie par cellulaire d'Algérie, serait notre alliée. C'est une compagnie fondée par des Koweïtiens, mais administrée par des Québécois. Convaincus du succès de cette tournée, ils se chargeraient de la promotion, du transport de toute l'équipe en avion, d'un coin à l'autre du pays, et de l'hébergement à l'hôtel. La promotion pour mes différents spectacles, dans trois villes importantes d'Algérie, se ferait parallèlement sur plus d'un million de téléphones cellulaires. C'est-à-dire que les utilisateurs de la téléphonie Nedjma recevraient des SMS (des « textos » comme ils les appellent là-bas) avec les dernières nouvelles sur l'artiste : le lieu de ses spectacles, sa biographie, des photos, etc. J'étais impressionnée par l'étendue de la technologie cellulaire en Afrique. Souvent, là-bas, des gens n'avaient pas de téléphone résidentiel parce que leur village était trop éloigné, mais ils possédaient tous des cellulaires.

Ajoutez à tout ça une campagne télé et radio, qui allait également faire la promotion des spectacles. Tout se réglait au quart de tour !

Après le retour de Patrick à Montréal, l'ambassadeur Peck s'était même déplacé depuis Alger pour venir à la conférence de presse que mon amoureux avait organisée au superbe cinéma Ex-Centris, pour annoncer cette importante tournée. Tout le monde était là : Nick Carbone, Jean-Sylvain Bourdelais, Béata Ginel (qui s'occupait de ma promotion au Québec), les journalistes et photographes. C'était vraiment gros comme événement.

L'ambassadeur a alors fait un touchant discours sur cet important lien que je formais entre les deux pays amis. J'ai aussi pris la parole brièvement pour expliquer toute ma joie de retourner sur le sol algérien. Puis des journalistes, en communication par satellite depuis l'Algérie, ont pu nous poser quelques questions à nous qui nous trouvions boulevard Saint-Laurent. Je croyais rêver ! Qu'avais-je donc fait pour mériter tout ça ? C'était à peine croyable. Et même si j'allais à reculons dans cette aventure, devant tout ce bonheur et toute cette effervescence, que je voyais, je gagnais moi-même de l'enthousiasme et de la joie à l'idée de cette tournée. Au bout de quelque temps, je me surprenais même à être heureuse en y pensant.

Ma famille restée là-bas savait que j'allais faire un retour triomphal et tous avaient hâte de me revoir. Pour ma part, je n'imaginais pas me retrouver à Alger sans voir le visage de ma chère grand-mère Mani. Mais, malgré sa mort, que de retrouvailles j'allais vivre... que de parfums j'allais sentir et que de membres de la famille j'allais enfin serrer de nouveau dans mes bras. Je ne pouvais imaginer vivre cela toute seule, mais je me réjouissais quand même que la vie me pousse un peu au-delà de ce que je pensais être une limite pour moi. Je suis une grande fille, me disais-je, *come on*, Lynda !

Mais je ne serais pas seule : ma mère, sans même m'en parler, avait acheté son billet d'avion pour venir me rejoindre là-bas. Elle m'avait dit : « Nous avons quitté ce pays ensemble, je ne vais pas te laisser y retourner toute seule. » J'étais furieuse qu'elle ait fait ça, j'avais l'impression qu'elle s'accrochait à mon jupon, mais finalement, une fois rendue sur place, je me suis estimée chanceuse de l'avoir à mes côtés dans chaque ville visitée.

Je l'ai dit, si on ne m'avait pas poussée, je n'aurais jamais été prête pour ce voyage. Ma crainte était trop grande ! Et si des intégristes décidaient de m'assassiner parce que je ne projetais pas l'image qu'ils voulaient qu'une jeune femme musulmane projette ? Et si personne ne venait voir mes spectacles ? Et si, en entrevue, on me descendait avec des questions vicieuses ?

Ce n'aurait pas été ma première expérience négative en entrevue. Je me souviens, à ma toute première entrevue avec la radio algérienne, ici à Montréal, qu'on avait ouvert les ondes pour recevoir des appels du public. Et mon premier appel fut celui d'un homme qui avait dit qu'une femme qui chantait, c'était la honte pour l'Algérie. J'étais choquée et j'avais en un éclair regretté d'avoir accepté cette entrevue. Hé ! nous n'étions pas au Yémen ou en Iran, ici, nous étions à Montréal ! C'était honteux ! Et plutôt dur pour mon petit cœur. Mais je me suis rendu compte finalement que cette remarque vicieuse avait été la meilleure chose qui me soit arrivée en cette première entrevue, parce qu'à la suite de cette insulte, le téléphone de la station n'avait pas dérougi. Des hommes et des femmes appelaient sans cesse pour m'encourager et pour fustiger l'obtus qui avait fait honte à la majorité d'immigrants d'origine maghrébine qui, eux, étaient fiers, au contraire, de voir une femme partageant leurs origines donner une image moins sombre de l'Algérie.

La date du départ avait été fixée au 25 juin 2005. La vie me donnait là un autre signe, comme pour me dire d'en tirer le maximum parce que ce serait un cadeau, ce voyage : j'allais en effet décoller le jour de mon anniversaire ! Que voulez-vous, il n'y a pas de coïncidence, je ne crois pas que la vie synchronise les événements pour rien. À nous de trouver le lien et la raison.

Un jour avant le départ, j'avais été pour la première fois invitée à chanter au parc Maisonneuve, pour la Saint-Jean-Baptiste. Devant quelque cent mille personnes. Une vue à couper le souffle ! J'avais l'impression que le Québec et ses gens me disaient par leurs cris et leurs applaudissements de faire un beau voyage, mais qu'ils ne voulaient pas me perdre. Que j'étais des leurs.

C'est donc en toute légèreté que j'ai pris l'avion avec mon équipe le lendemain, en célébrant mes vingt-sept ans, en chemin vers Alger la Blanche.

J'étais nerveuse, impatiente, je pense même avoir été une compagne de voyage abominable, j'étais si bouleversée. Donner des spectacles m'a toujours stressée. Mais je battais tous les records !

Entre Paris et Alger, je m'étais retrouvée en classe affaires, cadeau de la compagnie Air Algérie pour le retour de l'enfant prodigue. Mais, en classe affaires, il y avait aussi une vingtaine de gamins voyageant seuls pour aller passer des vacances au Bled. Le vacarme était tel qu'à force de me concentrer sur eux, j'avais fini par oublier mon état de panique. Et, sans avoir eu le temps de m'en rendre compte, nous atterrissions à l'aéroport Houari-Boumédiène d'Alger. Merci à la synchronie !

Nous sommes accueillis en grandes pompes par l'ambassadeur Peck et les autorités algériennes. Nous prenons même le thé à l'aéroport. Puis nous passons chercher nos valises, pour découvrir avec horreur la mienne tournant sur le tapis roulant, complètement éventrée. Oh non ! De toutes les valises, pourquoi la mienne ? Avec mes robes de scène ! Ça y est, au Rwanda puis là, à Alger, il doit y avoir une malédiction qui pèse sur mes valises !

Je ramasse tant bien que mal mon linge et me rends au comptoir d'Air Algérie pour porter plainte. Comme si ça pouvait changer quelque chose ! Finalement, je décide que ça ne me gâchera pas mes retrouvailles avec mon pays d'origine. Mais grrrr...

Quand je suis sortie de l'aéroport pour enfin respirer le bon air d'Alger, ma famille était là, avec des bouquets de fleurs. Je ne reconnaissais même pas les petites filles qui se jetaient dans mes bras. Et brusquement, je le vois ! Mon frère était là : il était venu de Montréal trois jours auparavant afin de préparer le terrain pour mon arrivée. Lui non plus ne voulait pas que je vive seule ce moment fébrile. Il me serre dans ses bras tout en me disant de ne pas pleurer et me murmure les noms des cousins et cousines qui avaient trop grandi pour que je les reconnaisse au premier regard.

Mes oncles étaient là, avec leur épouse respective. Une petite fille portant le voile s'accrochait à moi. Je lui ai demandé qui elle était et elle m'a répondu qu'elle était ma cousine Hanane. Je l'avais à peine connue. Dieu que ça faisait longtemps. Ce n'était pas le moment d'essayer de comprendre pourquoi, si jeune, elle portait le hidjab. Je lui en parlerais plus tard, en tête-à-tête. Pour l'instant, il fallait que j'aille donner une entrevue radio. Nous étions déjà en retard, et c'était une entrevue en direct très écoutée au pays.

Le cortège s'élance, je suis dans la voiture blindée de l'ambassadeur. Oh là là ! je reste sans mot : ça va être *rock and roll* !

Une fois les entrevues achevées, je rentre à l'hôtel, le mythique El Aurassi où je rêvais d'aller depuis que je suis toute jeune. En fait, cet hôtel est un véritable emblème pour la ville d'Alger. Dès que l'on regarde la ville, on peut l'apercevoir trônant sur l'une des collines qui descendent vers la mer. Je me souviens que quand Patrick me parlait d'un retour en Algérie, je lui disais que le jour où il parviendrait à nous offrir le El Aurassi pour notre séjour, j'irais avec lui. Ha ! mais il ne faut pas le mettre au défi, mon Pat ! Il n'aura de repos que lorsque le défi sera relevé !

À l'hôtel, tout le monde sait qui je suis. En plus, on m'a réservé la suite présidentielle. Je vis un rêve, c'est sûr !

À la réception, on me demande mon passeport. Je donne mon passeport canadien tout en sachant très bien que ce geste va déplaire. Je suis algérienne aussi, pourquoi ne pas tendre mon passeport algérien, me direz-vous ? Eh bien, parce que, dans ce cas-là, Patrick n'aurait pas pu partager la même chambre que moi, vu que nous n'étions pas mariés officiellement. Fiancés... Ha ! ça ne compte pas, ça, à leurs yeux. Mais ils ne pouvaient rien demander à une Canadienne, la règle ne s'appliquait pas. Je les voyais rager derrière leur comptoir et j'étais bigrement satisfaite de mon astuce. Ils me l'on posée quand même, la question :

— Vous et monsieur dans la même chambre ?

— Oui, monsieur et madame dans la même chambre, nous sommes un couple !

Hilarant ! Leur résistance s'est estompée au fil du séjour. Mais si vous aviez vu cette chambre, mes amis ! Deux énormes salles de bains, une chambre à coucher à couper le souffle. Un mur coulissant entre la chambre et le grand salon. Et la vue sur la baie d'Alger !... J'en ai pleuré en sortant sur le balcon !

Et c'est de ce même balcon que j'ai fait l'entrevue, dès le lendemain de mon arrivée, avec... Monique Giroux de Radio-Canada. Je regardais la mer en lui parlant, c'était vraiment un moment unique. Je pouvais voir la terrasse de l'appartement de ma grand-mère... J'avais hâte d'y aller et de retrouver ma famille. Mais chaque chose en son temps.

Pour l'instant, il fallait préparer le premier spectacle à Sidi Fredj, au magnifique Théâtre de verdure, un théâtre extérieur en forme d'agora, à la romaine. J'y avais vu mon premier spectacle de musique, à vie, dix-sept ans auparavant. Je me souviens encore de la musique entendue entre ces murs... « Couleur... café... que j'aime ta couleur café ! », la chanson de Gainsbourg.

Le jour du premier spectacle est arrivé. L'installation du matériel s'était faite le matin. Impossible de faire quoi que ce soit en après-midi, car la température atteignait les 45 degrés. Il fallait attendre la fin de la journée.

J'avais les nerfs à fleur de peau. La pression était à son maximum ! Je n'avais pas mangé, la nervosité me rendait nauséeuse. Le théâtre était littéralement au bord de la Méditerranée, et quand on se trouvait sur la scène, on pouvait entendre les vagues se fracasser contre les rochers juste en arrière de nous. Cette ouverture me rendait encore plus craintive. Je me disais que n'importe qui pouvait arriver, rentrer par quelque fissure (oui, je sais, j'allais chercher ça très loin) et faire sauter tout le théâtre, moi y compris.

Plus tard, l'ambassadeur Peck est arrivé, entouré d'une vingtaine de policiers et de gens de la sécurité militaire avec des chiens détecteurs d'explosifs. Mon corps s'est mis à trembler. Je ne savais pas s'il fallait que je sois rassurée ou inquiétée par la présence de tout ce dispositif de sécurité. Savaient-ils quelque chose que je ne savais pas ? Avaient-ils reçu des menaces ? Je ne le saurais jamais, alors mieux valait faire mon test de son comme si de rien n'était.

Le grand moment va arriver. J'attends dans les coulisses. Mon frère est là et mon cousin Abdou adoré aussi, ils assureront ma sécurité tout au long du spectacle, avant et après. C'est drôle de les voir faire les gardes du corps. Ils ne veulent pas que quiconque m'accapare où monte sur la scène, comme ça peut arriver très souvent là-bas. Je suis tellement heureuse de les avoir à mes côtés ! Je me sens en sécurité avec eux près de moi.

Les dignitaires sont tous arrivés et ont pris place dans la section VIP, juste en avant de la scène. Je suis touchée de savoir que les gens du ministère de la Culture étaient là, avec un bon nombre de consuls et d'ambassadeurs avec leurs conjointes, les gens de Nedjma, les représentants de Dessau Soprin en Algérie, et de nombreuses autres personnalités. Et plus que tout, beaucoup de membres de ma famille se sont déplacés pour me voir. De tous, ils sont ceux que je ne voudrais pas décevoir, que je voudrais rendre fiers ! Je vais tout faire pour cela.

Au moment de rentrer sur scène, on me place un drapeau algérien sur les épaules et c'est ainsi que j'ai entamé mon premier spectacle dans le pays de mes ancêtres.

Le spectacle a été magique. Capté dans son intégralité, il a été diffusé inlassablement sur la télévision nationale. À la fin, tout le monde avait dansé, surtout les dignitaires, qui n'en ont pas souvent l'occasion. Et j'ai été particulièrement fière d'apprendre, par la suite, que mon oncle le plus retenu, le plus réservé s'était lui aussi laissé allé à danser.

Souper de famille

Enfin, un moment de répit. J'en profite pour emmener Patrick pour la première fois à la maison de ma grand-mère, dans le centre-ville d'Alger. On nous y attendait avec un souper digne des rois. Ils n'en avaient pas vraiment les moyens, mais ils s'étaient décarcassés pour pouvoir nous combler, et ce geste ne manquait pas de m'émouvoir. Des plats traditionnels et des poissons, des crevettes, du loup de mer et toutes sortes de variétés de salades ! Mes tantes avaient dû préparer le repas depuis l'aurore. Ah ! les trésors ! Que je les aime, comme ils me sont tous chers et comme ils me manquent, en ce moment où j'écris ces lignes.

Nous avons passé la plus belle des soirées. Et on a tous bien ri (discrètement, tout de même) en voyant Patrick mélanger les plats.

Et le voir ensuite avec mon oncle, sur la terrasse de mon enfance, écouter l'appel à la prière s'élancer des minarets des mosquées d'Alger... Ah ! que c'était doux ! J'étais si reconnaissante envers ma famille de lui ouvrir les bras ainsi ! Enfin, presque tous : il y avait juste une de mes cousines qui avait refusé de lui serrer la main. Surpris, il ne savait trop comment réagir. Je lui fis signe de laisser tomber. Certaines personnes, par piété vont-elles dire, refusent de serrer la main ou d'avoir un contact physique avec une personne du sexe opposé. Enfin, il ne faut pas s'en offusquer. J'étais néanmoins étonnée de voir ma cousine, que j'avais vue toute petite, réagir de la sorte. Je me suis dit alors que nous étions malheureusement loin, bien loin l'une de l'autre. À des années-lumière. Mais mon amour pour elle reste inchangé.

Mes autres cousines, toutes plus jeunes, étaient aussi pétillantes que du Coca-Cola. Intelligentes, vives et super attachantes. J'aurais voulu toutes les ramener avec moi, pour leur donner une chance de vivre mieux, de connaître autre chose.

Pour finir le souper, un de mes oncles était allé tout spécialement dans l'autre maison de ma grand-mère, la maison aux figuiers de Larabâa, me chercher des figues et des fruits du jardin. Il m'a offert tout un plateau de fruits et de fleurs du jardin de Mani. Je n'en revenais pas de cette tendresse, de cette gentillesse. Il m'a dit que les figuiers de Mani avaient été un peu maltraités au fil des années, mais il m'a promis de les remettre en forme pour ma prochaine visite.

J'ai emmené le plateau avec moi à l'hôtel et les musiciens ont pu ainsi déguster les petits trésors du jardin de Mani.

Le lendemain, grâce à la présence de mes oncles, de mon frère et de mon cousin, les musiciens, Patrick et moi-même (entourée de mes chères petites cousines) avons pu aller visiter le centre-ville d'Alger, manger des sandwichs typiques à la merguez ou au foie (mon préféré) et faire des achats. Ce que nous ne savions pas alors, c'est que mes oncles avaient monopolisé une bonne dizaine de leurs amis pour notre escapade, des amis qu'ils avaient postés, incognito, à différents endroits du parcours, on ne sait jamais. Merci, mes tontons !

Départ pour Annaba

Toute notre équipe prend l'avion pour aller vers le deuxième concert qui aura lieu dans la ville côtière d'Annaba. Nous avons également avec nous des représentants de la compagnie Nedjma. L'opération est énorme et les frais le sont aussi. Partout où nous allons, des transports nous attendent avec des chauffeurs de grande compétence.

Nous avons trois jours devant nous avant le concert, qui doit avoir lieu dans un autre théâtre de verdure, en plein air. Patrick profite de ce délai pour s'assurer que tout le matériel scénique commandé arrive à temps. Nous avons commis cependant une erreur lors de cette première tournée, celle de ne pas avoir notre technicien du son avec nous. Il faut alors se fier à ceux qui sont fournis par les salles de spectacles locales. Je vous assure que l'on ne nous y reprendra plus. Non pas que ces gens soient incompétents, mais c'est juste qu'ils n'avaient jamais connu de spectacles de ce calibre ni de cette complexité. Nous travaillions avec ce que l'on appelle des séquences et des échantillons musicaux et sonores, en plus des instruments sur la scène. Compliqué, tout ça !

Bref, Patrick multiplie les allers et retours entre l'hôtel et la salle. Rien n'arrive à temps. La location de l'éclairage et de la sonorisation n'a pas été faite. Tout doit être refait de A à Z. Les tensions montent : une bagarre entre Patrick et le directeur de la salle est évitée de justesse. C'est que Patrick ne supporte pas qu'on lui parle en l'engueulant. Et le directeur de salle, se faisant menacer par Patrick d'annuler le spectacle, commence à hausser le ton. La moutarde monte vite au nez ! Une chance que des gens sont là, autour, pour les séparer. Mais quelques heures plus tard, les deux adversaires se donnent des petites tapes sur l'épaule en s'appelant « mon ami ».

Il y avait réellement de quoi être sur les nerfs : sans système de sonorisation, rien ne peut se faire. Heureusement, des jeunes du quartier arrivent à la rescousse. La location se fait à partir d'une autre ville, située à plus de 80 km et le tout arrive le soir même du spectacle. À la toute dernière minute, on l'a échappé belle !

Pendant que je suis derrière la scène (à l'extérieur, là aussi), en train d'observer toutes les fenêtres des immeubles qui entourent le théâtre, je suis prise de terreur en imaginant quelqu'un avec un fusil qui me prend pour cible. Je commence enfin à me détendre en regardant une troupe de petites danseuses offrir en ouverture un numéro de danse traditionnelle. Quand soudain, j'entends des cris provenant de l'une des rues d'en arrière (le théâtre surplombe la ville). Un jeune homme se fait battre par cinq autres. Je crie à mon tour. Une des responsables des petites danseuses me saisit et m'oblige à tourner le dos pour que je n'assiste pas à la scène. Les larmes coulent sur mon visage, je n'arrive pas à prononcer un mot. Tout en essuyant mes larmes, la femme dit à sa collègue que je suis en état de choc. Une des petites filles regarde le jeune homme se faire tabasser et lance à sa prof : « Qu'est-ce qu'il a fait ? »

Qu'est-ce qu'il a fait ? On s'en fout de ce qu'il a fait, on ne bat pas quelqu'un au milieu de la rue, voyons ! Mais c'est de la folie ! Je n'ai pas le temps de penser à tout ça, on appelle mon nom, j'entends les premières notes de musique... *The show must go on !* Mon Dieu, donnez-moi la force !

Au beau milieu du spectacle, sans m'avoir prévenue... Kaboum, kaboum ! Les organisateurs du spectacle font exploser des feux d'artifice. Je sursaute, me croyant la cible de balles. En fait, toute l'équipe échappe à une crise cardiaque tant le bruit nous a saisis. Je me suis trouvée vraiment ridicule en voyant les couleurs dans le ciel. Décidément, quelle succession d'émotions fortes, cette tournée !

Ma famille avait pris le train depuis Alger pour suivre mon périple. Un trajet de douze heures avec différents arrêts. Une chance incroyable !

Nous profitons de notre présence dans cette ville pour aller nous baigner à la superbe plage d'Annaba et pour manger du poisson fraîchement pêché. On dit qu'une image vaut mille mots : je ne manquerai pas de placer une photo de la plage d'Annaba dans le livre. C'est un vrai paradis !

Direction Wahran

Nous prenons l'avion pour notre dernier concert en sol algérien. Direction ma ville natale, Oran. Ou, comme les Algériens l'appellent, Wahran.

Dès notre arrivée à l'hôtel, mon oncle qui habite la ville est venu nous saluer. Oh! comme il m'avait manqué. Mon oncle d'Oran est le plus *cool* de tous. Le plus tendre du monde. Il ne me lâchait pas, m'embrassait sans arrêt. C'est ce même oncle dont je vous avais parlé au début, à qui nous rendions visite si souvent pour manger du poisson. Il a un verger, à présent, avec des acres de pêchers. Je me sentais si bien entre ses bras. Ça faisait long-temps que je ne m'étais pas sentie dans une si grande sécurité. Comme dans les bras de mon père quand j'étais petite. Je ne voulais pas le quitter. Je lui ai fait promettre de venir me voir au Québec, que l'on aille prendre un café, une poutine même, ensemble. Que l'on se parle de tout. Comme j'ai hâte de le retrou-ver, mon tonton!

Le lendemain, jour du spectacle, nous sommes reçus, M. Peck, Patrick et moi, pour un thé à la menthe, par le maire de la ville d'Oran. Je suis tout de suite séduite par cet homme de grande culture et au regard vif. C'est, en plus, un fin connaisseur de musique québécoise. Je suis heureuse de découvrir cette curio-sité dans les yeux d'un haut placé algérien.

Plus tard, en me préparant pour ce dernier concert – mon premier dans la ville qui m'a vue naître –, je suis prise de la plus grande nervosité que j'aie jamais connue. Mais le spectacle débute et je reprends le contrôle de moi-même. Cette salle de spectacles est, sans nul doute, la plus belle que j'aie vue à ce jour. Et elle est pleine à craquer de gens venus pour s'amuser et me témoigner leur amour. Je suis la plus choyée des Canado-Algériennes du monde!

Au bout de la troisième chanson, mon gérant, Patrick Cameron, interrompt ma prestation. Le wali, qui est en quelque sorte le gouverneur de la wilaya d'Oran (la province d'Oran), me fait l'honneur de venir dire quelques mots sur scène, accompagné du charmant maire de la ville rencontré plus tôt. Ils arrivent avec des cadeaux sur la scène, sous une pluie de youyous. Ils m'offrent un magnifique tableau d'un peintre local. Mais aussi, un sublime burnous blanc brodé de fil blanc, une merveille! Les femmes portent ce genre de cape à capuche traditionnelle le jour de leur mariage, pour sortir de la maison de leur père vers celle de leur époux. Je suis chavirée. Je me dis alors que ce sera le burnous que je porterai un jour, lors de mon mariage avec Patrick.

Puis, le clou! Le maire me présente deux petits encadrements, l'un en français et l'autre en arabe. Je m'approche et j'y lis : « Née le 25 juin 1978... Amghar Lynda. » Ah! mon nom! Mon vrai nom! (Mon pseudonyme avait été emprunté à la mythologie grecque : c'est le nom de la muse de la comédie; j'avais tellement l'impression de jouer la comédie dans la vie comme sur la scène...) Le nom que j'ai tant voulu cacher... le nom de mon père, puis celui de ma mère... On m'offrait mon acte de naissance. On m'offrait la confirmation de mon identité. Sans cacher que mon père était militaire... c'était là, écrit noir sur blanc.

Ils sont tous fiers de moi, ces gens, ces dignitaires qui sont montés sur la scène avec moi, et je ne puis, alors, contenir mes larmes. Patrick non plus, d'ailleurs.

Le reste du spectacle se déroule comme dans un rêve. Je retrouve mon oncle après. Il me serre une dernière fois dans ses bras en me disant qu'il m'aime et que je serai toujours sa fierté.

Mission accomplie! Je suis prête à rentrer chez nous. Je suis prête à rentrer au Québec.

Chapitre 15
De l'ADISQ à Rideau Hall

J e rentre en studio pour enregistrer mon second album, éponyme. Je subis un stress immense. En fait, je suis en studio, *on
and off*, depuis le début de l'année 2004. Je suis si nerveuse et
la tension est telle autour de moi que, dès janvier 2005, mon
corps craque. Je fais une pneumonie qui m'arrête un petit bout
de temps. Tout le monde, dans mon équipe, ressent la pression ;
il faut créer un album riche et des chansons de grande qualité
pour l'automne 2005.

L'atmosphère alors devient très tendue, et producteurs, réalisateur et autres intervenants haussent le ton. J'ai une grande
résistance au stress, mais quand il m'atteint, il le fait avec force.

Nicolas Maranda, qui s'occupe également de la réalisation
de ce second opus, se débat comme il peut, lui qui doit gérer
une séparation, un enfant en bas âge et deux autres albums qu'il
réalise en même temps que le mien. Par chance, Nicolas avait
l'aide d'un technicien remarquable et très artistique du nom de
François Lalonde, que j'appelais tendrement Tower, la tour, c'est
dire à quel point il était un allié solide.

Les budgets sont assez restreints et les attentes très fortes. À l'été, quand nous rentrons sérieusement en studio, avec tous les musiciens et qu'en plus, on décide de faire cela à l'ancienne, c'est-à-dire les musiciens jouant tous ensemble, et l'enregistrement se faisant avec cette chaleur si particulière d'un groupe en pleine action, le stress est vraiment à son comble. Mais enregistrer une version de la chanson *Adieu mon pays*, d'Enrico Macias, en regardant les musiciens jouer de leurs instruments, fut un moment de pure ivresse qui nous a tous émus jusqu'aux larmes, Nick compris.

Nous avons aussi reçu la visite en studio du très talentueux joueur d'oud Hakim Hamdouche, le oudiste du fameux Rachid Taha. Nous avons réussi à lui faire enregistrer quelques pistes de mandole sur trois pièces de l'album. Ces deux journées de studio avec lui auraient mérité à elles seules un chapitre tant ce fut épique. Enfin, nous y sommes parvenus et le résultat fut très réussi.

Michel Rivard m'avait prêté sa plume pour la création d'une des œuvres de l'album. Je lui avais demandé de m'écrire un texte et de me faire l'honneur de me laisser y mettre une mélodie. De nos deux vécus, en plus du talent de Michel Bruno, est née la chanson *De neige ou de sable*, une chanson d'amour entre des personnes appartenant à deux cultures différentes. C'est la chanson que j'ai offerte à Patrick. Il y en a toujours une par album. Sur le premier, c'était la pièce cachée que l'on peut entendre uniquement si on laisse jouer le disque après la fin.

Enfin, le nouveau disque est prêt à aller au mixage puis à la « mastérisation ». Le calendrier est très serré, presque trop, par rapport à la date de sortie. Mais tout arrive à temps. Et je reçois le premier exemplaire le matin même du lancement. Nous sommes, Patrick, Nick et moi, dans le hall de la salle Dell'Arte en train de veiller aux préparatifs.

Ma tante Moumou et mon amie Kenza s'étaient occupées, ce jour-là, du buffet qui devait accompagner l'événement : un buffet oriental, du thé à la menthe, des desserts au miel. Un tour de force, compte tenu de nos moyens limités. Et encore une fois, presque tout le showbiz montréalais était là. Quelques amis artistes étaient présents également pour me témoigner leur soutien : Marie Denise Pelletier et Véronique DiCaire, entre autres.

J'étais si heureuse sur la scène : je m'y trouvais vraiment à ma place et je ressentais toute la sincérité et le bonheur qui émanaient de tous ces gens qui s'étaient déplacés pour m'encourager. Qu'importe le nombre de spectacles que j'aie pu donner et l'expérience acquise, je me sens encore choyée d'être si bien entourée et que les gens se déplacent pour venir me voir. Cela me surprend encore, d'ailleurs.

Après le lancement, ma route me mènera au parlement, à Ottawa. En septembre 2005, en effet, je chante dans l'édifice même du Parlement pour l'assermentation de la nouvelle gouverneure générale du Canada, Mme Michaëlle Jean.

Je vous laisse deviner qui m'avait invitée à participer à l'événement. Qui pense à moi quand il est question d'organiser des moments aussi incroyables ? Pierre Boileau, bien sûr !

J'ai chanté en compagnie de la talentueuse Julie Massicotte la chanson *Hymne à la beauté du monde* de Diane Dufresne, en arabe et en français. Nous étions les premières personnes à accueillir Mme Jean au Parlement, en compagnie du premier ministre de l'époque, M. Paul Martin. Elle en a été émue aux larmes, et nous aussi.

Les images de ce grand moment d'émotion qui avait saisi la nouvelle gouverneure générale du Canada avaient fait le tour des médias télévisuels du pays. Sur presque toutes les chaînes, voilà que nous étions ensemble à vivre cet événement unique.

Puis vint le temps de retourner, une seconde fois déjà, dans mon pays natal, pour un spectacle à Alger, au mois de novembre. Je m'y produisis avec mes musiciens à la salle Ibn-Khaldoun, à quelques rues de l'appartement de ma grand-mère. Une salle de grande renommée au pays : quelques mois avant moi, c'était l'incomparable Cesaria Evora qui en foulait les planches. Et quelques mois après moi, ce serait au tour de Robert Charlebois.

Mon technicien du son, Régis Thompson, avait passé toute une journée à recalibrer adéquatement la sonorisation de la salle. Et Robert Charlebois lui-même m'a dit quelques mois plus tard, alors que nous étions tous deux en spectacle à Chicoutimi, qu'il avait eu un superbe son.

Mon spectacle y fut d'une chaleur incroyable. La compagnie de cellulaires Nedjma nous appuyait encore lors de ce passage. Elle continuait d'investir dans le développement de ma carrière en Algérie. Je ne sais pas si je vous l'ai déjà dit , mais les gens qui se trouvaient à la tête de la compagnie Nedjma (division Algérie) étaient des Canadiens qui avaient la même vision à long terme et les mêmes façons de faire que nous. Ce qui rendait les réunions très productives.

Ce spectacle nous avait permis de ramasser des fonds pour l'organisme SOS Enfants. Répandu un peu partout sur la planète, cet organisme reforme un cocon familial pour des orphelins. En fait, l'organisme rassemble les enfants par groupes de dix environ (on ne sépare pas les orphelins d'une même famille) et leur donne une petite maison dans ce que l'on appelle un « village d'enfants ». Le responsable du village est appelé « papa » et dans chaque maisonnette, il y a une femme qui vit avec les petits cinq jours sur sept. Elle est leur maman. Les enfants ont entre zéro et dix-huit ans et grandissent tous ensemble. C'est magnifique, au-delà des mots.

J'en ai encore les larmes aux yeux quand j'y pense. Je suis allée visiter le village qui se trouvait près d'Alger et j'ai parlé à ces petits, pour la plupart des enfants du terrorisme. Certains avaient vu leurs parents se faire tuer devant eux, certains en avaient perdu la parole... Je leur ai dit que je les aimais. Je les aime encore et je penserai toujours à eux, les enfants du « village de Draria ».

Mes chansons passaient fréquemment à la radio depuis mon premier passage, l'été précédent. Surtout *Alger, Alger* qui faisait partie de la campagne promotionnelle de notre tournée, cette fois-ci.

Les gens me reconnaissaient de plus en plus dans les rues, dans les magasins. Ils appelaient dans les stations de radio pour me parler. Et dans les émissions de télé, on m'honorait en m'offrant des danses traditionnelles et beaucoup de temps d'antenne. Nous entrions tranquillement dans le cœur des gens...

J'ai même signé un premier contrat de distribution de mon album éponyme avec une compagnie locale du nom de Belda Diffusion. Oh, je n'espérais ni n'espère à ce jour gagner d'argent avec la vente de disques là-bas, le prix de l'exemplaire n'excédant pas les 2 $. Les gens n'ont pas le réflexe d'acheter de la musique ou de payer pour un billet de spectacle. Dans leur tête, la musique ne peut être que gratuite. Les artistes gagnent leur vie en chantant dans les mariages et les restaurants.

Mais ma joie aura été de créer l'événement d'un lancement de disque canadien sur le sol algérien, lors d'une conférence de presse très courue. C'était l'accomplissement que je désirais.

Pot-pourri 2006

Dans le pot-pourri d'activités artistiques qui occupent mon horaire, en ce début d'année 2006, il y a, bien sûr, les spectacles, le tournage du vidéoclip de la chanson *En équilibre* (vidéo qui passa sur les ondes télé de MusiMax mais sans que la chanson passe, elle, à la radio... évidemment), les entrevues à la radio et à la télé, la préparation de mon nouveau spectacle intitulé *De neige ou de sable*. En plus, je donne des *coachings* vocaux à des étudiants du niveau collégial pour les aider à passer le concours Cégeps en spectacle, que je connais bien.

Il y a aussi une activité pour laquelle j'ai une affection particulière. J'offre des conférences musicales dans les écoles primaires et secondaires, et parfois même dans les cégeps. Ce sont les écoles qui m'approchent pour que je vienne parler de mon parcours, de mon vécu, de mon passage de l'Algérie au Québec. Alors je parle aux jeunes non pas en leur faisant la morale, mais en leur montrant la chance qu'ils ont d'être nés dans un endroit de paix où l'on peut facilement travailler pour réaliser ses rêves.

Je me souviens, à ma première conférence, j'avais un tel trac ! Je n'imaginais pas que des enfants puissent être intéressés par mon histoire. Quelle ne fut pas ma surprise de voir, au contraire, les expressions de ces petits visages intrigués, curieux et compréhensifs ! Je touchais quelque chose qui venait chercher cette envie secrète que j'ai toujours eue de vouloir changer le monde. On change toujours le monde, un enfant à la fois.

Aujourd'hui, je peux dire fièrement que les établissements scolaires viennent encore me solliciter pour ces conférences. C'est pour moi le plus beau cadeau que je puisse faire aux générations suivantes. Leur faire comprendre que les rêves se réalisent et que si j'y suis parvenue, ils peuvent y parvenir aussi.

Dans l'élan des accomplissements, un événement marquant a eu lieu en janvier 2006. J'ai été invitée à chanter à Toronto, lors du gala du Panthéon des auteurs et compositeurs canadiens. Parmi tous les artistes du Québec, j'ai été choisie pour interpréter la chanson *Le tour de l'île* de Félix Leclerc ! J'étais remplie d'émotions diverses...

D'abord, me rendre sans Patrick à un événement aussi important m'insécurisait un peu. Et aussi, j'allais me retrouver sur la même scène que k.d. lang, une des plus belles voix du monde. C'est d'ailleurs une des artistes avec qui je rêve de partager une chanson. Ce n'est pas encore fait, mais l'avenir sera clément, du moins je l'espère. Si je n'ai pas chanté ce soir-là avec elle, j'ai pu l'entendre chanter la sublime *Hallelujah* de Leonard Cohen alors que je me trouvais juste à sa gauche, en arrière du rideau. Et je pleurais à en ruiner mon maquillage tout frais. Imaginez avec quelle émotion, aujourd'hui, j'écoute mes petits amours de deux ans et demi chanter tendrement : « Hallelujah, hallelujah, hallelujah, halleluuuuuuuuujah ! » C'est à en pleurer de bonheur !

J'avais préparé l'incroyable chanson de Félix Leclerc avec un arrangement oscillant entre le latin et l'andalou : je voulais qu'il reflète le nouveau Québec. Riche et multiculturel. Et je l'ai interprétée sous le regard tendre de Leonard Cohen et de Gilles

Vigneault, que l'on honorait ce soir-là. Merci à la vie pour des moments comme celui-là. Merci !

Un bémol, toutefois, sur cette expérience. En fait, c'est plus qu'un bémol, c'est une sonate en mineur : toute la partie francophone du spectacle a été coupée au montage télé. Donc, personne, dans le grand et vaste Canada, n'a vu les artistes québécois qui étaient là pour chanter du Vigneault, du Leclerc, etc. C'est comme si nous n'avions jamais été là. Nous avons été ignorés, point à la ligne. Une honte, j'en étais insultée ! Mais comment peuvent-ils ignorer une si grande richesse artistique ? Il paraît que ça a toujours été comme ça lors de ce gala. Eh bien, bravo !

J'avais l'impression que nous étions, nous les *Frenchies*, les *Frogs*, des artistes de seconde classe, des « pas importants », des moins que rien, indignes d'une part de visibilité à la télé.

Je peux le dire aujourd'hui parce que je n'en ai sincèrement rien à faire. À l'époque, j'avais peur de quelques représailles si je m'élevais contre cette bêtise, cette injustice, cette ignorance et cette arrogance. Je me disais que je risquerais de ne plus me faire engager, si je chialais ! Que ça aurait pu mettre en péril une future alliance avec une maison de disques... ou je ne sais trop quoi encore ! J'avais peur, comme plein d'artistes ont encore peur aujourd'hui de dire vraiment ce qu'ils pensent. Alors ils déforment leurs pensées, leurs émotions réelles. Triste, lamentable, vraiment, que l'on se retrouve dans cette position ! Les artistes doivent être libres de dire ce qu'ils pensent. Eh bien, aujourd'hui je le dis bien haut : cette façon d'utiliser les artistes québécois... c'est de la merde !

Voilà, je me sens mieux. Passons à plus lumineux à présent.

Première du spectacle *De neige ou de sable*

J'ai rendez-vous avec le Théâtre Outremont de Montréal, pour y offrir le spectacle longuement cogité, étudié, imaginé, discuté, rêvé : *De neige ou de sable*. Cette première se faisait dans le cadre du Festival Montréal en lumières.

Tous mes collaborateurs de confiance ont travaillé avec moi à ce concept. Mon fidèle éclairagiste Guy Chevrier, grâce à qui l'éclairage de ce spectacle est vraiment le fruit de mon vécu et de mes visions des chansons qu'il sait si bien traduire en lumières ; Pierre Boileau, qui avait été mon conseiller pour la mise en scène, que je signais pour la première fois de ma carrière ; et Jean-Sylvain Bourdelais, qui avait, de façon acharnée, mis en place une importante tournée qui m'a menée d'un bout à l'autre de la province. Patrick, quand à lui, fidèle à son habitude, était partout à la fois.

Il s'occupait aussi de tarabuster les différents membres du jury de l'ADISQ pour qu'ils viennent assister à la première médiatique du spectacle. Tout y passait, lettres, courriels, appels, rencontres. Et pour les médias, c'était la même chose, mais en plus, nous faisions parvenir aux responsables des bouteilles d'un alcool unique fait au Québec, à partir de miel et de sirop d'érable. C'était ma signature depuis des années maintenant !

Dans mon équipe, il y a toujours eu une alliée silencieuse. Une abeille grandement productive qui n'a jamais eu besoin que je l'encense ni que je glorifie son travail : ma tante Moumou. Elle était derrière chaque communiqué de presse, chaque notice biographique et chacun des écrits me concernant et venant de mon équipe. Je retravaillais secrètement avec elle les courriels importants adressés aux médias, aux compagnies de disques, aux ambassades et consulats. Sans recevoir le moindre sou et sans jamais rien attendre en échange, sinon de me voir réussir, et de me voir heureuse, elle aura travaillé comme rédactrice ou scripteure, comme correctrice de centaines de documents et même comme secrétaire, lors de nos voyages à l'étranger. Comme je t'aime, Moumou, cette carrière je te la dois à toi aussi... Merci !

Critiques et nominations à l'ADISQ, enfin !

Au lendemain de ma première, les critiques ne tarissent pas d'éloges à l'endroit du spectacle et de son interprète. Pour ma part, j'avais ressenti énormément de pression lors de la première, étant donné que je devais tout contrôler. Enfin, non, plutôt, je pensais qu'il me fallait tout contrôler... *Control freak* ! À tel point que j'en ai bousillé mon plaisir d'être sur scène. J'étais stressée. Ma pire critique était celle que je me faisais à moi-même. Trop nerveuse pour vivre le moment présent ! Maudit moment présent ! je cours après tout le temps. Que je veux donc le vivre, ce moment présent ! Mais je pense toujours en retard à en jouir comme il le faudrait. Enfin, le temps et l'expérience viendront à bout de cette pression que je me mets inutilement sur les épaules. Mais à ces moments-là, j'avais le museau dedans pas à peu près.

Mais oublions mon autocritique, les critiques des vrais journalistes, dits culturels ou artistiques sont, elles, quasi unanimes : il faut aller voir mon spectacle.

La tournée qui s'ensuit est magique. Et cette promotion, aidée par les belles critiques récoltées partout, fait en sorte que j'ai maintenant beaucoup de dates à mon agenda. Après les spectacles, je vends des albums : je suis là, la sueur encore au front, essoufflée par l'effort de tout un spectacle d'émotions, pour signer chaque album vendu. Et je suis, à chaque fois, heureuse de voir ces gens qui me disent à quel point le spectacle leur a fait du bien. À quel point ils ont été dépaysés par les airs, les couleurs, les rythmes, les chansons et les histoires que je raconte.

C'est au cours de cette tournée que je décide d'offrir, mais uniquement en spectacle, une version « thalisée » d'une magnifique chanson de Dalida, *Histoire d'un amour*. Je l'avais retravaillée avec Michel Bruno et je l'ai présentée pour la première fois alors que j'étais en concert à Chicoutimi, au Saguenay. Je l'ai dit, c'est là que j'avais croisé Robert Charlebois : il était en spectacle la veille du mien. Il m'avait invitée d'ailleurs à assister à sa prestation, mais Patrick et moi étions allés souper en tête-à-tête à La Cage aux Sports de Chicoutimi, nous offrir un souper en regardant le match de hockey du Canadien. Cela faisait si longtemps que nous n'avions pas pu nous le permettre. Il nous fallait saisir notre chance... Eh oui, encore vivre le moment présent ! Excuse-nous, Robert.

Le lendemain, en montant sur scène, j'ai eu la magnifique surprise d'avoir en coulisse, juste en face de moi, un gigantesque poster de Dalida. Un signe... Elle m'a regardée tout le long du spectacle et m'offrait ainsi comme une bénédiction le privilège de chanter sa chanson. Je me sentais protégée. J'avais fait un bon choix : le public a répondu tout de suite, si fort que nous avons tous décidé de reprendre cette chanson sur disque, et donc de rentrer en studio pour l'enregistrer et l'annexer à l'album lors de la seconde impression. Très bonne décision ! La chanson fut un *single* radio, mon premier à finalement se faire accepter par les radios commerciales. Mon premier tube ! Yeah ! Je pouvais enfin m'entendre à la radio et mieux encore, j'ai entendu une femme faire une demande spéciale, en direct, et c'était ma chanson !

Je faisais de plus en plus de spectacles, mais sur chacun d'entre eux, un pourcentage des gains servait à rembourser la dette du spectacle de la rentrée médiatique. C'est que Patrick, Jean-Sylvain Bourdelais et moi-même étions tous coproducteurs du spectacle. Alors, quand on était « dans le trou » de 20 000 $ pour la section spectacles, il nous fallait tous (moi y compris) rembourser le montant de la dette. Les spectacles ne rapportaient pas autant que nous l'aurions souhaité, mais nous aidaient à gagner du terrain et à augmenter la notoriété de l'artiste. Dire que ces deux hommes-là en ont tellement fait et se sont sacrifiés sans jamais se poser de questions ! Juste parce qu'il fallait faire ce qu'il fallait pour que ma carrière avance. Merci, les gars !

Heureusement, une récompense n'a pas tardé à arriver : je reçois des nominations au gala de l'ADISQ 2006, pas moins de cinq nominations !

Album musique du monde de l'année : *De neige ou de sable*

Metteur en scène de l'année : Lynda Thalie, pour le spectacle *De neige ou de sable*

Scripteur de l'année : Lynda Thalie, pour le spectacle *De neige ou de sable*

Éclairagiste de l'année : Guy Chevrier, pour le spectacle *De neige ou de sable*

Technicien du son de l'année : Régis Thompson, pour le spectacle *De neige ou de sable*

Enfin, quand je dis « je reçois », les nominations, ça ne tombe pas du ciel. Ce sont Jean-Sylvain (producteur du spectacle) et Patrick qui ont rempli les papiers pour proposer mon nom au comité, ce sont aussi eux qui ont payé les frais s'y rattachant. Parce que, oui, il faut payer pour chacune des fois où l'on propose un nom pour une catégorie. Et ils l'ont fait pour beaucoup de catégories avant d'obtenir la victoire pour ces cinq-là. Et encore, même nominés, les artistes doivent payer les 175 $ du billet qui leur permet d'être présents au fameux gala. Sans oublier le fait que, rien que pour le luxe d'être membres de l'ADISQ, producteurs, agents, éditeurs, etc., doivent payer la rondelette somme de 1 500 $.

Les artistes payent, payent, payent. Paie par-ci, paie par-là !... Et parfois, une certaine colère les envahit. Bien sûr, on leur dit que leurs efforts ne seront pas perdus, que c'est un investissement pour leur carrière. Mais ils ont l'impression, à tort ou à raison, qu'ils ont beau se priver pour payer le gala, ils ne gagneront pas parce que ce sont toujours les mêmes prévisibles gagnants qui raflent tout.

Et ils se demandent si l'ADISQ n'est pas et n'a pas toujours été une histoire de « gang ». Le tout est d'y être déjà... ou d'y entrer !

Mais pourquoi est-ce que je le dis maintenant, dans ce livre ? Eh bien, parce que je m'en moque à présent. Nominations ou pas, je fais mon bout de chemin.

J'entends vos questions : y aurait-il du favoritisme ? Et tout le monde s'en doute ? Et personne ne dit rien ? N'est-ce pas frustrant ? La réponse à toutes ces questions est OUI ! Et encore OUI, OUI, OUI !

Oh ! ne vous méprenez pas : j'ai adoré être mise en nomination, j'ai adoré assister aux deux galas. Le premier, non retransmis par la télé, pour l'album musique du monde de l'année (qui a été remporté par Bïa, que j'aime beaucoup, mais qui n'était pas au pays à ce moment-là). Et le gala principal, où j'ai vu défiler les nominations, les gagnants et le manège habituel sans surprise. J'avais quand même un mince espoir que les choses soient différentes, pour une fois. Mais... non ! Rien à faire ! Enfin, j'avais une belle robe que j'avais achetée avec ma styliste Malia Morsly, qui avait été assez gentille pour m'encourager en me créant des looks pas trop chers, malgré son horaire chargé.

Mais je ne suis pas amère, juste déçue que les gens du métier ne reconnaissent pas plus le talent des artistes différents du Québec. Et il y en a beaucoup.

Allez, allez, le vent va tourner, le vent tourne toujours. Le vent tourne en ce moment, d'ailleurs... *Wind of Change*... Vous les entendez aussi, non, les Scorpions ?

Rideau Hall, tapis rouge et canons d'honneur

La gouverneure générale du Canada, Mme Michaëlle Jean, part en voyage officiel sur le continent africain. Elle fera cinq escales sur le sol africain et la première sera l'Algérie !

Et c'est à moi qu'elle a pensé pour l'accompagner. Je serai le pont entre les deux pays qui me sont si chers. Elle m'offre cette chance et cet honneur de revenir sur la terre de mes ancêtres par une plus grande porte encore que celle que j'avais empruntée lors de ma première tournée.

Nous sommes attendus, Patrick et moi, à Rideau Hall, à Ottawa, en ce beau mois de novembre. Mme Jean quitte le pays pour trois semaines et nous ne l'accompagnerons que pour l'escale à Alger. Le vol d'aller se fera avec Son Excellence, à bord de l'avion qui transportera aussi toute sa suite. Je suis tout excitée à l'idée. Patrick est nerveux comme jamais. En fait, tout ce qui est protocolaire le rend nerveux et on ne peut pas être plus dans le protocole que ça.

Alors, cocktail à Rideau Hall : tout va bien, on entre tous dans une grande salle pour le discours de la gouverneure. Nous l'écoutons tous attentivement en buvant littéralement ses paroles... Elle est sublime !

Soudain, Patrick se retourne vers moi, la détresse dans le regard. Ses lèvres murmurent un sacre : il a oublié nos billets d'avion de retour. Il est hors de lui ! C'est vrai que comme gaffe, c'est fort ! Ça va être la galère ! Entre Air France qui est en week-end le samedi et le dimanche et l'Algérie, en week-end le vendredi, comme tous les pays musulmans, ça va être les douze travaux d'Astérix, encore une fois. Et il n'est pas question de retourner à Montréal les chercher, puisque nous partons directement d'Ottawa, avec Mme Jean. Nous utilisons donc tous nos contacts possibles à Air France (dont Natalie, la femme de mon frère, qui travaillait à l'époque pour la compagnie) pour qu'un double nous soit envoyé au bureau chef de la division algérienne de la compagnie. Bonne chance !

Le voyage aller se déroule à merveille. Nous atterrissons à Alger. Tout le monde, à bord, se prépare pour la musique protocolaire. Je regarde par la fenêtre et vois toutes les rangées de militaires, de ministres et autres gens de l'entourage du président de la République algérienne, M. Bouteflika. Et non loin, quelques canons prêts à tirer une salve d'honneur pour la belle visite que nous sommes.

Je me retourne pour prévenir mes voisins derrière moi que des coups de canon vont retentir, mais à ce moment même, les canons se font entendre. L'avion tout entier en tremble.

Quelques minutes plus tard, nous sommes tous alignés sur la piste. Je suis la dernière en ligne, par l'effet du hasard... qui n'existe pas...

L'orchestre joue les deux hymnes nationaux, puis monsieur le président et madame la gouverneure générale avancent d'un bon pas pour les présentations. Je regarde tous ces haut gradés de l'armée en me disant que moi, fille de déserteur, je suis privilégiée de me retrouver ainsi face à eux : je reviens par la grande porte, et c'est pour moi un honneur. Probablement que le haut gradé qui avait voulu nous faire expulser de notre appartement, voilà quelques années, est là, lui aussi, au garde à vous, respectueux et silencieux. Quelle victoire !

Son Excellence présente au président algérien l'équipe qui l'accompagne et finit par... celle qui est en bout de ligne... moi ! Ils s'arrêtent tous deux devant moi longuement. C'est là que Mme Jean lance au président : « Monsieur le président, connaissez-vous ma Lynda Thalie ? » Je salue le président et souris à Madame. Nous échangeons quelques mots et puis voilà ! Je suis officiellement « sa Lynda Thalie ». Ce titre me suffit, je suis comblée.

La journée même, en après-midi, nous nous rendons tous avec le cortège de Son Excellence faire une visite hautement sécurisée de la vieille ville d'Alger, la Casbah.

La Casbah est un lieu exceptionnel. Construite à l'ancienne, sa structure s'effrite au fil du temps et au fil des secousses sismiques assez fréquentes au pays. On m'a même dit que ce petit bijou de quartier était devenu dangereux, que beaucoup des intégristes s'y cachaient. Qu'il valait mieux ne pas trop s'y aventurer. Mais pour une visite officielle, les services de sécurité sont tels qu'aucun endroit n'est dangereux.

Nous avons marché dans ces superbes ruelles étroites, uniques, tandis que les femmes, dans leurs maisons, faisaient des youyous. Et nous avons été suivis par les enfants de la Casbah qui, en voyant la gouverneure, criaient : « Chocolat, chocolat ! » Ils étaient si étonnés qu'elle soit noire. Une femme noire à la tête du Canada ! Les petites filles m'arrêtaient pour me demander si c'était vrai, si c'était possible... Quel moment, mais quel moment !

Plus tard, une soirée spéciale avait été organisée par mon ami l'ambassadeur Peck et son épouse, Maria, à l'ambassade même. Une tente bédouine avait été érigée dans les jardins, on y servait des bouchées algériennes et du thé à la menthe.

Je devais chanter deux chansons durant la soirée. En attendant que Son Excellence arrive, une chambre avait été mise à ma disposition pour que je puisse me reposer et me changer. Et là, brusquement, tout est remonté à la surface. Dans cette chambre, je me suis mise à pleurer sans pouvoir m'arrêter. Mais où se cachaient donc toutes ces larmes ?

À chaque répit, j'essayais de redescendre pour retrouver les convives. Mais les larmes revenaient aussitôt et je retournais vite dans la chambre. Patrick comprenait ce qui se passait et essayait de me consoler...

Il y a quelques années, en effet, j'étais à l'extérieur des portes de cette même ambassade. Nous voulions y demander l'asile. Et ce jour-là, je chantais dans l'enceinte même de l'ambassade et j'y avais même une chambre à ma disposition... La vie est bonne. Mon compte en banque a beau ne pas être garni, mon cœur est plein, lui.

À l'arrivée de la gouverneure, je chante deux chansons, comme prévu. Ce qui ne manque pas d'amener encore une fois les larmes aux yeux de Madame. Elle me demande de lui rechanter à nouveau l'*Hymne à la beauté du monde* comme je l'avais fait lors de son assermentation, au parlement, à Ottawa. Je le fais avec bonheur. Combien j'adore cette femme !

Le lendemain, une grande soirée est organisée par l'ambassade du Canada en l'honneur de la visite de Mme Jean. J'y chanterai mon succès *Alger, Alger,* qui tourne beaucoup sur les ondes radio du pays. Mais avant, pour ouvrir la soirée, je suis chargée de chanter *a capella* les deux hymnes nationaux.

J'ai beaucoup répété, mais je suis très stressée, jamais je n'ai connu pareil stress. Ma robe va exploser tant ma respiration est rapide. Le moment venu, Patrick fait tout pour que je me calme, mais il voit bien que ça ne marche pas ; il n'arrive à rien, tous ses efforts restent vains. Finalement, il me donne un petit bisou sur la joue et me lance son classique mot d'encouragement : « *You're the best, babe !* »

Je suis sur la scène. Les dignitaires, les gens d'affaires, Mme Jean et son entourage, tout le monde est là, à me regarder.

Je chante l'hymne algérien... Fiou ! tout baigne ! Maintenant, la partie facile, l'hymne canadien :

Ô Canada ! Terre de nos aïeux,
Ton front est ceint de fleurons glorieux !

Car ton bras sait porter l'épée,
Il sait porter la croix !

Ton histoire est une épopée
Des plus brillants exploits...

Et là, brusquement, j'ai un trou de mémoire. Je regardais chanter le monsieur qui était en face de moi, et j'ai un trou de mémoire. Et que pensez-vous que j'aie dit à tous ces gens catastrophés qui me regardaient... OUPS, j'ai dit OUPS ! S'il te plaît, terre de mes racines, ouvre-toi que je puisse me cacher sous ta surface. Misère !

La gouverneure se met à murmurer les paroles en anglais, que je connais très bien en temps normal, mais qui là m'échappaient. Et je continue mon tour de chant... glorieux...

God keep our land glorious and free !
O Canada, we stand on guard for thee.

O Canada, we stand on guard for thee.

Oh non, je voudrais mourir... Patrick est rouge comme une pomme grenade, comme une grenade qui va exploser. Il me faut tout le courage du monde pour remonter chanter *Alger, Alger* sur scène. Mais je le fais et tout le monde a dansé, la gouverneure y compris. Les gens ont vite oublié ma gaffe, mais pas moi. J'y pense encore certaines nuits. Et entendre le mot « hymne » me fait grincer des dents. Je n'en reviens pas d'avoir osé raconter tout ça. Mais allez, j'en parle et je guéris.

J'ai eu la chance pendant ce voyage-là de retrouver ma tante paternelle, Wardia. Une beauté ! Elle aussi, comme ma tante Moumou, s'était occupée de moi quand j'étais petite. Elle est venue me retrouver à l'hôtel, prendre un café et me serrer dans ses bras. Elle m'a aussi remis une pièce en or, un louis d'or qui appartenait à mon arrière-grand-mère. Elle me l'a remise en me disant qu'elle me revenait : un geste qui m'a beaucoup touchée. Ma chère Wardia, quelle bonté !

Quant au louis d'or, je compte l'utiliser bien vite. Il sera mon porte-bonheur.

Sur scène extérieure, au Festival d'été de Québec.

Dans mon élément, la scène.

En spectacle, quand la lumière et la musique nous entourent. Un bonheur.
De gauche à droite : Michel Bruno, moi-même, Sylvain Bertrand et
Luc Catellier.

Avec mon amoureux,
juste avant la promenade
en bateau sur le canal
longeant le vieux Dubaï,
en février 2007. Quelle
chance de vivre tout
cela ensemble !

En tournée à Calgary, dans l'Ouest canadien. Michel, Patrick et moi. Derrière, les Rocheuses.

À l'émission *Belle et Bum*, avec la belle Mélissa Lavergne à la derbouka.

Chapitre 16
Henné et burnous

J'avais entendu dire que l'année 2006, l'année du chien dans le calendrier chinois, serait propice aux unions d'affaires et aux mariages. J'avais vu aussi à la télévision des couples, par centaines, célébrer leur mariage dans des stades pour que leur union soit pleine de bonne fortune. Alors j'ai décidé que le moment était venu, pour Patrick et moi, de nous faire une cérémonie du henné pour officialiser notre union. Et le 16 décembre 2006, se déroula la plus jolie des *hennas* qui soient.

Ma mère nous a reçus tous dans la demeure qu'elle partageait avec son conjoint (il nous a quittés aujourd'hui, mais tu resteras toujours dans nos cœurs, cher ami). Il y avait tout plein d'amis, mes beaux-parents, mes cousins, James (le petit garçon de Patrick), Jean-Sylvain et sa douce, ma tante Moumou et son amoureux Pierre. Malheureusement, mes musiciens avaient tous des contrats importants ce soir-là, mais ils étaient avec nous par la pensée.

Le repas fut le traditionnel couscous blanc de ma mère. Ma tante Moumou avait bien sûr mis la main à la pâte.

Je portais un vêtement traditionnel, le fameux burnous blanc que m'avait offert le maire d'Oran, lors de ma première tournée en Algérie. Patrick, quant à lui, avait un burnous pour homme sur le dos. Il était si beau !

Mes beaux-parents avaient eux aussi accepté de prendre part à la tradition. Alors que les amis autour (du moins ceux et celles qui connaissaient les paroles en arabe) chantaient les mélodies traditionnelles, ma mère et ma belle-mère nous mettaient, à Patrick et à moi-même, du henné mélangé à de l'eau de fleurs d'oranger dans la paume de la main. Puis ma belle-maman déposa dans ma main un louis d'or, pour la bonne fortune. Le louis d'or que ma tante Wardia m'avait remis le mois précédent.

À ce moment-là, je ne le savais pas, mais ma famille en Algérie écoutait la cérémonie via un téléphone portable placé à côté de moi. J'ai été particulièrement émue d'entendre, par la suite, mes cousines m'adresser leurs félicitations. Ils avaient tous veillé là-bas jusqu'à quatre heures du matin (décalage horaire oblige) pour vivre ce moment avec nous.

Nous nous sommes envolés vers Cuba deux jours plus tard, pour deux semaines d'amour. Nous avions décidé finalement d'avoir un enfant. Allez, bonne fortune ! allez, mon louis d'or !... Faites opérer votre magie !

Il faut dire que, deux mois auparavant, j'étais allée voir une médium dans Charlevoix pour avoir quelques éclaircissements sur le chemin à prendre. Une dame exceptionnelle qui voyait bien plus que ce qu'elle pouvait révéler. Elle m'avait aidée en m'expliquant quelques pressentiments qui m'habitaient depuis longtemps. Le premier, très important, était que j'avais l'impression que ma carrière n'allait éclore que lorsque j'aurais un enfant. Elle m'a confirmé la justesse de mes sentiments en me demandant ce que j'attendais pour avoir un enfant. Elle ajoutait que mon enfant était déjà là, prêt à naître et qu'il n'attendait que moi pour l'accepter. Moi qui ai toujours rêvé d'avoir des enfants, je n'en revenais pas d'apprendre que je résistais malgré moi. En fait, nous n'avions pas encore pris la décision, Patrick et moi, alors ce n'était pas comme si je ne voulais pas : nous n'avions tout simplement pas encore choisi le moment !

Quand j'ai eu confirmé à la médium que je voulais, plus que tout, avoir un enfant, elle m'a répondu qu'elle en voyait même deux. Deux ? « Patrick n'accepterait jamais de faire deux enfants, lui ai-je lancé, c'est à peine s'il en veut un ! »

Elle m'a répondu : « N'empêche que j'en vois deux ! »

De cette séance, je ne garde alors en tête que la « bénédiction » d'avoir un bébé. Je cours en discuter avec mon amour qui saute à pieds joints dans l'aventure d'un enfant avec moi, un mélange de lui et moi. Comme dans la chanson *Joue pas* de François Feldman.

2007 – I Got the *Music in Me*

Je pars en tournée trois semaines dans cinq pays : Dubaï, dans les Émirats arabes unis, Amman, en Jordanie, Tunis, Alger et Paris. Entre février et mars. Oh ! mais ça ne s'est pas fait par magie, pas du tout.

Pendant des mois, nuit et jour, vraiment nuit (à cause du décalage horaire entre six et neuf heures, selon les endroits) et jour, Patrick aura travaillé dans le secret de son bureau à monter cette tournée qui m'aurait été impensable. En fait, je lui avais dit à maintes reprises que j'aimerais aller à Dubaï voir de mes yeux les extravagances de cette ville et la folie des grandeurs des hommes. Comme c'était pour lui un défi, il s'arrangea pour concrétiser la chose.

Avec l'aide de l'ambassadeur Peck, le lien s'est fait facilement avec la Tunisie, et mon spectacle s'est inscrit dans le cadre de la célébration du quarantième anniversaire des relations canado-tunisiennes. Celui d'Alger était un incontournable... Penser passer à Tunis et pas à Alger, ce n'était tout simplement pas possible !

Pour Dubaï et Amman, je me suis associée avec un organisme du nom de Music in Me, dont la noble mission consiste à donner une instruction musicale aux enfants du Moyen-Orient qui ne connaissent que pauvreté, conflits et guerres. Les spectacles présentés aux Émirats et en Jordanie servaient à amasser des fonds pour ces écoles du Moyen-Orient. J'étais vraiment prise d'un grand sentiment de bien-être en pensant à ces enfants, surtout ceux et celles des territoires occupés, qui pouvaient enfin trouver un exutoire artistique pour exprimer leurs tracas, leurs craintes, leur vie.

Le fondateur de l'organisme, M. Frans Wolfkamp, me parlait de cette troupe de jeunes musiciens israéliens et palestiniens qui faisaient de la musique ensemble en toute harmonie, c'est le cas de le dire. Comme cette image me consolait. Plus encore, elle me redonnait foi en une paix au Proche-Orient. Cette foi est encore mise à rude épreuve, mais à ce moment-là, je me disais que si je pouvais y participer, ce serait tant mieux.

Nous étions censés aller à Damas en Syrie lors de cette tournée, mais de mauvaises surprises ont fait que cette destination a été annulée. Dommage, une école de Music in Me s'y trouvait et j'aurais vraiment aimé y voir les enfants de mes propres yeux.

Jean-Sylvain était, en tant que producteur de spectacles, un des joueurs majeurs dans la concrétisation de la tournée. Patrick et lui ont colmaté plein de failles qui auraient pu faire échouer cette tournée. Une chance qu'ils étaient là et qu'ils sont tous deux « *workaholic* ».

Le jour de notre départ pour cette incroyable expédition, nous étions tous très fébriles, mais cette fois, nous avions notre technicien du son avec nous. Plus jamais nous n'allions dépendre des techniciens locaux dans des pays étrangers. Et c'est ainsi que nous sommes partis, François Taillefer, alias « la pieuvre » (mon incomparable et remarquable percussionniste depuis le tout début de ma carrière), le discret mais très drôle Alex Ouellet (bassiste), Michel Bruno (chef artistique et guitariste), Hugues Bourque (technicien du son), Patrick Cameron (directeur de tournée et amoureux) et moi-même, pour le Moyen-Orient.

Dubaï

Dubaï n'est semblable à nul autre coin du globe. Tout y est fait pour impressionner, pour couper le souffle. Il n'y a, à mon avis, qu'une seule grande artère entourant des gratte-ciel qui feraient pâlir de jalousie les vieilles bâtisses new-yorkaises.

Comme à l'accoutumée, je suis nerveuse pour mon spectacle, surtout que je n'ai pas eu le temps de me remettre des neuf heures de décalage. Ma première prestation a lieu à peine quarante heures après l'atterrissage. Je dois d'abord aller en ville pour quelques entrevues à la radio. Tout roule toujours trop vite! Mais nous pouvons quand même prendre quelques minutes, au soleil couchant, pour faire une visite en bateau sur le canal et aller découvrir le paysage incroyable du vieux Dubaï et l'ensemble impressionnant des immeubles hypermodernes de la nouvelle ville.

Dans cette ville, tout n'est que contrastes. La cité est bâtie sur les dunes et on y retrouve moult fontaines et rivières artificielles bordant des hôtels de luxe. Le sable est partout, même dans la couleur du ciel, mais il nous est possible de faire du ski à notre hôtel, puisqu'on y a aménagé un complexe avec plusieurs pistes, remonte-pente, etc. De la folie! L'hôtel, qui nous commanditait pour l'occasion, m'offrait la suite présidentielle avec petit hammam perso! Le luxe!

La ville était un chantier de construction, mais jamais on n'entendait le moindre coup de marteau. Le seul côté amer de la chose était que je savais que les travailleurs « importés » de l'Inde ou d'autres pays voisins n'avaient pour ainsi dire pas de droits et vivaient dans la pauvreté et l'insalubrité. On leur retire leur passeport sur les chantiers de construction et ils sont coincés là, à trimer comme des esclaves des temps modernes, pour pouvoir envoyer leurs maigres gains à leurs familles. Triste à mort! Et justement, quelques-uns y trouvent la mort chaque année. Il n'y a pas de CSST, là-bas. Sur le dos de qui s'enrichissent les riches?

La veille du spectacle, tard le soir (décalage oblige), entrevue avec ma fidèle Monique Giroux, en direct de Montréal. Je ne parle pas des contrastes évoqués plus haut: ça ne sert à rien de déprimer le monde à distance.

Vient le premier spectacle de la tournée, et c'est le succès! Nous sommes fiers comme tout et allons célébrer brièvement au resto de notre hôtel avec le fondateur de l'organisme Music in Me.

Le lendemain, départ pour la Jordanie avec escale à Doha, au Qatar. Toutes ces destinations vues du ciel sont à tomber à genoux. En décollant de Dubaï, nous avons une vue imprenable sur l'une des fameuses îles aux palmiers gigantesques. Mais aussi sur l'ensemble d'îles qui dessine une carte du monde. Impressionnant ! Ils sont fous, ces gens-là... Un tsunami et tout ça, c'est fini ! Il suffirait que le niveau de la mer s'élève d'un demi-centimètre pour que les îles soient englouties. Ils ne jouent vraiment pas la sécurité, avec le réchauffement planétaire qui menace. Enfin, l'histoire nous le dira !

Amman

Nous sommes en Jordanie pour un séjour de cinq jours et deux spectacles. Coup de foudre instantané ! Coup de cœur immédiat pour la ville, vieille de huit mille cinq cents ans. Couleur sable... aridité... chaleur des gens. Je suis en amour avec les paysages. Mais attends, ma vieille, tu n'as encore rien vu !

Le directeur de l'hôtel Grand Hyatt nous accueille à bras ouverts. Nous aurons ici le plus agréable séjour qui soit. L'hôtel est relié à la grande salle de spectacles où nous nous produirons. Génial !

Nous commençons par le travail, les loisirs suivront. Nous arrangeons tout ce qu'il faut pour le spectacle, je fais quelques entrevues, etc.

Patrick avait fait la connaissance, via Internet, d'un musicien jordanien du nom de Shadi. Ce dernier est venu nous rejoindre à l'hôtel dès le premier jour. Il est devenu notre ami à tous et notre guide pour les cinq jours.

Nous profitons du grand luxe de pouvoir nous détendre dans le chic hammam de l'hôtel, et de nous restaurer à ses tables fabuleuses. Et les gens qui y travaillent sont des plus attentionnés et des plus gentils que j'aie connus de ma vie. J'ai l'impression d'être une une princesse.

Nous avons quelques jours avant les spectacles, alors nous en profitons pour nous promener avec Shadi et voir tout ce qu'il y a à voir. Nous visitons la basse ville, mangeons dans les bouibouis avec les habitants, allons prendre un café turc et fumer de la chicha. Nous faisons une expédition d'une journée pour aller visiter la magnifique ville de Pétra, qui est considérée, aujourd'hui, comme une des sept merveilles du monde. Toute une ville taillée dans le roc dont la couleur varie du beige au rose ! On l'appelle la « ville rose », d'ailleurs. On ne peut y accéder que par un long et étroit sentier dans la montagne. Au bout de ce sentier, on découvre la plus majestueuse des façades, taillée à même la montagne... On se sent comme Indiana Jones !

Nous avons fait l'ascension vertigineuse d'une des montagnes pour être accueillis à son sommet par deux jeunes Bédouines qui nous avaient guidés avec des chants bédouins et nous ont offert, pour nous récompenser de notre effort, un thé à la sauge. Nous étions tout en haut, comme au sommet du monde, au « lieu des sacrifices », et nous ne pouvions plus rien dire. Merci la vie ! Je passe ma commande tout de suite : j'aimerais y présenter un spectacle... oui, dans Pétra ! C'est faisable, dans l'agora centrale, avec des centaines de chandelles tout autour.

Le lendemain, nous nous rendions dans l'un des lieux les plus incroyables qui soient. La mer Morte. Il ne s'y passe vraiment pas grand-chose... Il y règne une atmosphère... On y sent une lumière... Inexplicable ! Il n'y avait pas beaucoup de monde : en février, il fait bien trop froid pour nager. Mais nous l'avons fait quand même. Enfin, nager est un bien grand mot. On ne nage pas dans la mer Morte, on y flotte. À cause du degré élevé de salaison de l'eau, on flotte comme des bouchons de liège. Et si, par malheur, on recevait une goutte d'eau salée dans l'œil ? Ouille ! Nous nous sommes recouverts de boue prise sur la plage (il y en a qui paieraient cher pour ça), puis nous sommes retournés flotter.

J'ai lancé un dernier regard de l'autre côté de la mer... La Palestine... Israël... J'ai fermé les yeux pour une prière : que la paix soit un jour en ce lieu! Puis je suis partie, sans me retourner, comme à la fontaine de Trévi, pour que mon vœu se réalise.

Les deux spectacles se sont déroulés à merveille. Comme il n'y a pas souvent d'artistes qui se déplacent pour offrir des spectacles à Amman, certains ressortissants américains et canadiens sont même venus depuis Bagdad, en Irak. J'étais touchée, touchée au cœur. Je chantais sachant que sur cette terre si riche et si vibrante de vie, les crimes d'honneur sont encore tolérés. Alors je chantais pour les victimes, les anciennes et les futures... jusqu'à ce que le monde se réveille.

Départ pour la troisième escale, Tunis. Mais mauvaise surprise à l'aéroport d'Amman : Jordanian Airlines n'accepte qu'un bagage de vingt kilos par personne. Nous allons devoir payer tout l'excédent. Nous l'avons déjà fait à partir de Dubaï, mais les montants devenaient énormes, quelque mille cinq cents euros, soit un peu plus de deux mille dollars. Patrick et moi avons tout fait pour ne pas avoir à payer ces frais : nous venions offrir des spectacles pour ramasser de l'argent pour des enfants et nous étions sponsorisés de bout en bout! Ouais, bon, je me résigne, mais ne peux empêcher mes larmes de couler.

Tunis

Nous sommes accueillis dès l'aéroport par l'attaché culturel de l'ambassade du Canada, bouquet de fleurs à la main. Le séjour ne durera que trois jours, mais tout se passe à vive allure. Pas possible de faire un enfant dans ce tumulte. Je suis un peu déçue de ne pas être enceinte tout de suite, mais c'est un mal pour un bien.

Le soir même de mon arrivée, une soirée est donnée en mon honneur à la résidence même de l'ambassadeur, Bruno Picard. Nous nous étions déjà rencontrés lors de mon passage à Alger avec la gouverneure générale, quelques mois plus tôt. Un homme charmant, droit et simple. Il nous fait rencontrer plein de personnes intéressantes.

Entre les entrevues et les préparatifs du concert au grandiose Théâtre municipal de Tunis, je sens peser sur moi l'effet du train de la tournée. À force d'ignorer le décalage horaire, de courir pour des visites à chaque occasion qui se présente et de me donner sur scène comme si c'était la dernière fois, je finis par me vider un peu de mon énergie. Mais j'aurai largement le temps de me reposer quand je serai poussière.

En attendant, embarquement immédiat en direction d'une perle de petit village tunisien, Sidi Bou Saïd. Un village pittoresque, tout de blanc et de bleu, surplombant la Méditerranée et la beauté de la ville romaine de Carthage. Oh ! une maison à Sidi Bou Saïd, faites qu'un jour, je puisse vivre un ou deux étés à Sidi Bou Saïd ! Je me promène dans le Théâtre antique de Carthage, en m'imaginant y chanter un jour prochain... Allez, la vie, tu m'arranges ça aussi ? J'inscris ça dans ma liste de choses à faire.

Le Théâtre municipal de Tunis est plein à craquer. Les gens sont heureux de nous recevoir et de nous voir sur cette scène. Et moi, je suis heureuse d'être, encore une fois, un lien entre deux pays amis, la Tunisie et le Canada. Les Tunisiens sont vraiment de bons vivants et se laissent aller à la danse et au *fun* facilement. J'apprécie grandement ce concert, je m'amuse et je suis bien.

Entrevues avant, entrevues après le concert, et le lendemain, départ pour Alger. J'ai entre les mains des coupures de journaux jordaniens et tunisiens. Les critiques de mon spectacle *De neige ou de sable* sont élogieuses. Qui aurait dit que je verrais ça un jour, mon nom et ma photo dans le *Jordan Times* ?

Alger

Je ne pourrais même pas vous dire à quel hôtel je logeais. J'étais sans cesse dans la voiture, en route vers telle ou telle entrevue, télé, radio... De la folie furieuse ! La promotion, qui n'avait pas dérougi ces deux dernières années, ne me laissait guère le temps de souffler ni de me retrouver avec mon équipe et mon amoureux. En fait, je les ai seulement retrouvés juste avant le spectacle, à la salle Ibn-Zeydoun, une grande salle située dans un complexe commercial appelé Riadh El Feth. C'était, à l'origine, un centre des arts, mais commerce oblige et commerce avant tout. Les boutiques et les pizzerias s'y étaient multipliées. Riadh El Feth, c'est aussi cette immense structure en béton qui surplombe la baie d'Alger et qu'on appelle le Monument aux martyrs. Bâti par Lavalin dans les années 80, il est l'emblème d'Alger et la structure nationale la plus reconnue au pays.

Moi aussi, je me sentais énorme ! En quelques jours de tournée et de nourriture dans des grands restaurants, nous avions tous pris quelques kilos. Je me suis mise à un semblant de régime pour le reste de la tournée. J'ai participé à une émission de télévision algérienne qui est un peu l'équivalent d'un *Tout le monde en parle* local. Cote d'écoute de l'émission... environ dix millions de téléspectateurs, pas mal, non ? C'est là que je me rends compte de l'étendue de l'arabisation du pays. Je ne suis plus habituée à parler l'arabe classique, alors, même si je comprenais les questions, je répondais en français. Ce qui ne manquait pas de titiller les présentateurs et celui qui était l'équivalent du « fou du roi ». Mais je m'en moquais, il n'avait qu'à aller jongler si ça ne lui plaisait pas. J'ai joué ma partie, j'ai fait mes entrevues avec un brin d'humour, et d'intelligence, j'espère... LOL. Et je suis allée donner mon spectacle. Et quel spectacle !

Je vous avouerai que je ne m'attendais vraiment pas à un tel accueil. Il y avait tant de gens dans la salle que même les escaliers étaient occupés. Il n'y avait plus une seule place libre à l'intérieur, alors les gens cognaient aux portes pour qu'on les laisse entrer. On en a refusé près de trois cent cinquante. Du délire !

Pendant le spectacle, alors que je chantais la pièce *Collier de jasmin*, ma petite cousine paternelle est montée sur scène me mettre un collier de fleurs autour du cou. J'en avais les larmes aux yeux. Et ce soir-là, le collier de fleurs a passé la nuit sous mon oreiller.

Après le spectacle, la signature de disques habituelle s'est transformée en course à obstacles. Mon technicien, Hugues, un grand gaillard de stature impressionnante, a dû s'improviser garde du corps tant il y avait du monde autour de moi. On m'appelait de tous les côtés, c'était étourdissant. Je dois avoir une photo de ce moment. Je me sentais comme Elvis, et me disais que ma carrière était vraiment lancée, ici, en tout cas.

Retour à l'hôtel, on célèbre un peu et le lendemain, départ pour Paris, dernier spectacle de la tournée.

Dans les rues de Paris...

Aucune ville au monde n'est comme Paris. Je suis heureuse d'y revenir, dans cette ville vibrante, énergisante, électrisante. Mais je suis tout aussi heureuse de la quitter quand vient le temps de rentrer à la maison. Je ne peux y vivre, en effet, que de courtes périodes. Il y règne une certaine tristesse et parfois, j'ai l'impression d'y entendre, à peine mais c'est là quand même, des lamentations. J'y sens comme de la colère et de la peine entre les briques. C'est assez lourd.

Mon spectacle a lieu au Centre culturel canadien ; c'est tout petit, mais quelle localisation incroyable. En pleine place des Invalides, de toute beauté ! On est loin, très loin même, du luxe exotique de Dubaï et d'Amman, loin de la grâce de Tunis et de la chaleur d'Alger, mais ici, la minuscule et bruyante chambre d'hôtel donne sur la tour Eiffel. Ça vaut le luxe d'un cinq étoiles... ou peut-être celui d'un quatre étoiles. Tout se déroule dans les temps et dans le confort. L'installation du matériel, les tests de son, les promenades... Pour une fois, mon passage à Paris se fait dans le calme. On m'avait prévenue que pour un premier passage à Paris (du moins, en spectacle), il ne fallait pas que je m'attende à ce que la « foule » de spectateurs soit en délire. Alors, inconsciemment, je m'étais donné comme mission de les faire se lever et danser... et délirer. Et j'ai réussi ! Je me suis sentie très fière, après le spectacle, quand les gens sont venus me voir pour me dire qu'ils n'avaient jamais vu autant de personnes danser et se laisser aller, dans ces lieux. C'était donc, une fois de plus, mission accomplie.

Plus tard, nous nous retrouvons, Patrick et moi, la veille de la Saint-Valentin, assis sur un banc, juste en dessous de la tour Eiffel, toute scintillante. Nous nous embrassons en pensant à notre projet secret : l'enfant que nous aurons ensemble un jour.

J'ai les mains gelées, le nez qui coule, mais le cœur qui bat à cent milles à l'heure de bonheur.

Demain nous rentrons chez nous, puis je décollerai seule avec Michel Bruno, deux semaines plus tard, vers Mexico, où je représenterai le Québec à la Quinzaine de la Francophonie. Patrick restera à la maison, il doit rattraper le retard qu'il aura pris à son bureau à cause de notre tournée de trois semaines.

Mais avant Mexico, je me retrouve en spectacle à la Cinquième Salle de la Place des Arts. Je sens mon corps se fatiguer un peu de ce rythme effréné, mais je suis heureuse de pouvoir faire tout ce que je fais, voir tout ce que je vois et vivre tout plein de belles choses.

Mon moral, par contre, prend un dur coup lors d'une réunion avec les membres de mon équipe. Patrick, Jean-Sylvain Bourdelais, Nick Carbone, Béata Ginel (promotion) et moi-même nous réunissons pour discuter stratégies, directions, etc. Comme je suis très impliquée dans toutes les prises de décisions et le développement d'idées, je participe aux réunions. Ce jour-là, les arguments les plus simples tournent à l'affrontement. Nick, je crois, était frustré du manque de résultats tangibles dans les ventes d'albums et de la difficulté à percer dans les radios. Même après un *single, Histoire d'un amour*, qui avait marché, rien n'était gagné et le *single* suivant ne passait pas à la radio. Il fallait tout recommencer à zéro, tout reprendre depuis le début.

Nick est un homme passionné et parfois cette passion tourne au vinaigre. Il se met à tout prendre personnellement. Il n'accepte pas l'échec ou tout ce qui peut l'en rapprocher. Il lui faut alors trouver un coupable, celui qui fait que ça ne marche pas. C'est frustrant, et Nick, quand il est frustré, parle plus fort, la tension monte et puis voilà, une fissure se crée dans le lien qu'il y a entre nous. Et pour moi, quand il y a fissure, c'est déjà trop tard. Je le regarde parler et je sais qu'entre nous, ce n'est plus qu'une question de temps, mais que c'est fini.

Je n'ai reparlé à Nick qu'un an plus tard.

Juste pour que vous le sachiez et que vous vous situiez dans le temps et l'espace, encore une fois : j'écris ces lignes à partir de ma loge située dans une énorme tente installée sur les dunes. Il est vingt-trois heures, et dans quelques instants, je monterai sur la scène extérieure pour chanter. En arrière de moi, il y aura... Les pyramides de Gizeh éclairées de mille feux. Je suis allée marcher sur les dunes avec Patrick. Seuls, à admirer les merveilles du monde éclairées dans la nuit noire... Les mots pour des moments comme celui-là devraient exister. Je n'en connais aucun d'assez fort.

Mexico

Mon court passage dans cette ville de plus de vingt millions d'habitants, située à plus de deux mille cinq cents mètres d'altitude, m'aura ravigotée au plus haut point. Malgré tout mon amour pour mon *chum*, ce voyage tombait à point : j'avais besoin de me retrouver un peu seule. Nous travaillions, vivions, voyagions ensemble depuis des années maintenant. Un peu de solitude ne pourrait que me reconnecter avec moi-même.

Je suis heureuse de retrouver là un vieil ami de Patrick qui nous reçoit, Michel et moi, royalement. Il s'appelle Rachid, et avec lui, nous découvrons tout ce qu'il y a à découvrir. La *sangrita*, les flans dans la rue, les ruines, la grande basilique au centre-ville... Nous avons tant marché que j'en étais tout essoufflée. En fait, ce n'est pas seulement à cause de la marche : l'altitude frappe de plein fouet tous les visiteurs de la ville. L'oxygène étant plus rare à deux mille cinq cents mètres, je ne pouvais monter un étage sans reprendre mon souffle. Il fallait me voir, en spectacle, me tourner vers l'arrière-scène pour reprendre mon souffle. Hilarant !

C'est avec une joie immense que j'ai appris à quel point le français était en vogue, là-bas. Il était, paraît-il, considéré comme chic de parler notre langue. Les gens se déplaçaient donc pour nos spectacles, heureux d'avoir la chance de rencontrer des artistes parlant et chantant en français.

Je suis rentrée à Montréal la tête pleine de saveurs et de rythmes latins. Mes tournées de l'année étaient presque finies. Il me restait encore quelques dates importantes dans mon agenda, notamment une prestation (devant plus de cent mille personnes) durant le Festival de jazz de Montréal, en duo avec le célèbre Rachid Taha, et une participation au grand spectacle d'ouverture des FrancoFolies de Montréal (mis en scène par... Pierre Boileau). Il me fallait maintenant enclencher sérieusement la création de mon troisième album. Et puis, j'espérais pouvoir bientôt inscrire dans mon agenda une date de naissance pour mon premier enfant. Seigneur, faites que je sois enceinte vite, sinon les plans vont devoir changer !

Chapitre 17

Prière pour deux anges

C'est quand j'ai cessé de m'accrocher à l'idée d'une possible grossesse que je suis tombée enceinte. Pas tombée, on ne « tombe » pas, je n'aime décidément pas cette expression, je dirais plutôt que je me suis « élevée » enceinte. Je l'ai appris un samedi matin. Je m'en doutais depuis quelques jours. Ce samedi-là, mon test me le confirmait (un des deux tests que j'avais faits : un seul ne me suffisait pas), j'allais être maman. Patrick était fou de joie. Mais nous avons décidé de garder le secret le temps de nous assurer que tout allait bien. En fait, nous étions à la fin du mois d'avril et nous avons décidé de l'annoncer à ma tante Moumou le jour de son anniversaire que nous avions prévu de célébrer tous ensemble à Québec. Nous ferions ainsi, en même temps, la surprise à ma mère, et les parents de Patrick l'apprendraient, à leur tour, peu après.

James, qui souhaitait avoir un frère ou une sœur depuis des années, l'a su avant même que nous ne le lui apprenions. Le petit coquin avait trouvé mon deuxième test de grossesse dans la salle de bains et m'avait surprise, avant de partir pour l'école, en me lançant, le test en main : « Lynda, t'es-tu enceinte ? Vas-tu avoir un bébé ? » Devant ma réponse positive, il s'est mis à pleurer, et moi aussi.

Tout le monde reçut avec joie cette bonne nouvelle. Jean-Sylvain a été le premier à m'embrasser le ventre en me souhaitant tout le bonheur possible. Ma mère, elle, avait tant prié pour que je lui donne bientôt un petit-enfant ! Mon frère l'avait déjà faite grand-mère d'un petit garçon et sa femme en attendait un deuxième. Mais là, ce serait sa petite fille qui attendrait à son tour un enfant et elle était très impatiente. Ma tante Moumou s'est mise à crier en plein restaurant quand elle a appris la nouvelle. Quelle joie d'annoncer une pareille nouvelle !

Mes premiers mois de grossesse se sont déroulés sous le signe de la fatigue, de la création de nouvelles chansons en vue de mon troisième album et de l'insécurité. Nous n'avions à nouveau plus de contrat de disque et Patrick était à la recherche d'un coproducteur pour financer la production de l'album.

Quant à moi, mon cerveau, mon corps, mon âme, tout mon être était passé en mode BÉBÉ. C'était là le rêve de ma vie, le vrai. Le but de mon existence : être une bonne maman. J'allais tout faire pour que mes enfants soient heureux. Oui, je dis mes enfants car dans mon cœur, j'avais le sentiment d'attendre deux bébés et non pas un seul. Je me suis toujours vue avec deux enfants, un garçon et une fille. Et comme ma carrière ne me permettait qu'une seule grossesse, je priais tout le temps, Dieu, que j'ai prié ! Et chaque jour, matin et soir, je parlais à mes futurs enfants. Je leur ai tout dit, tout ce qui m'animait, tout l'amour que je leur portais déjà.

Je leur disais : « Mes petits anges, je ne suis pas parfaite et je ne vous promettrai pas de ne pas faire d'erreurs. Mais je vous promets que je vais vous aimer plus que tout au monde. Et si vous venez à deux, si vous me choisissez comme mère, nous aurons une bonne vie ensemble, nous vivrons plein d'aventures ensemble et je ferai toujours de mon mieux pour que vous soyez des êtres bons, épanouis, heureux et accomplis. Je vous promets de faire de mon mieux ! Toujours. » Chaque jour, je leur parlais, et j'avais vraiment l'impression d'être entendue. En fait, dans mes rêves, je voyais deux bébés, un garçon et une fille, dans différentes situations. Et ces bébés étaient les miens, je le savais.

Mes nausées m'empêchaient de manger et les seules choses qui passaient sans me mettre le cœur à l'envers étaient les soupes aigres-douces asiatiques, les tartares de poisson et de viande et le yogourt Activia. Et pour faire descendre tout ça, du jus d'oranges fraîchement pressées (chaque jour), et du 7Up, beaucoup de 7Up, des caisses de 7Up ! Interdiction pour Patrick de revenir de l'épicerie sans avoir en mains quelques 7Up !

Au bout de quelques semaines, nous sommes allés chez mon médecin pour écouter le cœur du bébé. Le petit James était avec nous pour l'occasion. J'avais partagé avec lui mon sentiment secret d'avoir des jumeaux, mais pas avec Patrick, car j'avais un peu peur de sa réaction.

Le médecin nous fait écouter le cœur du bébé et puis... fini. J'ose lui demander s'il entend un deuxième battement de cœur : il me faut en avoir le cœur net. Patrick est si surpris par ma question qu'il me lance un regard interrogateur... Deux cœurs, pourquoi ? Le médecin ne peut répondre à cette question : il me faudra passer une échographie pour savoir si j'attends deux enfants ou non. Je décide de me payer ce luxe. De toute façon, mieux vaut s'assurer que tout va bien avec une échographie. Le rendez-vous est vite pris pour la dernière semaine de juin. J'ai hâte...

Mais avant, un passage rapide à Ottawa pour deux spectacles, dans le cadre du Festival franco-ontarien. Un de ces deux spectacles-là était donné en l'honneur du chanteur Patrick Bruel. La star française était là pour offrir un spectacle. Nous nous croisons dans les coulisses, sommes présentés l'un à l'autre par sa productrice et je lui lance, un peu en saisissant la chance du moment, que j'avais chanté sa chanson *Au Café des délices*, tout au long de ma tournée et même à Tunis (le lieu décrit par la chanson). Bruel est surpris et me demande de la chanter avec lui, le soir même. D'accord, avec plaisir ! Puis il est pris de panique :

il ne me connaît pas, ne connaît ni ma façon de chanter, ni mon degré de professionnalisme. Il lui faut me faire confiance, tant pis, advienne que pourra ! Il me signale seulement à quel moment je dois entrer en scène et le spectacle commence.

Arrivée à ladite pièce, j'attends le bon moment (en fait, je me suis fait désirer un peu sur scène, je le voyais me chercher du regard), puis j'ai mêlé ma voix à la sienne, et comme dans un duel vocal improvisé devant quelques milliers de personnes, nous nous sommes amusés à chanter, danser et faire des youyous. Formidable, je venais de le surprendre au plus haut point ! Quel superbe moment scénique ! Bruel n'a pas manqué par la suite de me témoigner à quel point il avait apprécié notre prestation commune. Je sais que nous nous reverrons et que nous rechanterons ensemble dans un avenir proche. Quand ? La vie nous le dira.

Mais pour le moment, départ pour Québec. Je suis une des artistes invités de la grande célébration annuelle de la Saint-Jean-Baptiste, sur les plaines d'Abraham. En face de nous, il y a près de deux cent cinquante mille personnes. Et au moins un million à nous suivre à la télévision ! C'est tout un honneur que de participer à une fête si chère au cœur des Québécois et Québécoises. Le fait d'être présente ici, moi artiste venant d'ailleurs, sur cette scène, en dit long sur le chemin que j'ai parcouru. Je suis devenue aussi une artiste québécoise ! Ça me remplit de fierté... et de fatigue aussi. En fait, après avoir chanté ma seconde chanson, à l'approche de la fin du spectacle, le traditionnel *Grain de mil*, j'ai tellement dansé et sauté que je suis prise d'un malaise. Étourdie, je ne peux participer à la chanson finale avec tout le groupe et dois me frayer un chemin dans la foule, avec Patrick et son petit garçon, pour rejoindre la chambre d'hôtel où je pourrai me reposer un peu.

Enfin arrive le jour de mon échographie. Nous nous rendons, Patrick, James et moi, dans la clinique privée où j'ai pris rendez-vous. Enfin, je vais savoir si je dois acheter une poussette simple ou une double ! J'attends ce moment depuis si longtemps ! La technicienne me prépare. Nous fixons tous l'écran. Je vois un petit être sur l'écran et j'ai l'impression qu'il bouge très vite de gauche à droite.

Après une ou deux minutes, la technicienne me demande :

— Est-ce que la conception a été naturelle ou *in vitro* ?

— Euh, naturelle !

— Avez-vous un historique de jumeaux dans la famille ?

— Non... pourquoi ? (Cette fois, c'est Patrick qui a répondu.)

— Eh bien, parce qu'il y en a deux !

Deux bébés, mes deux bébés... vous êtes venus ! Vous m'avez choisie, vous me confiez votre vie. Merci, mes amours, vous ne le regretterez pas, promis. Je pleure tellement que la technicienne a du mal à finir son travail. Patrick pleure lui aussi en me disant, le sourire aux lèvres, que je l'avais bien eu ! Que j'avais eu ce que je voulais ! Le pauvre s'est même assis pour reprendre son souffle. Nous avons regardé les deux enfants à l'écran pendant au moins vingt minutes.

J'écoutais la technicienne me parler du bébé A et du bébé B, en lui répondant « mon garçon, à gauche, et ma fille, à droite ». Elle me répétait que l'on ne pouvait pas déterminer encore les sexes, les fœtus étant trop peu développés. Mais je répondais toujours que celui-ci était mon garçon et que celle-là était ma princesse.

Le temps a fini par me donner raison. Et les enfants étaient exactement chacun du côté que j'avais désigné. Ces enfants-là me parlaient, me signifiaient leurs préférences et leurs besoins à travers mes rêves. Je les aimais déjà si fort, et cet amour n'allait qu'en grandissant. Comment un cœur peut-il aimer autant ?

Aux yeux de Patrick, j'étais devenue sa petite sorcière. Ça me fait encore bien sourire chaque fois qu'il me rappelle cette incroyable expérience que nous avons vécue ensemble.

Quand je fais les choses, généralement, je ne les fais pas à moitié. Pourquoi faire un bébé quand on peut en faire deux en même temps ?

Tout ce que je demandais au ciel, c'était d'être une bonne mère et d'avoir des petits en bonne santé, mentale et physique.

Ce qui ne manquait pas de me stresser. Il ne faut pas grand-chose pour me faire imaginer toutes sortes de scénarios dans ma tête.

J'étais stressée par le processus de création de l'album. Allions-nous avoir assez de chansons ? Ma voix serait-elle bonne pour l'enregistrement ? Serais-je trop fatiguée ? Serais-je performante ? Qui produirait l'album et qui le distribuerait ? Allais-je réussir à perdre le poids de ma grossesse assez rapidement ? Et plus tard, serais-je assez présente dans la vie de mes enfants ? Est-ce que notre train de vie conviendrait à de jeunes enfants ? Et plus que tout, comment allions-nous y arriver ?

Plus je stressais, plus je me questionnais et doutais de l'avenir. Plus je doutais de l'avenir, plus je stressais. J'étais devenue une boule de nerf ambulante. De plus en plus grosse et de plus en plus anxieuse. Je doutais de tout, même de Patrick. M'aimera-t-il encore ? Me verra-t-il toujours de la même façon ? Aimera-t-il nos petits comme il aime son plus grand garçon ? Il n'en était pas à son premier enfant, allait-il vivre cette expérience avec moi comme si c'était la première fois ? Notre couple survivrait-il à l'épreuve d'avoir des enfants ?

Le premier réflexe de Patrick, quand je suis le moindrement en état de doute ou quand je suis inquiète ou même déprimée, c'est de s'éloigner. Ça a toujours été comme ça. Il ne sait pas gérer l'émotivité chez les autres parce qu'il ne se permet pas d'émotivité lui-même. Du coup, il s'éloigne. Et ça, c'est la pire réaction à avoir avec moi. Pour moi, quelqu'un qui s'éloigne est quelqu'un qui veut me laisser tomber. C'est la levée du drapeau rouge aussitôt. Je sens une menace, l'ultime menace, celle de l'abandon. Ma réaction ? Stresser encore plus.

Mais au bout de quelques disputes suivies de réconciliations, Patrick et moi réussissons à rétablir toute la sécurité et la compréhension nécessaires pour que notre périple de parents se fasse dans l'amour et la communication... Un jour à la fois. Jusqu'à ce jour, avoir une relation de couple, de travail ensemble, de parents, nous amène à avoir des discussions de rajustements et d'explications... tout le temps ! Nous nous parlons avec une rigueur constante, parce que nous ne nous comprenons pas forcément d'un seul coup d'œil. Nous devons prendre le temps et avoir l'énergie de nous expliquer. Ah, que c'est compliqué et comme cela commande à chacun de mettre de l'eau dans son vin souvent. Il faut qu'il y ait beaucoup, beaucoup d'amour et de respect. Du moins, c'est ce que j'ai compris.

J'aimerais vraiment rencontrer l'illuminé qui a inventé l'expression « ils se marièrent, eurent beaucoup d'enfants et vécurent heureux pour le restant de leurs jours ». J'aimerais parler un peu de la vraie vie avec cet illuminé, car c'est lui qui a fait que des générations de petites filles rêveuses et crédules ont cru et croient encore en cette aberration. Je dirais plutôt, quant à moi : « Ils se marièrent ou pas, avant ou après avoir eu des enfants, peut-être... Ils vécurent bien des moments de stress parsemés de beaux moments de joie. Ils s'expliquèrent constamment pour réussir à parler le même langage... sporadiquement. » Mais j'exagère un peu, sans doute, comme d'habitude.

J'écris ces lignes dans un autobus ; je suis en train de traverser le désert du Sinaï en direction du Caire, pour un concert avec Enrico Macias. Le décor autour de moi est couleur or et rouge. En fait, nous revenons, mon équipe et moi, d'une escapade sur les bords de la mer Rouge. Nous avons été reçus royalement à l'hôtel Four Seasons, de Charm el-Cheikh, où nous offrions un spectacle intime, les pieds dans le sable, à dix mètres de la plus merveilleuse barrière de corail que j'aie vue de ma vie. Dieu que j'aime les chances que la vie nous offre ! Bon, elle nous les offre, ces chances... mais il faut dire que je les avais commandées avec une grande précision.

Branle-bas de combat

Me voilà très enceinte. Le temps passe vite. Alors en quelques mois seulement, toutes les machineries doivent travailler conjointement. Pendant que je crée des chansons avec Michel Bruno (principalement), je termine ma tournée *De neige ou de sable*. Mon chéri a fini par trouver un producteur pour l'album.

Son nom, Pierre-Marie Denoncin. Il croit en nous. Je dis bien en nous parce qu'il ne suffit pas de croire en l'artiste, mais qu'il faut aussi croire aux capacités et au dévouement de la personne ou des personnes qui travaillent derrière.

En même temps, un appui inattendu est venu illuminer notre parcours. Celui d'une toute jeune femme, d'origine algérienne également, avec qui je m'étais liée d'amitié : Narimane Doumandji. Elle travaillait comme attachée de presse pour la maison de disques Musicor, division musicale de Quebecor, l'entreprise la plus influente dans le domaine de la culture et des médias. Musicor est la maison de disques de tous les artistes issus de *Star Académie*, mais aussi de grands noms tels que Lara Fabian, Patrick Bruel et autres. La superbe Narimane a été une alliée lors de toutes les discussions avec celui qui était à la tête de la boîte : Pierre Marchand.

Ce dernier nous a offert de nous joindre aux rangs de Musicor... Ah, enfin ! Il le faisait, lui aussi, parce qu'il croyait en Patrick et moi, en nous deux. Il me l'a dit clairement. Le show-business est un travail d'équipe et il faut que tous les membres de l'équipe soient solides. Patrick et moi l'étions, alors, il y croyait aussi.

Mais il nous fallait d'abord un bon album et des chansons qui passeraient à la radio. Il nous fallait aussi une reprise, une chanson que les gens connaissent déjà et que je reprendrais à ma main. Que je « thaliserais », en quelque sorte. Je propose une vieille chanson de Barbra Streisand, reprise en français par Mireille Mathieu, que petite fille j'écoutais inlassablement en pleurant : *Une femme amoureuse*.

Même si Patrick n'y croit pas du tout et trouve la pièce démodée, je m'entête et poursuis mon idée. Je travaille donc la chanson avec Nicolas Maranda, mon partenaire des premiers jours. Comme si le temps ne s'était jamais écoulé. Lui aussi se posait des questions par rapport à mon choix. Ma réponse se résumait souvent à la volonté de donner un bonbon aux entêtées de radios commerciales. Je vais leur faire une chanson pop, rose bonbon, qu'ils n'auront pas le choix de passer sur les ondes. C'est ça qu'ils veulent, de toute façon, du formaté, facile à mâcher, un petit pop tranquille, rien d'arabe, rien d'exotique pour leurs pauvres oreilles fragiles et leur esprit enraciné dans le « steak, blé d'Inde, patate ». Quelque chose de simple. Le reste de l'album sera du Lynda Thalie, du vrai. Mais le premier *single* sera, dans mon cœur, la pièce sacrifiée, comme dit Charles Aznavour de chaque première pièce qu'il chante sur scène. La première est la chanson sacrifiée... On verra après. Nous travaillons fort sur la pièce. Moi, je la chante réellement avec grand plaisir. Que de souvenirs ! Et que c'est loin dans ma mémoire ! J'ai vraiment l'impression de parler d'une autre vie.

Ma tournée *De neige ou de sable* a pris fin le 4 août 2007 avec un spectacle extérieur au mont Saint-Bruno. Physiquement, pour moi, il était grand temps. J'étais alors enceinte de près de cinq mois et l'effort de danser et de bouger sur scène, sur le coup, ne faisait aucune différence, mais je souffrais de douleurs au ventre après. Je me retrouvais avec les deux têtes des bébés vers le bas et le simple fait d'être debout m'épuisait au plus haut point.

Les chansons du nouvel album évoluaient progressivement, tout comme mon bedon. L'arrivée prochaine de deux enfants nous forçait également à repenser l'aménagement de la maison. Et pour les deux derniers mois de ma grossesse, notre demeure, le lieu où j'étais censée me reposer, m'apaiser en attendant l'arrivée des jumeaux, était devenue un chantier de construction. Il fallait faire finir le sous-sol pour en faire un bureau pour Patrick, une chambre pour James et une salle de bains. Et tant qu'à faire faire des travaux à la maison, nous avions décidé de démolir entièrement notre vieille et minuscule cuisine pour en créer une autre, ouverte et lumineuse.

J'ai développé un diabète de grossesse un peu encombrant, avec ses vérifications de taux de sucre et le calcul de toute nourriture assimilée chaque jour. Pénible, vraiment. Je plains ceux et celles qui doivent vivre avec le diabète, leur vie durant. Me piquer les doigts me faisait tellement peur que presque à chaque fois, j'avais une petite contraction. J'avais d'ailleurs tant de mal à bouger, dans les deux derniers mois, que les seules sorties que je faisais étaient celles où je me rendais avec ma maman chérie à l'hôpital pour le « monitoring » du cœur des bébés, la vérification de mon diabète et les échographies.

Dormir était devenu une mission impossible. Aucun côté ne convenait : dans n'importe quelle position, un des bébés se retrouvait par-dessus l'autre et c'était la bataille dans mon ventre.

De sept heures à dix-neuf heures, presque chaque jour, les ouvriers faisaient aller leurs marteaux, leurs scies, leurs voix fortes. Ce qui ne manquait pas de faire gigoter les bébés dans mon bedon. Je me disais que les enfants seraient nerveux plus tard, tant ils auraient sursauté pendant ma grossesse.

Mon espace vital se résumait à mon salon entouré de pellicules de plastique pour empêcher la poussière insupportable de se nicher partout. Mais ça ne marchait pas du tout. On en avait dans les cheveux, sur la peau... partout. Je lavais la vaisselle dans la salle de bains et passais de l'enthousiasme et de l'excitation d'avoir bientôt mes amours aux crises de larmes de découragement et d'épuisement. Tout ce que je voulais, c'était que tout soit fini pour l'arrivée des enfants. Je ne les voyais pas vivre leurs premiers jours sur terre dans le vacarme des rénovations.

Dieu merci, tout fut fini juste à temps. Ma condition physique de baleine ne me permettant pas de faire le gros ménage nécessaire après les travaux, tout plein d'amis et de membres de la famille ont mis la main à la pâte et sont venus nous aider. Nous sommes bien chanceux de les avoir.

Mon garçon a tourné dans mon ventre jusqu'à la dernière semaine. Je le priais sans arrêt de se remettre la tête en bas, histoire de ne pas avoir à subir de césarienne, le jour venu. Comme un bon garçon, il a écouté mes paroles.

Pendant le temps de ma grossesse, Patrick travaillait, quant à lui, au projet d'une tournée au Liban et en Syrie. Elle fut confirmée rapidement pour le mois de mars 2008, soit trois mois après la date prévue pour mon accouchement. Une folie, c'est de la folie, Patrick ! Je n'arrêtais pas de le lui répéter.

Il n'était pas question d'avoir de césarienne, le rétablissement de ce genre d'opération étant beaucoup trop long pour que je puisse me le permettre, compte tenu de la tournée prévue. Il était donc clair dans ma tête, au matin du 18 décembre 2007, alors que je me dirigeais vers l'hôpital Charles-LeMoyne, sur la Rive-Sud de Montréal, que j'en sortirais avec les petits, en forme et en santé, avant Noël, le ventre sans points de suture.

Ils sont nés, mes divins enfants

Le 18 décembre, tel que prévu, je suis arrivée à l'hôpital avec Patrick. Je portais un bonnet de mère Noël sur la tête, que je tenais à garder pendant l'accouchement et j'avais en main un DVD d'humour de Jean-Marc Parent pour passer le temps.

Bien installée dans ma chambre, une fois la procédure enclenchée, je riais aux larmes en regardant les sketches. Tant et si bien qu'il me fallait arrêter parfois, le temps de faire passer les contractions que cela déclenchait.

Je vous épargnerai les détails de cette journée mémorable. Je vous dirai seulement que j'avais commandé mon épidurale un peu trop tard. Que mon médecin (une experte en jumeaux, avec l'intensité d'un *coach* de hockey) ne voulant pas prendre de risque avec la vie de ma petite fille qui se trouvait dans une situation un peu fâcheuse, avait décidé d'ouvrir manuellement le col de l'utérus (qui n'aura jamais pu se dilater à plus de 5 cm) pour que je puisse accoucher naturellement.

Je crois que jamais on n'aura entendu un cri aussi fort, dans toute l'histoire de cet hôpital.

À 16 h 15, naissance de ma princesse Dahlia.

À 16 h 21, naissance de mon prince Liam.

J'ai souhaité la bienvenue sur terre à mes amours. La chanson qui m'est venue en tête à cette occasion était *Your Song* d'Elton John, que je chantais à chaque bébé dans mes bras.

Une fois de retour dans ma chambre, vers les 17 h 30, j'ai commandé une télévision pour ne pas rater la partie de hockey de ce soir-là. J'avais gagné mon pari. En effet, Patrick m'avait demandé à quelle heure je pensais avoir fini de mettre au monde nos enfants et j'avais répondu : « 17 h, juste à temps pour écouter la *game*, chéri ! » Je n'ai jamais réussi à avoir ma télé, le technicien était absent. Pourtant, je l'avais mérité ! Tant pis, nous avons perdu la partie, de toute façon !

Mais une autre partie se jouait sur une autre patinoire : Dahlia, toute petite, avait du mal à respirer et avait été emmenée directement à la pouponnière. Elle y resta quatre jours. Liam, lui, était en pleine forme, il avait laissé sa sœur faire tout le travail à sa place. Il passa les quatre jours collé sur moi. J'allais rejoindre ma petite plusieurs fois par jour pour en prendre soin et l'allaiter. Elle était si maigre, si frêle, mais avait une crinière noire impressionnante. J'avais de la peine de la savoir seule à la pouponnière, mais mes forces ne me permettaient pas de m'y rendre tout le temps. Ma culpabilité était immense. Au bout de la troisième nuit à l'hôpital, vers les 5 h du matin, j'ai reçu un appel dans ma chambre me demandant, comme d'habitude, si je voulais venir allaiter ma petite fille : elle avait soif. Tiens, tiens, Liam aussi avait soif, c'était le moment ou jamais de faire le test de l'allaitement double. Il y avait assez d'infirmières pour m'aider. Nous emmenons donc Liam avec nous et allons rejoindre Dahlia. Je m'installe confortablement dans la pouponnière toute calme. Et puis, un pur moment de magie : je donne le sein à chacun des jumeaux, simultanément. C'est là, avec ces deux adorables créatures accrochées à moi, que je me suis sentie maman pour la première fois.

Je referai l'expérience par la suite, chaque fois que cela me sera possible. C'est du bonheur pur, de l'extrait d'essence de concentré de bonheur. Le plus magique dans tout ça, c'est que les petits, plus tard, buvant en même temps, se tenaient par la main ou se faisaient des caresses. C'était si beau et si touchant que des larmes coulaient sur mes joues.

Même si la pédiatre était réticente en raison du faible poids de Dahlia, nous avons réussi à la convaincre de laisser sortir notre petite de la pouponnière et de nous laisser l'emmener à la maison pour que nous puissions passer Noël en famille. Je ne me voyais pas être à la maison pour les fêtes et savoir Dahlia seule à l'hôpital. Ça me crevait le cœur. Alors mon talent de négociatrice et mon sang arabe se sont mis en action ! On nous a donc laissés partir, à condition que nous revenions le 26 décembre pour des analyses et des tests.

Je n'en finissais pas de pleurer de joie à la vue de Liam et Dahlia dans le même berceau. Je me revois encore arriver à la maison, avec ces deux cadeaux du ciel... Nous les avions déposés dans un beau moïse en bois, dans notre chambre à coucher. Je les avais placés exactement comme cela m'avait été demandé dans mes rêves : Dahlia à droite et Liam à gauche. Ils se regardaient silencieusement. Et Patrick et moi les regardions à notre tour en nous demandant si ce que nous voyions était réel.

Ce Noël-là fut le plus beau, le plus heureux de ma vie ! Mes beaux-parents sont venus à la maison l'avant-veille de Noël avec tout ce qu'il nous fallait pour célébrer : dinde, atacas, etc. Et le lendemain, nous emmenions déjà nos petites merveilles célébrer chez ma tante Moumou.

Le jour du Nouvel An, nous avons reçu à souper un couple d'amis qui avaient eu, exactement quatorze jours avant nous, des jumeaux eux aussi, un garçon et une fille, comme nous. Nous avions donc sous le même toit, pour passer le cap de l'année, quatre jumeaux !

J'ai passé les deux premiers mois de l'année à m'occuper de mes deux amours, nuit et jour. Tout en me préparant pour la tournée prévue pour le début du mois de mars. *The show must go on*, et le Liban et la Syrie nous attendaient. C'est dingue !

Et dire que j'avais peur de ne pas perdre mon excès de poids ! Je maigrissais à vue d'œil. Allaiter en double me vidait littéralement et je n'aurais pas pu le faire si je n'avais eu l'aide de Patrick. Tout un défi à deux. Le manque de sommeil me rendait pleurnicharde, mais les hormones me faisaient quand même voir la vie en rose. Dieu que la nature est bien faite !

Heureusement, nous avions de l'aide. Ma tante Moumou venait nous donner quelques heures de ménage et de câlins pour les petits. Le CLSC de la région m'envoyait une gentille dame, trois fois par semaine, par blocs de trois heures, pour m'aider avec les enfants. J'avais signé une demande pour cette aide dès mon passage à l'hôpital pour la naissance des jumeaux. La meilleure décision que j'aie prise depuis longtemps. Cette dame, cet ange s'appelait Lise. Et pendant que Lise était à la maison en train de laver les bébés, de faire le lavage ou de nettoyer les biberons, je pouvais sortir faire mes achats, prendre un bain, m'isoler pour écrire, passer mes appels, faire mes entrevues téléphoniques, préparer mes spectacles à venir pour Beyrouth et Damas, sortir prendre l'air... Une vraie bénédiction !

Mon premier contrat après l'accouchement fut ma participation à l'émission radio *Studio 12* de Radio-Canada. Les enfants devaient avoir un mois et demi, à ce moment-là. Je culpabilisais tellement à l'idée d'avoir déjà un contrat et d'être ainsi séparée d'eux pendant huit heures consécutives. L'émission était superbe, je m'y amusais comme une folle, mais mes enfants me manquaient beaucoup. Et le rythme était différent, c'est le moins que l'on puisse dire. Quand, entre deux prises et deux enregistrements, l'on doit aller tirer son lait dans la salle de bains... oui, le rythme est différent ! Mais cela me convenait parfaitement ainsi.

Je me permettais quelques heures de studio, par-ci par-là, avec Michel pour faire avancer mon troisième album. Et je m'étais plongée dans l'organisation du voyage qui approchait à grands pas.

Je ne pouvais pas me résoudre à me séparer des enfants en si bas âge et alors qu'ils étaient encore au sein. Mais généreux comme il l'est, mon producteur de spectacles, Jean-Sylvain Bourdelais, a accepté de payer un billet d'avion supplémentaire afin que l'on puisse amener quelqu'un avec nous en tournée pour nous aider à nous occuper des jumeaux. Jean-Sylvain, je t'en serai toujours reconnaissante. Il n'y a pas beaucoup de gens qui ont le cœur sur la main comme toi. Merci, je t'adore.

Les bébés voyageaient sans frais et la nounou pour l'occasion n'était nulle autre que Moumou. Quelle chance de l'avoir! Tout était prévu, elle dormirait dans la même chambre que moi et les petits. Avec sa sagesse et son calme, elle m'aiderait à passer à travers n'importe quoi, je le savais, j'avais confiance.

Mais avant le départ, une chose devait absolument être réglée. Une chose de grande importance à mes yeux : Liam devait être circoncis. J'ai pris rendez-vous à l'Hôpital pour enfants de Montréal. Ce n'est absolument pas une question religieuse, mais je n'imaginais pas mon petit garçon autrement que circoncis. Tous les garçons autour de moi le sont. Cela évite bien des complications et c'est plus facile ainsi de veiller à la propreté génitale des garçons. C'est ce que je pense. Circoncision, comme papa, comme tonton, comme les cousins... tous circoncis, Liam aussi.

Le rendez-vous est pris pour le dernier jour de février, soit huit jours avant de décoller vers Beyrouth. Patrick ne voulait absolument pas assister à la chirurgie. Et le médecin, me voyant trop tremblotante, me fit sortir de la salle. Liam est resté avec ma tante Moumou. J'étais juste en dehors de la salle, à l'entendre crier et pleurer, en pleurant moi-même comme une Madeleine. Le soir même, c'était comme si rien ne s'était passé. Il m'a offert des sourires, comme pour me rassurer, comme pour éteindre ma culpabilité. Il allait bien et j'avais fait ce qui me semblait bon pour lui.

Deux jours plus tard, les jumeaux et moi sommes les stars de notre première séance de photos ensemble. C'était pour le magazine *La Semaine*, si je me souviens bien. Nous sommes en pleine folie du hockey et j'ai pensé emporter avec moi deux cache-couches des Canadiens de Montréal que m'avait offerts ma belle-sœur Natalie.

Sur ces photos, l'on peut voir toute la joie que j'ai à être maman. Je suis bien dans ma peau pour la première fois de ma vie. Je suis bien entre ces deux anges endormis. C'est fou à dire, mais ce jour-là, avec quelques rondeurs en plus, les seins chargés de lait et d'amour, j'étais la femme la plus heureuse du monde. Bien dans ma féminité, ma maternité. Patrick me regardait avec des yeux amoureux et admiratifs. Je me trouvais belle et cela faisait du bien à mon âme.

Arrive le jour du départ pour la tournée. Les valises sont faites, les spectacles sont prêts même si je n'ai pas chanté avec mes musiciens depuis quelques mois, nous sommes attendus au Liban et en Syrie. C'est le temps de partir.

Mais la vie me fait douter un peu. La situation politique semble très instable au Liban. La menace israélienne est très présente. Des destroyers de l'armée israélienne croisent au large des côtes libanaises. Tous se préparent à une possible attaque... et Moumou, Patrick, les musiciens, le Dahliam (c'est comme cela que l'on appelle parfois les jumeaux) et moi, nous nous préparons à aller dans l'une des zones les plus agitées du Moyen-Orient. Nous sommes fous, nous devons vraiment être tous complètement dingues pour penser à emmener de jeunes enfants dans ce qui va peut-être devenir d'un jour à l'autre une zone de guerre.

Mais rien ne va nous arriver. Nous sommes protégés par les dieux et bénis par les cieux. Nous avons, en plus, l'assurance de l'ambassade canadienne sur le sol libanais que si quoi que ce soit se produit, si un quelconque danger se profile, nous serons dans le premier vol en direction de Montréal. On ne nous fera prendre aucun risque.

Le jour J arrive. Nous sommes le 8 mars 2008. Le vol est prévu pour le soir. Dès le matin, c'est le déluge blanc dehors et l'alerte rouge sur toutes les chaînes de télévision et de radio. On annonce une tempête record, du jamais vu depuis 1971, dit-on. Mais il n'est pas question pour nous de changer nos plans. L'horaire est trop serré pour imaginer ne pas partir le soir même. Nous devons en effet arriver à Beyrouth le lendemain matin, partir par la route jusqu'à Damas, en Syrie, nous y installer le jour même et y offrir notre spectacle le 10 mars au soir. Le 11, revenir par la route sur Beyrouth et y présenter le spectacle le lendemain.

Tout délai serait catastrophique. Alors, allons-y, direction catastrophe, mes amis !

À l'aéroport, nous faisons face à une situation critique. Plus de quarante centimètres de neige se sont accumulés au sol. L'aéroport semble figé dans la tempête. Tout le monde observe cette chute incroyable de neige derrière les vitres. Tous les vols sont retardés jusqu'à nouvel ordre. Puis, après des heures d'attente avec les bébés dans les bras, la décision tombe : l'aéroport de Montréal ferme ses portes. Aucun avion ne peut en décoller ni y atterrir.

Il faut attendre le lendemain pour savoir si nous allons décoller. Les gens dorment un peu partout sur le sol, dans l'aéroport. Mais nous ne pouvons rester avec les enfants dans de telles conditions, nous décidons de rentrer à la maison. Quelle horreur ! On nous a dit que personne n'est censé prendre le volant dans des conditions aussi extrêmes, que les voitures se retrouvent sur le bas-côté tant il y a de la neige. Mais nous devons y aller. Alors, les enfants dans leurs sièges, Patrick au volant de notre bonne Sportage de Kia, nous rentrons chez nous. Nous sommes surpris par toutes ces voitures enfoncées dans des bancs de neige. Nous circulons à 30 km/h sur l'autoroute en priant pour arriver sains et saufs.

Une fois arrivés chez nous, l'entrée est si enneigée que nous devons réveiller nos voisins à 1 h du matin, pour qu'ils nous aident à pelleter et à traverser les amoncellements de neige. Nous nous passons les enfants comme dans une course de relais.

Le lendemain, c'est rebelotte, comme on dit. Le vol est prévu pour le soir, mais il y a tant de gens, tant de vols retardés que nous ne décollons que cinq heures plus tard. Nous avons attendu plus de deux heures à bord de l'avion, sans nourriture et sans rien à boire. Par chance, j'avais prévu le coup et j'avais apporté à boire.

Ce retard de deux heures nous ferait manquer notre correspondance à Paris vers Beyrouth et compliquerait considérablement la tournée. Mais nous avons fini par décoller, alors... prions encore, mes frères.

Nous ne savons pas si le spectacle de Damas va encore être possible. Mais nous faisons tout ce qui est en notre pouvoir pour que les délais soient respectés et pour y arriver. Tous les billets sont vendus, il faut y aller.

Chapitre 18
La frénésie des tournées

rrivés enfin au Liban, nous recevons... la brique de toutes les briques : pas de valises ni d'instruments de musique ! Encore cette maudite malédiction de la valise ! Heureusement, j'ai ce qu'il me faut pour les jumeaux dans mes sacs de cabine et ceux de ma tante Moumou. J'ai appris ma leçon avec les valises.

Patrick est stressé, catastrophé, mais Moumou et moi ne pouvons nous empêcher de rire. J'adore ces hormones de l'après-accouchement qui nous font voir la vie en rose ! Nous rions à en pleurer. Je lui avais promis une aventure avec cette tournée. Mais rien ne nous préparait à en vivre une aussi grande.

Nous passons une première nuit dans la sublime ville de Beyrouth. Le lendemain, nous retournons à l'aéroport pour récupérer nos valises et partir de là par la route jusqu'à Damas, où nous sommes attendus à l'ambassade du Canada en Syrie pour le spectacle dans les jardins, le spectacle en salle ayant été annulé, à cause de tous les retards. Les valises sont en retard mais finissent par arriver.

Le chemin vers Damas est merveilleux. Nous passons deux frontières. La première, entre le Liban et le *no man's land*, la seconde entre le *no man's land* et la Syrie. Il nous faut sortir nos papiers à chacune d'elles et patienter... ce qui n'est pas le fort de Patrick. Il perd patience à la première frontière et fait pression sur les douaniers. Ces derniers ne se gêneront pas pour le lui faire payer plus tard, comme nous l'apprendrons bientôt.

Nous passons donc la première frontière et nous roulons pendant des kilomètres et des kilomètres dans le *no man's land* séparant les deux pays. Je suis alors prise d'un bref moment de lucidité qui me conduit presque au bord de la panique quand je me rends soudain compte que je suis là, au milieu de nulle part, avec mes deux bébés de trois mois accrochés à mes seins en train de boire. Sans siège de bébé... sans coordonnées géographiques, sans réception téléphonique, sans rien. S'il arrive quoi que ce soit, nous n'avons aucun moyen de communiquer avec quiconque. Mais je choisis de tourner le dos à l'inquiétude et de faire confiance à la vie.

À notre arrivée à la frontière de la Syrie, les douaniers nous font remarquer que le passeport de Patrick n'a pas été tamponné par les douaniers libanais. C'était ça, sans doute, leur façon de lui faire payer son impatience.

Il nous faut retourner sur nos pas, retourner à la frontière libanaise, faire viser le passeport de Patrick et reprendre la route à nouveau ! Patrick est bleu de rage. Moumou et moi nous trouvons dans une autre voiture, Dieu merci. Il n'aura pas assisté à nos fous rires. Je ne sais pas si c'est la fatigue, la nervosité, le décalage horaire, mais nous rions aux larmes, comme jamais je n'ai ri de ma vie.

À chaque halte, quand Patrick vient nous voir dans la voiture, je n'arrête pas de lui répéter : « On va y arriver, on va y arriver. Maintenant, dès que tu arrives au poste frontière, tu demandes qu'on te tamponne ton passeport, tu ne dis pas un mot et tu repars avec ton passeport, compris, Pat ? Tu ne dis rien, tu te la fermes, sinon, on va vraiment être dans la merde, compris ? Pat, pas un mot. »

Oh ! il n'a pas dit un mot, non, mais il y avait des flammèches dans ses yeux et de la fumée qui lui sortait par les oreilles !

Nous finissons par arriver à Damas, en retard, bien évidemment. Dans une circulation automobile monstre. Nous nous rendons finalement à notre hôtel pour déposer les enfants, nous doucher, nous changer et partir, mais... à notre hôtel, nous n'avons plus de chambre ! À cause de la tempête, notre arrivée aurait dû être reportée au lendemain, mais la chose n'a pas été faite et nos chambres de la veille ont été données à d'autres clients (un énorme congrès se tient à ce moment-là dans la ville et aucune chambre n'est disponible). Nous remballons les valises dans les voitures, trouvons un autre hôtel. Bye-bye, le rêve de la douche.

Nous trouvons finalement un hôtel, déposons, mais vraiment déposons les enfants sur le lit pour ma tante Moumou. Je prends deux minutes pour enfiler une robe, mettre du crayon sur mes yeux, des sandales, du parfum et nous partons en quatrième vitesse. La soirée à la résidence de l'ambassadeur est commencée depuis près d'une heure, on nous attend pour un souper officiel en mon honneur. En route, pris dans les embouteillages, nous contactons l'ambassadeur du Canada en Syrie, M. Bailey, pour lui dire de servir l'entrée à ses invités.

Dans la voiture, je prends le temps de respirer... tout ira bien... et je me répète la phrase qui m'a, de tout temps, aidée à me calmer : « Je suis au bon endroit au bon moment ! » Et l'autre phrase qui me fait tout relativiser : « Demain, tout ceci ne sera qu'un souvenir. »

À mon arrivée à l'ambassade, je suis reçue en reine. On me présente les invités de marque à ma table. Puis, tout le monde se rassemble dans les grands jardins et nous entamons le spectacle. Sans test de son, sans réchauffement, sans trac, je me lance...

Nous remportons un franc succès et je peux sincèrement dire que toute cette adrénaline précédant la performance a été plus que bénéfique pour mon plaisir scénique. J'ai eu du *fun*, beaucoup de *fun* ! Et les gens étaient si emballés qu'ils ont dansé à la fin du spectacle, comme le font les gens où que nous allions. Tout le monde dansait, même l'épouse de l'ambassadeur. Après, nous avons tous pris un verre ensemble et nous sommes rentrés à nos chambres d'hôtel respectives prendre un peu de repos avant notre départ du lendemain, 7 h pile, vers Beyrouth la belle.

Mais pas de repos pour moi : arrivée dans ma chambre, les petits étaient en pleurs. Ils pleuraient depuis mon départ, sans arrêt. Moumou était si fatiguée qu'elle en riait. Je leur ai donné le sein comme j'ai pu. Mon corps était si épuisé qu'il se vidait trop vite de son lait. Cette nuit-là, comme les deux précédentes, nous n'avons pas réussi à fermer l'œil plus de deux heures, les petits souffraient d'un décalage horaire important. Et pour eux, se réveiller pour jouer et rire à 2 h du matin ne changeait rien à la routine.

Le lendemain, nous prenions la route à nouveau, parcourant le *no man's land*. Je ne sais pas pourquoi ce lieu me semblait aussi envoûtant. C'était la première fois que je me trouvais sur une terre que personne ne pouvait revendiquer. Personne n'y habitait. Personne ne pouvait y placer de barrière, de frontière, de brique, de toit... rien. Une terre vierge d'humains. Légère. Paisible. Reposante. Libre.

Nous n'aurions vu de la Syrie que la superbe route bordée de palmiers par laquelle on entre dans Damas. En passant, même au milieu du désert, même les routes libanaises qui ont été bombardées sont en meilleur état que les routes de Montréal. Absolument étonnant ! Quand on dit que même les routes rwandaises sont plus belles que notre tristement célèbre échangeur Turcot, ça veut dire qu'il est vraiment temps d'apporter des changements à notre façon de faire. Ce serait peut-être une bonne idée de commencer par bien faire les choses dès le début, histoire de ne pas avoir à faire du rattrapage, du retapage, du rafistolage, du bricolage de fortune. Car il faut bien avouer que, par endroits, l'autoroute Jean-Lesage ressemble à un échiquier en relief. Enfin... revenons à nos moutons, ou plutôt à la route.

Nous arrivons dans la capitale libanaise et prenons nos quartiers dans un superbe hôtel qui a eu la délicatesse de mettre à notre disposition deux parcs dans notre suite, pour les enfants. Le spectacle a lieu le soir même. Je m'y prépare le mieux possible, sans me présenter à la salle à l'avance. J'ai vraiment besoin de repos. Je sais pertinemment que tout est sous contrôle. Patrick est déjà sur place pour l'installation. Les musiciens sont sur les lieux également pour tout tester, cette fois, et une amie canado-libanaise, Danielle Waked, qui travaille dans le domaine artistique s'est déplacée depuis Montréal pour préparer le terrain avant notre arrivée. Son aide aura été très précieuse. C'est toujours pratique d'avoir quelqu'un, comme Danielle, qui connaît la façon de faire locale.

Et c'est la même chose que ce qui s'est passé en Syrie : la foule finit le spectacle debout, à danser. La demande de rappel est instantanée. Quel bonheur !

À bien y penser, certes, c'est quelque chose de passer au travers de l'intensité de la tournée, des embûches et des difficultés qu'on rencontre, mais, quand les gens sont touchés et que les spectacles sont un succès, plus rien ne pèse dans la balance. Tout vaut la peine. Tout, sauf le stress... Je n'arrive pas à me remettre du stress, il m'abîme.

Le jour suivant, c'est jour de visite touristique. Nous avons la chance d'être guidés par Danielle Waked vers les grottes de Jeita. Des grottes merveilleuses en deux parties. La supérieure est grandiose comme une cathédrale, on ne peut s'y sentir qu'humbles et petits. La seconde, inondée, se parcourt en barque. J'aurais aimé avoir des photos pour vous, mais on nous retirait nos appareils à l'entrée. On nous les faisait mettre dans des casiers sponsorisés par Kodak, tu parles d'une ironie ! Entendre la voix de Dahlia et Liam résonner dans les grottes a été un moment de béatitude. J'ai gardé le billet d'entrée en souvenir.

Le jour même, j'ai lancé ce que j'appelle « l'opération l'empire contre-attaque » (c'est quand je me dresse contre quelque chose) contre ma sécheresse laitière. Ma fatigue était si grande que j'avais de moins en moins de lait pour Dahlia. Je dis pour Dahlia, parce que Liam me boudait tant il n'arrivait pas à tirer assez de moi. Il s'était tourné vers les biberons, mais pas Princesse Dahlia. Alors je me suis mise à utiliser le truc que ma précieuse aide à domicile, Lise, m'avait donné. Boire du lait et manger du chocolat. Et ça marche ! Tout rentre dans l'ordre et même Liam s'en réjouit.

Allez, mission accomplie ! Retour chez nous. Direction Montréal.

Encore une fois, parce qu'elle est si belle, cette chanson de Charlebois :

Je reviendrai à Montréal
Dans un grand Boeing bleu de mer
J'ai besoin de revoir l'hiver (... quand même pas !)
Et ses aurores boréales...

La rose des sables chante le Rallye des Gazelles...

Je suis concentrée, mes énergies canalisées vers un but, un seul : la sortie de mon album, le troisième de ma carrière, *La rose des sables*. Entre le mois de mars et celui de septembre, tout se fait dans cette direction.

Une dame du nom de Claudette vient s'occuper des enfants à la maison et je suis libre de me rendre au studio pour créer et enregistrer mon album. À défaut d'avoir une place en garderie, avoir quelqu'un à la maison est un beau luxe. En fait, j'avais inscrit les enfants depuis longtemps sur les listes d'attente des garderies, mais le boum des naissances avait rendu le fait de trouver un endroit décent pour ses enfants pratiquement impossible. Il n'y a tout simplement pas de place en garderie et les listes d'attente atteignent des nombres ridicules tels que deux cents, voire même quatre cents enfants en attente. Minable ! D'un côté on encourage la hausse de la natalité, de l'autre on ne fait rien pour s'en occuper convenablement ! En tout cas, ma chère Claudette s'occupe à merveille de mes petits loups pendant que maman prépare ses chansons.

Michel Bruno sera le réalisateur de mon album. On veut faire bouger avec cet opus trois, alors on le crée en imaginant ce que donneront les chansons sur scène. Un jour, Michel me fait écouter une suite d'accords qu'il vient de composer et je fais tout de suite l'association avec un thème que je veux aborder en chanson : le droit des femmes, toujours, mais en en parlant métaphoriquement, en utilisant pour illustrer le thème le fameux Rallye des Gazelles. C'est un rallye très connu mondialement : une course automobile qui a lieu dans le désert marocain et qui est strictement féminine. Des femmes du monde entier se retrouvent donc, annuellement, pour une course (de distance et non de vitesse), depuis 1990.

Je pars avec la mélodie et reviens en studio, quelques jours plus tard, avec le texte de ce qui deviendra une de mes chansons préférées : *Le Rallye des Gazelles*. Cette chanson m'emmènera loin. Elle m'emmènera à plus de cinq mille kilomètres de Montréal, à Essaouira, au Maroc. Mais avant de parler d'Essaouira, voici le texte de cette chanson :

LE RALLYE DES GAZELLES
Elles sont de partout, de tous âges
D'Islamabad à Tombouctou
Elles se lèvent même à genoux
Courent chacune, chacune son mirage

Elles rient au soleil qui les brûle
Même à s'en écorcher les lèvres
Elles jurent vengeance tranquille
Et prient la lune, la lune, pour qu'elle y veille

REFRAIN :

Edjri edjri l'rzalla (cours, cours, Gazelle)
Edjri edjri l'rzalla (cours, cours, Gazelle)
Edjri edjri (cours, cours)
L'huriya raliya (la liberté coûte cher)
Edjri edjri l'rzalla
Edjri edjri l'rzalla
Edjri edjri
L'huriya raliya
Elles se désaltèrent d'espoir
À inonder leurs misères
Elles boivent la lumière des éclairs
Quand les orages sur elles se déchaînent

Elles décrocheraient les étoiles
Sans ces chaînes d'ignorance aux pieds
Elles en feraient même des colliers
Pour que leurs filles soient reines, reines sur les toiles

Cette chanson aura été mon morceau prémonitoire. Je savais, en l'écrivant et en la cocomposant avec Michel, qu'elle aurait un beau destin.

Mais le reste de l'album me chavire terriblement. J'écris une chanson pour Patrick aussi, *Fais-moi croire*. Une pièce qui parle de l'espoir dans une relation de couple, des difficultés traversées ensemble et de l'amour plus fort que tout. Elle m'avait été inspirée par une chicane que nous avions eue en parlant justement de l'album. Car c'est à chaque fois le même manège : dès que vient le moment de faire un album, nous sommes tous les deux sous une pression telle et dotés tous les deux d'un caractère si fort, un caractère de cochon comme on dit, qu'il ne peut résulter de nos entêtements que des flammèches. Dieu merci, nous nous aimons assez pour passer en mode réconciliation dans les quelques minutes qui suivent. En fait, c'est moi, souvent, qui veux que tout se règle tout de suite. Je n'accepte pas de « laisser la poussière retomber », comme le propose Patrick bien souvent. Non, moi, je règle tout de suite. « N'importe quoi peut arriver, chéri, la vie est trop courte. On n'a pas le temps de laisser la poussière retomber, faut la dégager, point. »

Je m'imagine toujours qu'un malheur peut arriver et qu'on peut s'être laissés sans se dire « je t'aime » et sans s'être excusés. On ne sait jamais, un accident, un tireur fou qui croise notre chemin, une attaque terroriste, une attaque nucléaire, que sais-je ? Je ne veux pas que l'on se quitte fâchés, jamais.

Ce texte pour Patrick, le voici :

FAIS-MOI CROIRE
Fais-moi croire
Que l'on attend encore de notre histoire
Quelque chose de fort et de mieux que ça
Que nous serons au temps...
Une preuve de plus, que ça se peut encore,
Les amants éternels... immortels.

Fais-moi croire
Qu'au-delà des accrocs, l'on s'accrochera
Qu'à nos vieux jours, du premier l'on se souviendra
Que nous resterons toujours...
Sous notre coup de foudre, sous notre coup de nous
Aussi forts que frêles...

On s'aime et c'est tout
Tout ce qu'il faut pour
Passer le long, le lourd
Et nous rendre jusqu'au bout
On s'aime et c'est tout
Tout ce qu'il faut pour
Passer le long, le lourd
Et nous rendre, rendre fous
Fais-moi croire

Que naïvement « amour rime avec toujours »
Que la flamme est dedans
Même si ça nous brûle, autour
Dans les hauts dans les bas...
Que nos jeux valent bien mille et une chandelles
Une étincelle dans l'étang du temps
Fais-moi croire
Que si la mer est noire on y plongera quand même
Qu'un mantra de ta voix me redira « je t'aime »
Que si l'on doit mourir...
De ta bouche à ma bouche, se tissera le fil
De notre dernier souffle

On s'aime et c'est tout
Tout ce qu'il faut pour
Passer le long, le lourd
Et nous rendre jusqu'au bout
On s'aime et c'est tout
Tout ce qu'il faut pour
Passer le long, le lourd
Et nous rendre, rendre fous

Je veux croire que
Nos trêves valent bien nos guerres
Comme cet enfant vaut le déchirement de ma chair

On s'aime et c'est tout
Tout ce qu'il faut pour
Passer le long, le lourd
Et nous rendre jusqu'au bout
On s'aime et c'est tout
Tout ce qu'il faut pour
Passer le long, le lourd
Et nous rendre, rendre fous

Au Japon, *Le Rallye des Gazelles* et *Fais-moi croire* ont été toutes deux choisies pour être utilisées dans le cadre de radiodiffusions afin de promouvoir la langue française et de rendre l'apprentissage de notre belle langue plus accessible aux Japonais. Qui l'aurait cru ?

Préparatifs pour le lancement et résidence internationale à Granby

L'album est fini et prêt à se retrouver entre les mains des auditeurs de notre beau et grand pays. La séance de photos, faite dans un superbe parc, non loin de la maison, me donne de grands moments de plaisir. En fait, de façon accidentelle, je me suis retrouvée dans la rivière, mouillée de la tête aux pieds. La photo qui en a résulté et qui se trouve dans la pochette de l'album est probablement une des photos de moi que je préfère. Et ça, croyez-moi, il n'y en a pas beaucoup. Je me trouve toujours quelque chose qui cloche. Mais dans celle-là, je suis dans mon élément : une fille d'eau qui joue dans les rapides. Je suis à ma place et ne fais qu'un avec ce qui m'entoure.

Sur cet album figure ma chanson porte-bonheur. Vous souvenez-vous ? C'est celle avec laquelle j'avais remporté le concours Ma première Place des Arts : *Mon amie la rose*. Pour l'enregistrer, j'ai invité une chanteuse que j'aime beaucoup, Florence K, à l'interpréter avec moi. Deux femmes, deux voix qui se complètent bien et deux artistes de la musique du monde. Je suis fière du résultat.

Le lancement de l'album aura lieu le 27 septembre, à l'Olympia de Montréal, et sera suivi d'une tournée de promotion importante dans les médias de la Belle Province.

Mais avant que ce jour n'arrive, j'ai la surprise, ou plutôt nous avons, Patrick et moi, la surprise d'être contactés par Mme Dominique Serra, directrice et fondatrice du Rallye Aïcha des Gazelles. Magie de la musique, efficacité de la circulation de l'information sur le Web, destin, tout cela ensemble, peut-être, aura fait en sorte qu'un matin, le téléphone du bureau sonne... C'est

Mme Serra qui désire entendre le démo de la chanson *Le Rallye des Gazelles*. Elle veut lire le texte et savoir comment cela se fait que je me sois inspirée du Rallye pour en faire une chanson. Nous nous rappelons après lui avoir envoyé la pièce, qui n'est pas encore terminée et n'est vraiment qu'une ébauche. Dominique Serra est conquise et vraiment renversée par le degré de proximité que la chanson a su établir avec l'événement. On dirait, nous confie-t-elle, que la chanson a été créée sur mesure pour le Rallye. Très vite, elle nous demande l'autorisation de faire de la chanson le thème de la prochaine édition (2009) du Rallye Aïcha des Gazelles. Quelle bonne nouvelle !

Je le savais que quelque chose allait naître de cette œuvre. Et ce n'était qu'un début. Très vite, une irrésistible proposition a suivi...

Dominique Serra me propose d'être la porte-parole canadienne du Rallye pour sa dix-neuvième édition. Un rôle qui me va à merveille. Je parle souvent des droits des femmes, le Rallye est strictement féminin et son volet caritatif important, qui porte le nom d'association Cœur de Gazelles, fait énormément pour aider à la scolarisation et à l'apport de soins aux filles, femmes et hommes aussi, des populations reculées du Maroc.

J'accepte ! Oui, j'accepte d'être porte-parole, et j'en suis très fière. Je suis celle qui travaillera d'arrache-pied pour que le nom du Rallye Aïcha des Gazelles soit de plus en plus connu au Québec. Et je le chanterai dans toute la province et au-delà, ce rallye, bien au-delà.

Un mois avant le lancement de l'album *La rose des sables*, je suis choisie par la ville de Granby (à peu près à quatre-vingts kilomètres de la maison), pour participer à la première édition d'une résidence internationale pour auteurs-compositeurs venus de différents pays de la francophonie. Cette résidence de dix jours, reliée au Concours international de la chanson de Granby, permettra à dix auteurs-compositeurs de vivre, d'écrire et composer ensemble dans le but de présenter, à la toute fin, leurs créations au cours d'un spectacle.

Cela ne me tentait vraiment pas. J'étais fatiguée par le manque de sommeil. Je devais me séparer de mes enfants âgés d'à peine huit mois alors que c'est l'âge précis où l'on développe la peur de l'abandon... mon calvaire... ce foutu abandon qui s'accroche à moi. À quelques jours de mon lancement, ce n'était pas le moment d'aller m'enfermer en recluse à vivre et à écrire dix jours durant. Je suis auteur-compositeur, mais je ne joue d'aucun instrument : je vais faire comment, moi, avec les autres musiciens ? Ça ne me tentait pas, je venais d'écrire un album. Et la dernière chose que l'on veut faire après avoir fini un album, c'est de retomber aussitôt dans l'écriture. Me retrouver avec des gens que je ne connaissais pas, dans un manoir situé dans une ville du nom de Brigham (c'est où ça, Brigham ?), et un manoir datant des années 1700, probablement hanté de mille âmes perdues... excusez-moi, mais je ne peux pas dire que ça me tente. Bref, je ne voulais pas y aller.

Mais la résidence était parrainée par nul autre que Francis Cabrel. Il serait peut-être là avec nous... Une chance inespérée, un artiste incomparable, un talent d'auteur immense. J'aurais tant de chose à apprendre avec lui ! C'est ainsi que finalement j'ai accepté de partir, loin de mon cocon familial chéri, vers l'expérience unique de la résidence.

Tant mieux pour moi, car dès le début, ce fut un réel plaisir. Les organisateurs nous avaient engagé un service de traiteur qui s'occupait de nos trois repas par jour. Le décor du manoir était sublime et très inspirant. J'ai eu la chance de faire connaissance et de travailler avec des artistes de grand talent : Mell (France), Andrea Lindsay, Brigitte Saint-Aubin, Sébastien Lacombe. Chacun avait sa propre méthode de création et chacun, en acceptant d'être en résidence, acceptait aussi de sortir de sa zone de confort et de faire les choses autrement. Nous avions aussi comme tuteur en écriture M. Robert Léger, l'auteur de plusieurs grands succès du groupe Beau Dommage. Une richesse en soi.

Comme je l'avais imaginé, le manoir était effectivement hanté. Je le sentais en permanence. Mais la chambre où j'avais décidé de m'installer n'abritait aucun fantôme. Je pouvais dormir en paix. Ce qui n'était pas le cas d'autres chambres. J'y sentais tellement de mouvements, j'y entendais tant de murmures que rien que de passer à côté de la porte était exténuant. Je ne voulais pas trop parler de ce que j'y sentais, mais ça avait fini par devenir le sujet de conversation, tant et si bien que Mell et Sébastien (on dirait le titre d'une émission pour enfants !) ont fini par en être inspirés pour une chanson : *Ooouuuh, ooouuuh, j'attends !* Et nous nous étions tous baptisés « les prisonniers de Brigham ».

Nous n'avons rencontré Francis Cabrel que le soir même du spectacle. Tant pis pour l'expérience de travailler avec le grand homme ! C'est à peine si nous avons été présentés. Il est arrivé sur scène, a chanté quelques-unes de ses chansons que nous aurions pu aller chanter avec lui s'il nous y avait invités. Mais à la place, nous étions en coulisse, en train de le regarder et de chanter hors scène. Merci, bonsoir !

J'ai eu bien du plaisir avec tous ces créateurs, mais j'étais quand même plus qu'heureuse, au terme de cette expérience, de retrouver les miens et de me plonger dans la préparation de mon lancement, de mes vidéoclips et de ma promotion. Car tout se faisait en même temps, encore une fois.

Il fallait passer à l'action et vite. J'ai tourné un vidéoclip très amoureux avec un jeune homme beau comme un cœur pour le premier *single* de mon nouvel album : *Une femme amoureuse*. Le tournage était si langoureux que mon Patrick en a fait une crise de jalousie. LOL. Mais ce n'était pas moi qui avais choisi ce concept, ce script de vidéo. J'imaginais bien à quel point cela devait être dur pour lui de me voir dans les bras d'un autre homme. Mais, en même temps, je ne pouvais pas m'empêcher d'avoir le sourire aux lèvres : ça me réconfortait de le savoir encore capable de jalousie. Pauvre amour ! Je lui disais : « Et dire que tu veux que je fasse du cinéma ! Comment vas-tu pouvoir supporter de me voir dans d'autres bras que les tiens ? Ce n'est rien que du cinéma, chéri, rien d'autre. »

Quoi qu'il en soit, ça a donné un beau vidéoclip qui est passé sur MusiMax et qui a même été dans le top 5 des vidéoclips francophones québécois. C'est pour dire...

Deux jours avant mon lancement, je faisais le tournage d'un second vidéoclip pour la chanson *Le Rallye des Gazelles*. C'est le Rallye qui avait débloqué la somme requise pour la réalisation du clip. Des images impressionnantes d'anciennes éditions du Rallye Aïcha des Gazelles ont été incluses dans la vidéo, lui insufflant un dynamisme excitant et une émotion palpable. Le reste du tournage se fit avec moi, sur les très hautes et magnifiques dunes de sable de Saint-Eustache, non loin de Montréal. Quelques effets de lumière et de coloration sur la pellicule ont fait en sorte que le leurre soit presque parfait. J'étouffais un fou rire, par la suite, à chaque fois que j'entendais parler des fabuleuses images dans le désert du Sahara. Mais je n'ai jamais menti, je me suis contentée de ne jamais confirmer non plus avoir fait le tournage là-bas. Les gens n'avaient qu'à tirer leurs propres conclusions.

Je suis très fière de cette vidéo, vraiment ! Je vois dans ces images toute la force et la détermination de la femme. On brûlait des soutiens-gorge dans les années 60 ; aujourd'hui, on conduit des 4x4 dans le désert, on se retrouve seules face à nous-mêmes et aux vastes étendues du Sahara et on dort dans des bivouacs, en pleine tempête de sable ! Bravo, les filles, je suis fière de vous !

Lancement !

Le lancement de l'album *La rose des sables* a été, à mes yeux, le plus important et le plus agréable de tous. Une confirmation que j'étais là pour rester. Le Théâtre Olympia de Montréal était bondé.

Plein d'artistes étaient là pour célébrer avec moi : Laurence Jalbert, Luc De Larochellière, Florence K, d'autres encore...

Je me montrais finalement sous mon nouveau jour, avec mon nouveau look plus moderne, féminin, plus femme, les cheveux longs et lisses. Finies, les boucles ! J'en avais tellement ras-le-bol d'avoir arboré la même tête de caniche pendant des années. Bon, peut-être pas de caniche, mais, en tout cas, je suis heureuse, maintenant, de me montrer autrement.

Ma taille est aussi plus svelte qu'avant et je suis habillée par les boutiques Bedo. Je me sens belle sur scène, et ma voix s'envole fièrement sur les mots et les mélodies qui m'auront tenue éveillée des nuits entières et qui ont occupé des mois de studio.

Patrick était très fier de moi. Ça me rendait si heureuse... pour lui... pour nous. Il avait brassé mer et monde pour en arriver là. Et de « mer et monde », j'ai fait le titre d'une chanson.

La chanson de l'album qui m'aura demandé le plus, émotivement parlant, est celle que j'ai écrite pour ma mère. Elle s'intitule *Celle que moi je vois* et a été écrite avec Dave Richard, un auteur-compositeur qui est, à mon avis, un Brel en puissance. Cette chanson dépeint les relations mère-fille, leurs difficultés. Bien sûr, je ne peux révéler toute mon histoire avec ma mère, nos hauts et nos bas. Ma mère appartient à cette partie labyrinthique de mon jardin secret. Je l'ai choisie pour qu'elle soit ma mère et pour être moi sa fille. Nous nous aimons plus que tout. Mais malgré cet amour, il y a eu des turbulences. Aujourd'hui, je n'arrive toujours pas à chanter cette chanson en spectacle tant elle vient chercher une grande émotion et même une fébrilité en moi. Mais je suis contente de l'avoir enregistrée. Tant de femmes me parlent de cette pièce ! Tant de femmes me disent qu'elles se reconnaissent dans ces mots ! Merci, maman. Je t'aime. Merci d'être aussi présente, pour moi comme pour mes petits amours. Merci d'être l'être humain merveilleux que tu es, généreuse et forte. J'ai appris et apprends tant de toi, et avec toi. Ton âme sœur, ta Douchichka.

Mais jugez plutôt :

CELLE QUE MOI JE VOIS
C'est ton sang qui coule dans mes veines
Tu m'as donné la vie

Tu as calmé mes peines
Et m'en as fait aussi

Entre nous deux
Le fil d'or brille encore
Même si on tire dessus très fort
Rien ne défait le nœud
Regarde-toi dans les yeux
Je sais qu'on fait ce qu'on peut
Sois la femme cachée de toi
Sois celle que moi je vois

Même si tu es belle
S'il y a de l'eau dans le puits
Toi c'est le fond qui t'appelle
Aussi profond que la nuit

Pour chaque moment d'amour
Tellement d'années de détours
Réapprends-moi le chemin jusqu'à toi
À faire les premiers pas

Regarde-toi dans les yeux
Je sais qu'on voit ce qu'on veut
Sois la femme cachée de toi
Sois celle que moi je vois

Regarde-toi dans mes yeux
Et si des fois je t'en veux
Sois celle que j'aime de toi
Sois celle que moi je vois

Pour enfin
Changer tout
Entre nous

Patrick m'avait promis qu'une fois passée la folie furieuse du lancement et de la promotion, nous irions, avec les enfants, faire notre traditionnel voyage dans le Sud. Alors, le jour même de leur premier anniversaire de vie sur terre, le 18 décembre 2008, nous avons célébré avec mini-gâteau et petite bougie, au bord de la mer, à Cuba.

Mais nous avions eu tant de mal à gérer les enfants durant le voyage que Patrick s'était promis de ne plus voyager avec les petits avant qu'ils aient quatre ans. Ha ! On verra ça. Je n'ai pas dit mon dernier mot. Je me charge de le faire changer d'avis.

Et de retour à Montréal, nous plongions tête première dans les préparatifs d'une conférence de presse annonçant mon départ, en tant que porte-parole canadienne, pour la dix-neuvième édition du Rallye Aïcha des Gazelles. Je travaillais simultanément sur la création de mon nouveau spectacle pour la tournée *La rose des sables*. Ça faisait des semaines chargées et un temps qui passait très vite. Nous avons donné à l'album ainsi qu'au spectacle le titre d'une chanson que le fameux auteur-compositeur français de grande renommée Félix Gray a écrit sur mesure pour moi : *La rose des sables*. Et ce nouveau spectacle a été travaillé avec Pierre Boileau, avec qui j'ai cosigné la mise en scène. Sans oublier mon fidèle Guy Chevrier, à l'art de la lumière.

Et puis, sans tout à fait comprendre comment c'était arrivé, j'étais déjà sur scène, au Grand Théâtre de Québec, le 18 février 2009, pour ma première québécoise du spectacle.

Les critiques, au lendemain de la représentation, sont superbes. À la tournée que Patrick et Jean-Sylvain avaient fignolée s'ajoutaient donc d'autres dates. Les diffuseurs se laissent souvent charmer par les critiques, et c'est heureux pour moi : cela me permet de faire des tournées plus importantes.

Mais avant même la première médiatique, je reçois un beau double cadeau lors du gala des prix SOBA (Sounds of Blackness Awards). On me remet non seulement le trophée de l'artiste musique du monde de l'année, mais aussi celui de l'album francophone de l'année pour mon album *La rose des sables.* Dieu que c'est doux, un trophée dans la main ! Comme le dit la publicité de Loto-Québec : « Ça ne change pas le monde, sauf que... » Sauf que ça reste une belle façon de commencer l'année.

De plus, un sublime séjour à Essaouira, au Maroc, m'attend... Arriba ! Arriba !

Chapitre 19

Gazelles et accommodements raisonnables

Gazelle un jour, Gazelle toujours

Le 26 mars 2009, je suis en spectacle à Gatineau, dans une petite salle magique que je visite et revisite aussi souvent que je le peux. Patrick et moi partons immédiatement après le spectacle pour prendre la route de la maison, car nous nous envolons le lendemain en fin de journée pour Essaouira. Il nous faut donc faire vite pour arriver à la maison avant 2 h du matin, histoire de pouvoir nous reposer un peu, faire nos valises et tout le reste.

Nous sommes presque arrivés lorsque, sur le pont Champlain, les gyrophares d'une voiture de police se déclenchent et on nous fait signe de nous arrêter. Nous n'avions pourtant commis aucune infraction, nous roulions lentement sur la seule maudite voie ouverte sur le pont. Qu'est-ce qui peut bien clocher ?

L'officier de police, une dame, s'approche et nous annonce que les droits d'immatriculation de la voiture n'ont pas été payés (un retard de cinq jours). Elle nous refile une amende de plus de 600 $, mais nous laisse repartir avec la voiture, sans la faire remorquer, parce qu'elle voit les deux sièges de bébés sur la banquette arrière. Elle a eu pitié... Ça aurait pu être pire, mais c'est cher payer pour un simple oubli et ça met Patrick dans tous ses états. Pour essayer de rester positive, je lui répète que ça aurait pu être pire. Mais arrivés finalement à la maison, nous trouvons une belle surprise sur le comptoir de la cuisine, une machine à café de marque Nespresso, valant un peu plus de 600 $, avec quelque deux cents capsules de café. Un cadeau pour ma présence à l'ouverture de la boutique Nespresso. Comment dit-on, déjà ? Un bien pour un mal, ou quelque chose du genre. *You win some, you loose some*, en bon français : t'en perds et t'en gagnes.

Et le lendemain, départ pour le Maroc. Je suis ravie à l'idée de partir pour ces contrées lointaines, aux confins du Maroc. Je vais atterrir à Casablanca... Casablanca ! Je me vois déjà sur des images en noir et blanc, comme dans le vieux film avec Humphrey Bogart et Ingrid Bergman. Je sais... la rêveuse qui décolle en ascension directe vers la lune. Retour sur terre, Lynda. J'ai beau être enchantée de partir, j'ai quand même le fameux stigmate « mère indigne » étampé sur le front. Je ne pars pourtant que pour quatre jours, mais c'est assez long pour que je me sente coupable de laisser mes enfants derrière moi, si bien entourés soient-ils. Ils étaient, en fait, avec ma tante Moumou. Donc, ils seraient bien.

Ça nous permet, à Patrick et à moi-même, de nous retrouver seuls ensemble et de passer du bon temps. Arrivés à Casablanca, un taxi local nous attend pour nous faire traverser les 300 km nous séparant d'Essaouira, ville où devaient avoir lieu les célébrations de clôture du Rallye des Gazelles. La route est longue, comme le dit la chanson de Luc De Larochellière, très longue. Mais c'est si revigorant d'être dans l'inconnu, de partir à la découverte. Nous allions rouler toute la journée, découvrir de nouveaux paysages, et le soir, en arrivant, j'allais chanter la chanson qui m'avait menée jusque-là, *Le Rallye des Gazelles*, lors du gala de clôture.

Aventuriers comme nous sommes, nous nous arrêtons pour manger dans un petit bouiboui, dans un village au milieu de nulle part, puis nous reprenons la route pour apercevoir finalement la fabuleuse côte atlantique bordant la charmante et attachante ville d'Essaouira. Les participantes au Rallye étaient arrivées le matin même à la fameuse ligne d'arrivée placée, chaque année, sur la gigantesque plage de la ville.

J'ai le temps de me rafraîchir, de me maquiller et je prends tout de suite la direction de l'immense tente blanche placée au flanc de la ville fortifiée, une merveille. Je fais mes tests de son, répète mes chansons... et c'est déjà le gala !

Je chante dès le début des festivités, ce qui me laissera le loisir de me détendre par la suite et d'apprécier le somptueux repas. Je suis tout étonnée de voir, dès mes premières notes, les femmes se lever pour danser juste devant la scène. Elles chantent avec moi, elles connaissent les paroles de la chanson, c'est stupéfiant ! Je suis émue !

Les Gazelles ont écouté la chanson tout au long du Rallye et elles la connaissent. Et quelle fierté de voir toutes ces Gazelles québécoises ! J'ai beau être porte-parole canadienne, il n'y a que peu de Gazelles qui viennent d'autres provinces que le Québec. Elles sont tenaces, nos Gazelles, et très solidaires. C'est vraiment émouvant.

Et la suite s'est avérée succulente. Un festin pour les yeux et le ventre... un tajine de langoustes... pour mille personnes, faut le faire !

Nous passons le lendemain à visiter les lieux avec une nouvelle amie du nom de Farah qui n'est autre que la nièce de Mme la consule du Royaume du Maroc à Montréal. C'est d'ailleurs ainsi que le contact s'est fait. Nous avons aussi eu une rencontre avec Dominique Serra pour préparer déjà l'année suivante. Nous vivons vraiment des moments d'exception. Quelle chance !

Pour le retour vers Casablanca, le dernier jour, nous décidons de longer (dans notre super taxi bleu qui a l'air d'avoir fait la guerre de 1914) la côte atlantique et de nous arrêter manger des fruits de mer frais dans le village d'Oualidia. Nous en avons vraiment gardé un sublime souvenir.

Mais une fois arrivés chez Moumou pour prendre les enfants, Dahlia, ma petite princesse, me boude. Elle sanglote si fort que tout son corps tremble. Je lui ai manqué. Et elle me le témoigne en refusant de me regarder. J'en suis bouleversée. Comment vais-je faire, la prochaine fois, pour partir ? Il va pourtant falloir que je reparte bientôt, seule avec les musiciens, en tournée gaspésienne. Comment vais-je faire ? J'en ai le cœur brisé.

Mais je n'ai guère le temps d'y penser, puisque le lendemain même de mon retour, encore sous le coup d'un décalage horaire très marqué, je suis en spectacle à Beloeil. Quelle vie !

Tournée gaspésienne, crise économique, conciliation travail-famille

En avril, donc, je pars avec mes musiciens et mes techniciens son et lumière pour une tournée gaspésienne. Patrick reste à la maison. La décision a été prise d'un commun accord : nous ne voulions pas laisser les enfants encore une fois sans leurs deux parents. Et comme Patrick ne peut pas chanter à ma place, c'est lui qui reste.

C'était le début de la crise économique, les gens hésitaient, me disait-on, à sortir et à dépenser de l'argent en disques ou en spectacles. Beaucoup d'artistes voyaient leurs représentations annulées faute d'un nombre suffisant de billets vendus. La situation était critique. Je savais, en partant en tournée, qu'elle ne serait comme aucune autre que j'avais connue auparavant. Et pour ajouter à la difficulté, nous étions en pleine semaine de Pâques. Il ne restait plus grand monde en Gaspésie. Tout le monde était chez quelqu'un, quelque part à Québec ou à Montréal.

En plus, j'ai un très mauvais pressentiment avant de partir, très mauvais. Dans mes dernières consignes d'obsédée du contrôle que je suis, je demande à Patrick de ne jamais éteindre le moniteur dans la chambre des enfants. Il y a, en effet, un étage entre notre chambre et la leur. Je lui dis alors : « On ne sait jamais, chéri, si jamais ils vomissaient... »

Mais lui : « Vomir ? Pourquoi vomir ? »

Pour rien... pour rien, c'est juste un pressentiment, c'est tout !

Je prends la route, et sitôt partie, je suis prise de maux de ventre et de nausées. Bon début de tournée, bravo ! Une gastro, c'est génial ! Nous roulons sur les routes de la Gaspésie et je suis vraiment mal en point : je me demande s'il ne vaudrait pas mieux annuler quelques représentations. Je sais, pourtant, qu'il est hors de question de le faire. Pas d'annulation ! Je m'arrête même sur le bord de la route, non loin de Trois-Pistoles, pour vomir. Un policier, voyant une femme malade, à genoux, entourée d'un petit groupe d'hommes (le Thalieband), a trouvé ça louche et est venu voir ce qui se passait.

Je l'ai entendu dire : « Vous êtes la chanteuse Lynda Thalie ?... Ben oui, on aime ben ça, ce que vous faites ! Chantez-vous dans le coin ce soir ? » Je n'étais pas vraiment en mesure de répondre et ce n'est certainement pas dans une position comme celle-là que j'aime faire la connaissance de gens qui apprécient ma musique. Oh ! merde ! Ce n'est vraiment pas agréable, pas du tout ! Mais je me suis dit qu'il avait bien fait de nous approcher. C'est avec des initiatives comme celle-là que l'on peut avoir la chance d'empêcher des enlèvements et des crimes crapuleux. Tout se bousculait dans ma tête, les idées, les chansons, mon malaise... Je pensais à la petite Cédrika Provencher, petite fille de neuf ans enlevée à l'été 2007 : si le même policier l'avait vue, se serait-il approché pour poser des questions ? J'en ai encore plus la nausée qu'avant !

Allez, direction Rimouski pour un spectacle, dans cet état lamentable ! Je dors jusqu'à l'heure du spectacle. Et je présente mon spectacle avec une énorme poubelle dans les coulisses.

Mais je suis solide, je passe au travers, même si mon cœur se pince en pensant à mes bébés d'amour. Si je suis malade, c'est qu'ils doivent l'être aussi. J'appelle Patrick en espérant une réponse négative. Et c'est effectivement le cas. Mais la réponse de Patrick ne me rassure en rien. Mon mauvais pressentiment est toujours là. J'entends les enfants m'appeler, la nuit.

Nous poursuivons la tournée, un peu démotivés. Il y a des gens dans les salles de spectacle, mais pas autant que j'en aurais voulu. Les diffuseurs me rassurent en me disant que c'est le cas de tout le monde. Plus personne ne remplit de salle. La crise est à nos portes.

Encore deux jours et un spectacle avant mon retour à la maison, et Patrick m'avoue finalement m'avoir menti. Les enfants ont été très malades. Mais il ne voulait pas que mes spectacles souffrent de mon inquiétude. Je ne sais toujours pas comment il a fait pour traverser une gastro de jumeaux à lui tout seul.

Au retour à la maison, en passant le pas de la porte, ce sont des bébés amaigris que j'ai retrouvés assis par terre. Je suis tombée à genoux en les voyant, en larmes. Maman est là ! Je vais m'occuper de vous ! Patrick était épuisé et pouvait enfin souffler un peu.

Dieu que je ne trouve pas cela facile d'être artiste et maman à la fois. Être fidèle à mon art, mais être, en même temps, la meilleure maman qu'il me soit possible d'être. Concilier les deux est toute une mission. Certaines personnes me disent pourtant que j'ai l'air heureuse, épanouie. Comme si tout se faisait tout seul, sans anicroches, sans difficultés ! Mais ce n'est pas vrai, pas vrai du tout. Je deviens folle. Je m'arrache les cheveux et je ne sais plus à quel saint me vouer. Je prie souvent ma grand-mère Mani pour que, de son paradis, elle me vienne en aide. Je prie la Vierge Marie, les anges et tout ce qui est lumière, de faire en sorte que je trouve des solutions au quotidien, tout en restant zen, pour donner le bon exemple à mes enfants, alors que souvent, j'éprouve l'envie viscérale de « péter une coche », « perdre les pédales », « sauter un fusible ». M'asseoir par terre et faire une crise. Comme un enfant, me rouler par terre et taper du pied.

La conciliation travail-famille, c'est comme une course d'obstacles pleine de compromis et de tours de passe-passe, du genre qui va garder les enfants, et quand ? Jusqu'en mai 2009, c'était notre chère Claudette qui venait s'occuper des enfants à la maison. Mais je leur avais trouvé une place en garderie, non loin de la maison. Ce qui en soi est un miracle. C'était une nouvelle garderie ; j'avais eu la chance de rencontrer une autre maman, dans une pharmacie Jean Coutu, qui m'avait parlé de cette garderie. C'est vrai que, comme le dit l'annonce, on trouve de tout chez Jean Coutu... même une garderie !

Mais je tenais à les envoyer à la garderie trois jours sur cinq. Le reste du temps, je voulais m'occuper de MES enfants... Je ne suis pas une maman à temps partiel, quand même, me disais-je.

Alors il fallait mobiliser beaux-parents, parents, gardiennes, pour tous ces moments où j'étais, par exemple, en promotion pour 24 h à Ottawa, à Québec, à Trois-Rivières. Ou en tournage d'émission de télé, en soirée. Ou encore à un cinq à sept, en déplacement, en spectacle, en lancement de programmation d'une salle de spectacles (il faut être là pour faciliter la vente de billets), etc. Tant de soirées, de journées passées loin de mes loulous ! Et eux, les pauvres, balancés à droite, à gauche, au centre... Mais en même temps, ils savaient dans quoi ils s'embarquaient en m'ayant comme maman. Ils m'ont choisie quand même, alors, ça ne doit pas être si mal.

Rentrée montréalaise

Après une bonne vingtaine de spectacles dans toute la province de Québec, je fais finalement ma rentrée montréalaise, au Théâtre Corona que je connais si bien et dans lequel je me sens comme chez moi. Un vif succès. Je suis à l'aise sur scène. Mieux encore, je suis heureuse ! Les musiciens et moi ne faisons qu'un. Mon bassiste Alex mêle à présent sa voix à la mienne, ce qu'il ne faisait pas par le passé. Il me surprend par sa superbe prononciation arabe. On s'amuse terriblement sur scène. Je suis chanceuse d'être entourée d'aussi bonnes personnes. C'est vraiment un réconfort au quotidien. Je sais que je peux compter sur eux, l'inverse est aussi vrai.

Une personne aussi est là près de moi depuis très longtemps. Une personne qui aura vu au-delà d'une cinquantaine de mes spectacles, un peu partout en province. Un fan du nom de Christian Couture. Christian nous suit en spectacle depuis 2006, je crois bien. Il est même venu à Gaspé pour voir le spectacle et prendre des photos. Il était là à Rimouski, à Ottawa, partout, je vous dis. C'est en autobus qu'il se déplace et il ne manque jamais d'avoir de petits cadeaux pour nous et le traditionnel chocolat pour moi. Un homme vraiment gentil et auquel nous sommes tous attachés. Si tu lis ces mots, Christian, merci.

Je reçois beaucoup d'amour, j'en suis consciente et je l'apprécie plus que tout.

J'étais un peu anxieuse de lire les critiques de mon spectacle *La rose des sables* à Montréal, mais elles se révèlent très bonnes.

Le reste de l'année se déroulera sous le signe de la tournée. Spectacle par-dessus spectacle... festival par-dessus festival. Et j'adopte en plus une nouvelle fonction : je suis aussi conférencière, maintenant.

Quelques mots sur les accommodements raisonnables et mes conférences

Je suis, en effet, appelée à donner mon opinion, en tant que femme, en tant que Québécoise considérée comme bien intégrée à ma société d'accueil, et en tant qu'immigrante. Pourquoi donc me demande-t-on mon opinion sur la société québécoise, les choix sociaux et les solutions à apporter aux conflits qui ont lieu depuis quelque temps ? C'est qu'un tremblement de terre est venu ébranler le quotidien des Québécois et Québécoises (il faudrait d'abord s'entendre sur la bonne définition de « Québécois », mais passons pour le moment). La question qui se pose désormais : Jusqu'où devons-nous nous montrer flexibles devant des gens venus d'ailleurs ? Jusqu'où sommes-nous prêts à aller pour faciliter leur intégration sans nous perdre en tant que communauté cohésive ? C'est un sujet très sensible et complexe sur lequel je ne peux que donner mon humble avis.

Des mots et des notions sont de plus en plus employés dans le vocabulaire courant, dans les chroniques à la télévision et à la radio, dans notre espace de vie commun à tous. On entend parler de collision entre les libertés citoyennes, les accommodements raisonnables, la Charte des droits et libertés et ses exceptions, l'identité québécoise et les immigrants. C'est que quelques demandes isolées faites par certains individus issus de groupes sociaux minoritaires ont été reprises par les médias qui leur ont fait prendre des proportions qu'à mon avis, elles n'auraient jamais dû avoir. Ces demandes, est-il besoin de le préciser, sont d'ordre religieux.

À mes yeux, l'erreur que font les dirigeants de ce pays, en ce moment, c'est d'envisager d'introduire des accommodements dans la fonction publique en se basant sur une quelconque religion. Dans la vie de tous les jours, chacun est libre de sa personne et de sa foi, sous son propre toit comme dans l'enceinte de son lieu de culte. Dans la mesure où cette liberté-là ne vient pas entraver celle des autres, on s'entend. Si quelqu'un décide que sa religion (elle peut être toute nouvelle, il en naît constamment, de nos jours) lui impose de torturer des gais et lesbiennes, on voit bien que ce n'est précisément pas « raisonnable » ! Ça ne marche pas !

Où irons-nous si l'État commence à se plier à toutes les spécificités religieuses de tout le monde ?

Je pense réellement qu'accepter des accommodements pour des motifs religieux ne risque d'engendrer que le chaos et la cacophonie.

J'en entends quelques-uns dire que, oui, on pourrait plier un peu sur les religions, les plus importantes uniquement, mais pas sur les sectes et les « fausses » religions. Céder à une demande venant d'un juif serait acceptable, mais pas à celle, par exemple, d'un raëlien. À ceux-là je répondrai que toutes les religions ont commencé par être des sectes, des minorités. Qui sommes-nous pour juger de la vérité de telle ou telle autre croyance ? Le propre des religions, ce sur quoi elles s'entendent toutes, c'est qu'elles détiennent la vérité, même si elles ne s'entendent pas sur ce qu'est cette vérité.

Nous ne pouvons, à mon avis, tout simplement pas gérer un pays en pliant à tous les vents. Il nous faut un terrain neutre où ne règne aucune religion, un espace public laïc, libre, citoyen, égal pour tous. Et cet espace est la fonction publique et l'enseignement. Je ne vois pas mes enfants aller à la garderie ou à l'école et se faire enseigner telle ou telle religion. Je veux qu'ils soient libres de faire leurs choix plus tard. Quand on est jeune, on est influençable.

La fonction publique est là pour représenter le gouvernement. Elle se doit d'être neutre afin que chacun se reconnaisse dans l'État et tout ce qui règle les différentes facettes de nos relations avec lui. C'est une condition impérative au maintien de l'ordre et de l'équité. Être tous égaux devant la loi et la société. C'est simple, très simple. Enfin, à mes yeux ça l'est, mais il semble que bien des gens aient du mal à dire, tout simplement, NON !

En 2009, la vague de questionnement face à l'identité du vrai Québécois déferle sur cette terre si calme et accommodante. On peut la résumer par les questions suivantes :

1) Qui sommes-nous ?

2) Quelles sont nos valeurs ?

3) Comment nous sentons-nous face à la multiplication de la présence du voile islamique ? Que symbolise-t-il pour nous ?

4) Comment se fait-il que l'on se casse la tête à accommoder de nouveaux arrivants pour qu'ils occupent des postes et des jobs intéressants ?

5) Comment se fait-il qu'ils peuvent se permettre de faire ces demandes ?

Mes réponses

1) Nous sommes un peuple doux, jeune, inexpérimenté, fragile et habité d'un fort sentiment d'insécurité. Je l'ai déjà dit par le passé, nous n'aimons pas le conflit et nous aimons « vivre et laisser vivre ». Nous sommes, comme le dit la chanson, une bulle de France au nord d'un continent. Et nous craignons beaucoup pour notre langue, ça nous rend fragiles et ça nous donne un sentiment d'insécurité. Nous sommes un peuple aux influences multiples, aux composantes multiples. Des gens de partout sont venus bâtir

avec nous la société dans laquelle nous sommes aujourd'hui. Et même si nous avons peur parfois de prendre des décisions importantes parce que l'on nous a habitués à ne pas faire trop de bruit ni de vagues, nous ne rêvons que de surfer sur la vague ultime de notre destin.

2) Nos valeurs ont commencé par être celles que nous a imposées la religion catholique. À la naissance du Québec, nous n'avions pas le choix. C'était le Dieu de l'Église et non pas l'Église de Dieu. Mais les peuples vieillissent et à l'adolescence du nôtre, nous nous sommes rebellés. Une crise d'adolescence qui nous a fait tuer Dieu. Nous nous sommes voués alors aux dieux que sont pour nous, maintenant, la liberté, l'égalité, la prospérité, la réussite, l'individualisme. Nous avons changé. Aujourd'hui, nous aimerions retourner un peu en arrière, pas trop, mais juste assez pour être au milieu de quelque chose, retrouver la foi en quelque chose de commun, n'importe quoi ! Retrouver le sens de la famille, même recomposée.

3) Nous sommes sincèrement partagés. Cela ne nous regarde pas directement ou personnellement, mais en même temps, nous sommes inquiets de voir des femmes qui se cachent physiquement. Ou qui sont cachées par autrui. On ne cache que ce qui est laid, ce qui est mal. La femme est belle, la femme est bonté, son corps enfante, alors il ne peut être que généreux. Nous nous sommes battus pour l'égalité totale entre les hommes et les femmes. Une femme qui porte le voile ne peut pas être l'égale de l'homme qui, lui, ne le porte pas. Ce n'est pas possible. Face à cette question, nous ne savons plus sur quel pied danser. Et quand l'on entend parler une femme voilée qui nous dit que c'est son choix de porter le voile et qu'elle n'est soumise qu'à son Seigneur, alors que nous nous sommes détachés de la religion il y a bien longtemps, il nous est difficile d'y croire parce que nous ne croyons plus en Dieu, ni en grand-chose, d'ailleurs. Nous sommes, je crois, partagés comme sur bien d'autres questions aussi ; nous aimerions nous en moquer, mais nous n'aimerions vraiment pas voir nos filles considérer

le voile islamique comme un choix possible ou, pire, comme une normalité.

4) Nous nous cassons la tête à les accommoder, ces nouveaux arrivants (et même les anciens arrivants, en passant) parce qu'on le leur a promis. On leur a promis des emplois, en les invitant à entrer sur notre sol. On leur a dit que leur foi serait respectée, sans restrictions, grâce à la Charte des droits et libertés et que notre pays était une terre de prospérité, de respect des différences et de droits. On ne fait donc que respecter nos promesses, mais pourquoi s'abstenir de leur demander, à eux, de faire la moindre promesse ?

5) Comment se fait-il qu'ils se permettent de faire ces demandes ? Mais pourquoi n'oseraient-ils pas les faire ? Qui ne tente rien n'a rien ! La Bible dit : « Demandez et vous recevrez. » Si cela ne nous convient pas, c'est à nous de dire... NON ! Sans culpabilité. Dire non, parce que ces demandes ne sont pas compatibles avec la direction qu'a prise toute une société. Dire non, parce que parfois, il faut faire passer les droits de la collectivité avant ceux de l'individu.

Toucher aux valeurs communes des nations occidentales, aux valeurs universelles, est un suicide collectif. Ce n'est positif ni pour ceux et celles qui viennent d'ailleurs à la recherche d'une vie meilleure, ni pour ceux et celles qui clament leur appartenance à la terre qui a vu naître leurs ancêtres. Bâtir n'importe quoi sur du n'importe quoi, ça donne du n'importe quoi au cube, engendre peut-être même des guerres civiles. Je dramatise à peine. Quand nous commençons à blâmer l'autre, à voir l'autre comme différent, comme privilégié alors que nous n'avons, nous, semble-t-il, aucun privilège, c'est alors que naissent les haines. Avec les haines, naît le racisme. Avec le racisme, rien de bon ne peut plus fleurir. C'est du poison, le poison de la société.

Donc, pourquoi vient-on me demander de partager mes opinions et de parler de mon expérience en tant que femme ayant vécu dans un pays qui a sombré dans une guerre civile larvée à cause de l'emprise de la religion ? Eh bien, précisément pour cette raison ! Parce que j'ai déjà vu cela se produire par le passé et que mes nerfs sont restés à vif en pensant que cela pourrait se produire n'importe où dans le monde.

Le danger, en ce moment, réside dans cette façon qu'ont certaines personnes de banaliser l'importance des changements qui risquent de survenir si nous laissons les choses aller sans mettre de barrières précises, sans distinguer clairement ce qui est acceptable de ce qui ne l'est pas.

Ce que j'ai dit, lorsque j'ai été choisie par le Syndicat de la fonction publique, par les groupes de femmes, par le Syndicat de l'enseignement de Champlain (ou autre), c'est que le mot d'ordre devrait être, immédiatement et fermement : « laïcité ». Laïcité dans la fonction publique. Point à la ligne.

Idéalement — et j'ai eu l'occasion d'en parler avec Yolande James quand elle était encore ministre de l'Immigration et des Communautés culturelles —, malgré toute la complexité que cela occasionne, nous devrions nous donner une charte stipulant nos normes sociales au niveau même du point de départ qu'est, pour les nouveaux venus, le ministère de l'Immigration. Une charte des droits et des devoirs du citoyen et de la citoyenne au bas de laquelle on demanderait aux immigrants d'apposer leur signature pour pouvoir entrer au pays. On me dira que ce serait pénaliser ces gens, que l'on ne laisserait ainsi entrer au pays que des gens qui nous ressemblent et que ça tuerait la diversité ! J'estime au contraire que nous nous retrouverions avec des gens ayant une bonne capacité d'intégration et manifestant la volonté d'évoluer dans une société où vivent d'autres personnes qui ne sont pas forcement comme eux.

C'est un mot clé, ça... intégration... dans les deux sens. À quoi cela sert-il de s'acharner à vouloir intégrer des gens qui n'en ont pas la volonté, et donc qui ne remplissent pas la première condition de toute intégration ? Si les gens arrivent ici en voulant vivre très exactement comme ils le faisaient dans leur pays d'origine, mais juste avec de meilleures conditions de vie, ça ne marchera pas ! Ces gens-là vont se cloisonner, se ghettoïser, tout en profitant des avantages que donne la vie dans une société occidentale démocratique et libre. Et nous risquons de nous retrouver avec les mêmes problèmes que ceux qu'ils ont quittés.

Si des gens décident de changer de pays, de plier bagage, il faut qu'ils s'attendent à faire eux aussi des compromis. C'est cela que l'on oublie de leur préciser avant qu'ils ne quittent leur terre natale. Et c'est cela que l'on oublie de leur dire, me semble-t-il, à leur arrivée ici.

Alors voilà, c'est de toutes ces questions que je parle lorsque je suis invitée dans des émissions de radio ou de télé, et dans les conférences que je donne sur ce sujet bien complexe mais qui me tient tant à cœur. Je suis inquiète et je partage cette inquiétude avec les autres. J'ai d'ailleurs de plus en plus d'invitations à aller témoigner en public. J'en suis heureuse, car c'est pour moi une bonne façon de rester en contact avec ce qui se passe dans la tête des gens du pays. À présent, gens du pays, c'est votre tour de prendre la parole et de prendre le pays en mains !

Mais revenons à cette année 2009 dont je vous disais qu'elle était placée sous le signe de la tournée et des spectacles multiples.

Je présente à l'été, pour la première fois, mon propre spectacle extérieur lors du grandiose Festival international de jazz de Montréal. Moment de grâce ! Surtout que je me produis sur la scène de Patrick. Depuis près de cinq ans, en effet, Patrick occupe chaque été la fonction de régisseur principal d'une des scènes extérieures lors du Festival de jazz ou des FrancoFolies de Montréal. Et cette année-là, c'était moi qui étais sur sa scène, ce qui ne manquait pas de le rendre fier comme un paon. Nous avions travaillé longtemps pour en arriver là. Et comme le veut la tradition, à chaque fois que je suis aux Francos ou au Festival de jazz, le spectacle se donne sous une pluie battante. C'est comme ça, je dois être bénie !

Entre deux spectacles, cet été-là, j'ai eu la chance d'aller auditionner pour un rôle dans un mini-film censé accompagner la sortie d'un roman du réalisateur de films et de séries télévisées de grand renom Jean-Claude Lord, que j'avais croisé à quelques reprises et particulièrement en 2008 alors que mes jumeaux, Dahlia et Liam, faisaient de la figuration dans la série *Lance et compte*. Ils avaient deux mois et jouaient déjà dans une série télévisée, très drôle, non ?

Je sens tout de suite un bon contact avec Jean-Claude : il a l'air d'être un homme d'une grande intégrité et d'une grande bonté. D'ailleurs, ses yeux n'ont l'air de voir que la bonté des gens. Ils semblent sourire quand ils se posent sur quelqu'un. En le regardant, moi, j'ai l'impression d'avoir affaire à un enfant pris dans le corps et la vie d'un homme de soixante ans.

Je n'obtiens pas le rôle, mais à la place naît une belle amitié. Nous nous rencontrons à quelques reprises pour discuter de la vie, de nos croyances respectives, de nos expériences. Je me sens tout de suite en confiance avec lui et je sais aussitôt que notre amitié est de celles qui s'avèrent précieuses. Jean-Claude parle doucement, avec calme, et partage volontiers son expérience et ses pensées si l'on pose les bonnes questions. Il ne peut rester sans projets... au pluriel ! Je ne sais d'où il tient cette énergie. Je suis épuisée rien qu'à l'entendre énumérer les différents projets sur lesquels il travaille simultanément. Comme un enfant aux yeux pétillants, excité en passant d'un jouet à l'autre, et passionné par chacun d'entre eux. Entre les deux enfants que nous sommes dans notre cœur, le courant passe particulièrement bien : on se comprend, tout simplement. Et c'est superbe de trouver des gens autour de nous pour nous comprendre.

Il me parle de la possibilité de travailler ensemble, plus tard, sur de la musique pour ses projets à venir. Je suis excitée à l'idée de faire de la musique de film. C'est une des raisons pour lesquelles j'aime le cinéma : la faculté qu'a la musique de nous faire voir des images instantanément. Je l'avais déjà fait par le passé, prêter ma voix à des bandes sonores de films, mais avoir la possibilité d'en créer d'originales, spécialement pour ça, c'était différent, palpitant ! Plus tard, Jean-Claude est venu nous rencontrer, Patrick et moi, pour nous faire une proposition du plus grand intérêt, mais parfaitement inattendue : il voulait faire un documentaire sur moi !

Sur moi, mais pourquoi sur moi ? Qu'y a-t-il à dire, à voir de moi ? Voyons donc !

Je ne voyais décidément pas l'intérêt. Patrick, quant à lui, en voyait la pertinence : il imaginait toutes les histoires que je pouvais partager avec les spectateurs potentiels. C'était clair dans sa tête, dans leur tête à tous deux, mais pas dans la mienne. Mais décidément, à quoi bon résister aux nouvelles choses, aux nouvelles expériences que la vie me propose : autant suivre la marée. Je vais donc suivre la marée, en douceur, et me laisser surprendre. Je fais confiance à ces deux hommes, c'est un honneur que d'être le sujet d'un documentaire, surtout si celui-ci est réalisé par Jean-Claude Lord. Il aura été le maître d'œuvre de séries à grand succès, au Québec, telles que : *Lance et compte, Jasmine, Diva, Lobby* et bien d'autres. Des films comme : *Bingo, Visiting Hours, La grenouille et la baleine,* etc.

Nous trouverons, le temps venu, des producteurs qui financeront la concrétisation de ce projet documentaire. Pour l'instant, une petite équipe, formée d'un caméraman, d'un preneur de son et de Jean-Claude lui-même, me suivra lors d'événements particuliers et pour un petit tournage à la maison où l'on me découvrira dans mon quotidien. Nous ferons de ces images un court montage qui servira de démo pour aller à la pêche aux producteurs.

Le tournage à la maison a été hilarant. Mon petit garçon avait été mis en punition dans sa chambre et il pleurait de toutes ses forces. Le caméraman et le preneur de son étaient restés coincés là, dans le vacarme de ses cris. J'en pleurais de rire en voyant les images.

Jean-Claude m'a suivi également lors d'une de mes conférences pour le Syndicat de la fonction publique, à Drummondville.

Dieu que je vis de drôles de moments ! Donner une conférence n'est déjà pas ce que je m'imaginais faire dans la vie. Mais être suivie par un grand réalisateur qui capte le tout, c'est tout simplement incroyable !

Et les spectacles, oh ! les spectacles !... Nous nous déplaçons à quelques reprises pour des spectacles à Calgary, Edmonton...

à la conquête de l'Ouest ! On dirait une phrase tirée d'un film de cow-boys ! Mais c'est superbe de voyager dans ce grand pays : il est tellement beau ! Et comme les Québécois sont différents du reste des Canadiens ! Ahurissant ! J'ai l'impression d'être, à chaque fois, dans un autre pays, mais qui utilise la même monnaie.

J'ai commencé à expliquer aux enfants nos départs. Ils comprennent que nous finirons, papa et moi, par revenir. Mais c'est quand même dur pour eux de nous voir partir tous les deux.

Au mois de septembre, alors que je jongle entre clinique médicale pour les otites des enfants, camping en Ontario, mes obligations d'artiste, les entrevues et le reste, Patrick est engagé comme directeur de tournée (ce qu'il fait à la perfection) pour un spectacle conçu par le chanteur multidisciplinaire Richard Petit. Nous finissons tous par nous croiser, dans le showbiz québécois.

Ce spectacle était destiné aux forces armées, en Afghanistan. J'aurais pu y aller avec lui et faire un bon cachet. Ce sont, en effet, des contrats très lucratifs. Mais l'Afghanistan est un pays en guerre et nous ne pouvions nous permettre de mettre en danger la vie des deux parents des jumeaux. Un des deux devait rester et cette fois, c'était moi. Cependant, comme je restais seule avec le boulot de m'occuper des enfants, Patrick nous offrait, avec une partie de son cachet, un voyage dans le Sud pour nous quatre. C'était équitable.

Mais j'étais inquiète, terriblement ! Surtout que durant la présence de Patrick là-bas, deux soldats canadiens sont tombés. Toutes les communications avec la base internationale de Kandahar ont été coupées pendant deux jours. Les plus longues journées que j'aie vécues depuis longtemps.

J'ai appris, à son retour parmi nous, que la gouverneure générale, Mme Michaëlle Jean, s'était rendue sur place pour la cérémonie dédiée aux soldats qui avaient perdu la vie. Dure mission que celle qu'elle avait là. Je pense que durant son mandat, elle aura accompagné plus de cent cinquante familles canadiennes dans le deuil. À leur parler, leur dire que ce que leurs enfants avaient fait était important pour le pays, pour le monde.

Étrangement, moi qui suis si profondément contre toute idée de guerre, j'ai la certitude que ce que les soldats canadiens font là-bas est important et nécessaire. Même si l'on a l'impression que ça ne nous regarde pas, que ce ne sont pas nos affaires, que nous ne faisons qu'être la queue du gros chien-chien américain, je persiste à croire que les enfants pour qui nous rebâtissons des écoles, les femmes pour qui notre simple présence sur le sol dissuade les talibans de revenir en force, les plus jeunes et les plus vieux pour qui nous restructurons un système de santé, et tous ces hommes qui peuvent enfin choisir d'être des modérés au lieu de n'avoir le choix que d'être des talibans, pour tous ces gens, nous sommes importants et nous faisons une différence !

Nous ne pouvons pas rester dans le confort de notre Amérique du Nord en nous balançant du reste du monde, du reste de l'humanité. Car l'humanité est comme un corps. Si un des membres se retrouve infecté ou atteint de maladie, tout le reste du corps souffrira de maux et de fièvre, jusqu'à finir par s'éteindre.

L'Olympia, la rencontre

Nous sommes invités, mon amoureux et moi-même, par l'ancien ambassadeur du Canada en Algérie, à présent chef du protocole à Ottawa, notre cher ami Robert Peck, et son épouse, Maria, à aller voir à l'Olympia de Montréal un spectacle de cet artiste incomparable qu'est Enrico Macias. Pendant toute une soirée, j'allais entendre les chansons de mon enfance : *Malheur à celui qui blesse un enfant, L'Oriental, Le vent du sud...* que de souvenirs ! Et les chansons de son album *Les oranges amères*, que j'aime tant ! Ah... que j'étais heureuse de cette invitation ! J'étais heureuse, aussi, de le revoir.

J'ai oublié de vous dire, en effet, que durant l'été 2006, pendant les FrancoFolies de Montréal, j'avais fait la première partie de M. Macias, à la Place des Arts. Je ne l'avais croisé que brièvement alors qu'il arrivait pour son test de son et à la fin du spectacle. Patrick avait fait des pieds et des mains pour que cette première partie me soit confiée par les directeurs artistiques du festival. Et grâce à un contact amical qu'entretenait Patrick avec un homme d'affaires important, ami de M. Macias et grand amoureux de la musique, du nom de Mark Kakon. Il aimait beaucoup ce que je faisais et avait profité d'un moment avec Enrico Macias pour lui faire écouter la reprise que j'avais faite de sa chanson *Adieu mon pays*. Enrico, qui avait beaucoup aimé mon interprétation, m'avait fait appeler aussitôt au téléphone pour me le dire de vive voix. Ah, que c'est bon la vie, n'est-ce pas ?

Alors, c'est avec la douce perspective de pouvoir peut-être rencontrer M. Macias que nous nous sommes tous les quatre rendus à l'Olympia (beau présage, en passant : un jour, c'est vers l'Olympia de Paris que je me dirigerais pour y présenter MON spectacle). Le spectacle est un bonbon au miel ! Ah ! que j'ai aimé, ah ! que j'ai dansé. Un spectacle rassembleur, il ne chante pas que pour des Juifs (même si le spectacle est offert dans le cadre du Festival Séfarad de Montréal), c'est un chanteur de la paix qui chante pour tous des mots d'amour. C'est bon !

Après le spectacle, il est exténué. Mais je me présente à la personne qui garde la porte de sa loge et je suis la seule à y être admise. Personne d'autre, pas même les amis, personne d'autre que moi n'y est entré. Quel honneur il me fait alors ! Il me redit à quel point il avait aimé mon interprétation de sa chanson et qu'il espère que l'on se revoie bientôt.

Je quitte la loge, toute légère. Comme j'aimerais chanter avec lui ! Le temps viendra, petite, le temps viendra !

Juste à la sortie de l'Olympia, nous faisons une belle rencontre avec un grand ami de la famille d'Enrico du nom d'Eric Aouizerat. Nous discutons avec lui et ses yeux s'illuminent à l'idée de me voir travailler avec un réalisateur français de grand talent qui est aussi son meilleur ami, Jean-Claude Ghrenassia : c'est le fils d'Enrico Macias et c'est lui qui a réalisé les deux derniers magnifiques albums de son père.

Patrick prend contact dans les jours suivants avec Jean-Claude Ghrenassia, qui semble très intéressé à une collaboration avec moi. Il avait écouté ma musique et envisageait fort bien de prêter son talent au mien. L'avenir nous en dira plus.

Le 15 novembre suivant, j'étais une des artistes invités de la grande soirée du Gala de clôture du Festival Séfarad de Montréal. J'étais arrivée avec l'équipe de tournage du documentaire de Jean-Claude Lord, qui me suivait. Ce dernier était là, lui aussi, bien mal à l'aise avec sa cravate. C'était drôle de le voir marcher comme RoboCop.

J'étais le dessert de la soirée et j'ai entendu, après ma prestation qui avait beaucoup plu, bien des commentaires positifs mais aussi bien des questionnements. Les gens voulaient savoir si j'étais, oui ou non, juive. Je trouve l'idée de poser cette question un peu dépassée, mais que voulez-vous ? Il y en a pour qui l'appartenance religieuse d'un artiste est une chose importante. Mark Kakon, l'ami d'Enrico Macias, était derrière cette invitation et il avait montré très clairement à tout le monde que la religion n'avait aucun rapport avec ma présence et que seul le talent importait. On voit bien sa réaction dans le documentaire : lorsque questionné sur l'invitation d'une artiste arabe, au gala, il répond : « Qu'est-ce que ça peut faire que l'on soit arabe ou juif ? » Voilà qui résume tout, bravo, Mark !

Bien finir l'année, c'est partir

Pendant le voyage de Patrick en Afghanistan, j'en avais profité pour trouver des aubaines incroyables sur Internet pour nos deux semaines de vacances. Ma tante Moumou, la professionnelle des bonnes affaires sur le Net, m'avait aidée et pour vraiment pas grand-chose, nous partirions prendre du bon temps à Cozumel, une île non loin de la côte mexicaine.

Et puis la vie m'avait fait une belle surprise dans les quelques mois précédant nos vacances. Grâce au réseau social Facebook, j'ai retrouvé ma meilleure amie d'enfance, Radia. C'est incroyable, ces réseaux-là ! Dire que je l'avais cherchée pendant des années, et là, par le biais de connaissances, nous nous sommes retrouvées, nous nous sommes parlé et nous nous sommes raconté nos vies. L'année 2010 sera celle de nos retrouvailles. Nous nous promettons de nous voir en avril : elle viendra avec son mari depuis New York, où elle réside depuis la dernière décennie. Ce sera un grand moment.

Et puis Patrick et moi avions bien du pain sur la planche. Il fallait entamer 2010 à toute vapeur. Comme à son habitude, Patrick avait dans la tête une autre tournée, en Égypte, en Grèce et à Chypre. Les contacts et les appels se faisaient depuis quelques mois déjà. L'Égypte était le point focal de cette tournée et le lien avec le pays et une productrice que nous avions trouvée là-bas s'était fait grâce à une charmante dame travaillant dans le domaine des arts du nom de Caroline Sabbagh. C'est vraiment grâce à elle que cette tournée allait se réaliser dans les prochains mois. Patrick y travaillait, même en vacances, grâce à son portable qu'il avait apporté avec lui. Comme il me le disait : « Je préfère travailler une petite demi-heure le matin alors que vous êtes tous encore couchés : ça me détend, je suis moins stressé quand le travail se fait. » C'est vrai, j'avais pu constater la différence : je n'essaierais plus jamais de l'empêcher de travailler un peu en vacances. Ce serait mieux ainsi !

Et ce fut, effectivement, un voyage sublime malgré les crisettes des enfants. Un très beau coin de la planète que cette petite île de Cozumel. Je ne voulais pratiquement plus revenir à la maison. Mais quand faut y aller, faut y aller.

Chapitre 20

Au pied des pyramides

2010 – L'année qui changera tout

On y est, l'année est commencée. La création de nouvelles chansons, avec Michel Bruno, est déjà entamée. Il reste quelques spectacles au calendrier, mais le point focal est... mon prochain album ! Faire des disques est une histoire qui ne finit jamais.

Je suis ouverte à toutes les possibilités, à toutes les options. Et une belle porte qui s'ouvre alors devant moi est celle d'une collaboration avec Jean-Claude Ghrenassia pour le prochain opus. Alors, sans hésitation aucune, Patrick et moi achetons nos billets d'avion, réservons notre chambre dans un petit hôtel près de la gare du Nord, à Paris, et nous décollons à la rencontre de l'homme. Je dis « l'homme » tout court, parce que pour travailler avec quelqu'un, il ne suffit pas de connaître son nom et ses accomplissements, si grandioses soient-ils. Jean-Claude, dans les dernières années, aura travaillé avec tant de grands noms en France que je ne pourrais en faire la liste. Il passe d'instrumentiste faisant des tournées à réalisateur ou, à créateur de musiques de film. C'est vraiment un artiste complet. Mais il me faut d'abord une rencontre avec lui, il faut que je sente la chimie ! Pour arriver à travailler ensemble, il faut que l'on arrive à se parler et surtout, à s'écouter. Parler, on peut faire ça devant son miroir sans être interrompu. Mais écouter et respecter les visions, les souhaits et le caractère de l'autre, c'est là la dimension la plus importante.

Et l'homme que j'ai rencontré à Paris avec Patrick est un homme simple, terre à terre, aux valeurs familiales bien ancrées dans le cœur. Il vient nous chercher à l'hôtel avec sa petite auto de ville et nous emmène à son studio pour écouter mon démo de trois chansons. Et vite, l'on se retrouve en train de chantonner et d'improviser. Je suis tout de suite à l'aise. Ça ne trompe pas, ce sentiment de confort qui fait sentir que l'on peut être soi-même. Jean-Claude aime le projet et il aime ma voix.

Le soir même, il nous emmène manger dans son restaurant (kasher) de prédilection. Je crois qu'il trouve bien amusante notre totale ignorance des habitudes de vie juives. Nous mangeons, discutons de nos projets et nous risquons même à fixer un échéancier pour la concrétisation de l'album là-bas, en France.

Je suis excitée comme une puce ! Mais j'ai le trac en même temps, beaucoup de nervosité, d'excitation ! Mon cœur bat vite. En plus, le décalage horaire me rentre dans le corps. Je me vois vivre à Paris pour quelques temps, avec ma petite famille. Ça va me demander de l'organisation... Mais je peux le faire, *yes I can do it, YES WE CAN* !

Pendant la soirée, un flash vient couper la conversation. Une idée de chanson, un duo pour Enrico Macias et moi. Je sors mon magnétophone et enregistre immédiatement l'idée de la mélodie et le titre futur de la chanson : *Les fleurs d'oranger*. Jean-Claude craque pour l'idée et me confirme que son père (à qui il avait parlé de notre rencontre au téléphone quelques heures plus tôt) lui avait témoigné son intérêt, si la chance se présentait, d'enregistrer une chanson avec moi. Wow ! Enrico Macias chantant mes mots... La vie est bonne !

Le lendemain, c'est chez lui que nous sommes reçus : nous rencontrons sa petite famille, écoutons des classiques de la musique algérienne, du jazz et nous nous rendons compte à quel point nous sommes semblables et à quel point nous aimons la musique. Nous avons aussi, manifestement, les mêmes valeurs qui animent notre vie... Nous parlons musique, histoire, paix... Puis nous nous sommes dit « au revoir » en nous assurant mutuellement que nous avions hâte de vivre ce succès-là ensemble. Nous nous quittons sur cette note d'espoir et sur cette vision de l'avenir, et nous nous promettons de garder le contact et de continuer à communiquer durant les mois à venir. Nous travaillerons ensemble à la concrétisation de cet album et à sa sortie en France. « Si Dieu le veut ! » comme dirait Jean-Claude.

Les Jeux olympiques de Vancouver

Nous avons à peine le temps de revenir à la maison, en ce froid de début février, qu'il nous faut déjà repartir. Direction, les Jeux olympiques de Vancouver.

Cela fait déjà plus d'un mois que je travaille à monter un spectacle extérieur, dont je serai à la fois la metteure en scène, l'animatrice, une des choristes et surtout l'artiste hôtesse de la soirée, celle qui fera le lien entre les différents artistes invités de ce spectacle multiculturel. Dieu que j'en avais lourd sur les épaules ! Mais en même temps, ce fut un beau défi.

Je n'étais encore jamais allée à Vancouver et là, je découvris cette belle ville à la lumière des Jeux.

Mon gros spectacle serait un des seuls à être télévisés, ouf, le trac !...

Au début, je me disais que c'était assez incroyable que l'on nous donne, à nous les francophones, une aussi belle chance, une belle et grande scène extérieure sur la magnifique île de Granville. L'île nous était quasiment réservée. Radio-Canada était là pour diffuser des entrevues en français. Ma chère Monique Giroux était là. J'avais l'impression que toute la communauté artistique québécoise était de passage à un moment ou un autre sur l'île des... francophones.

Mais c'est là que j'ai vu le problème : nous étions sur une île où les transports ne se rendent pas forcément. Je ne voyais pas grand stationnement et à cause des Jeux, justement, la circulation était si chaotique que peu de gens s'aventuraient à se déplacer plus loin que le très accessible centre-ville de Vancouver, là où l'on peut prendre le Sky Train pour aller où on veut. Je ne veux pas paraître paranoïaque, mais j'avais bien l'impression que l'on nous avait « isolés » exprès.

Je n'allais certainement pas en faire un cas, tout ce que je voulais, c'est que ma soirée se déroule bien. Et sublime elle fut. Vraiment. Un bon moment de bonheur ! Nous n'avions pas eu le temps de répéter vraiment ni de tester notre son, mais nous sommes parvenus malgré tout à donner un bon spectacle.

Il faut dire que le principe du spectacle que l'on m'avait imposé, c'était de travailler avec des artistes venant de différentes villes et que les horaires, les décalages horaires, les carrières respectives rendaient les communications ardues. C'est ainsi que j'avais une artiste autrichienne qui ne pouvait arriver que le jour même du spectacle ! Un artiste africano-vancouvérien que je n'avais rencontré que la veille. Mais je remercie Dieu pour la présence de mon ami le talentueux Carlos Placeres et de l'incroyable Marie-Jo Thério qui avait accepté de nous accompagner dans l'aventure.

La veille du spectacle, alors que nous étions en répétition dans une petite salle sur l'île de Granville, nous avions eu de la grande, grande visite... Comme elle ne pouvait assister à mon spectacle extérieur du lendemain (qui se donnait le soir de la Saint-Valentin), Mme la gouverneure générale du Canada, Michaëlle Jean, ainsi que son époux, M. Lafond, et tout son entourage se sont déplacés pour me dire un bref bonjour pendant la répétition. Elle est arrivée alors que nous nous apprêtions à sortir. Le temps de répétition qu'on nous avait alloué était terminé et les musiciens avaient débranché leurs instruments. En nous revoyant, Mme Jean et moi, nous nous sommes serrées dans nos bras et elle m'a demandé de lui chanter une petite chanson. Elle a regardé Michel Bruno et lui a lancé : « Allez, Michel ! » Comment aurait-il pu résister ?

Alors guitare et voix, comme dans une fête en famille, nous lui avons interprété ma chanson porte-bonheur, *Mon amie la rose*. Mme Jean aime tant la musique ! Ce moment de paix dans son tourbillon de vie lui a fait du bien. « Il faut les prendre, ces moments-là ! » comme elle le dit si bien. J'ai tant de chance de connaître cette grande dame... Dieu que j'aimerais un jour travailler à ses côtés. J'apprendrais beaucoup. Elle est si humaine.

Après notre soirée de spectacle, nous célébrons en prenant un verre ensemble, Carlos, Marie-Jo, les musiciens, Patrick et moi. Mais je suis si fatiguée par les décalages horaires accumulés, le stress du spectacle qui reposait sur mes épaules, le manque que crée en moi le fait d'être loin de mes enfants, que je suis paf en moins de deux gorgées de vin. On a bien ri à mes frais, Patrick surtout.

Drôle de façon de passer la Saint-Valentin, seule dans ma chambre d'hôtel, parce que je ne me sentais pas bien, à cause de deux petites gorgées de vin. Remarquez bien que pendant les dix ans passés avec Patrick, jamais nous n'avons eu la chance de célébrer la Saint-Valentin ensemble, en amoureux. Je me demande ce que cela peut bien vouloir dire ? Peut-être qu'il nous faut la célébrer les autres trois cent soixante-quatre jours de l'année !

Mon équipe et moi présentons un autre triple spectacle, le lendemain, au pavillon du Québec. Cette fois-ci, sur l'île de Vancouver même. Un spectacle de trente minutes, donné trois fois. Drôle de principe, mais, comme beaucoup de gens rentrent et sortent des pavillons, c'était peut-être mieux ainsi.

Je parle enfin à mes enfants au téléphone. Ils s'attendent à avoir un cadeau, à mon retour. Je les embrasse et leur dis que je les aime avec la gorge serrée. Je ne veux plus me séparer de mes enfants ! Je ne suis pas faite pour ça. Je m'en fous de ne pas leur manquer, eux, ils me manquent. Ils me manquent même quand ils dorment la nuit. Je ne suis pas faite pour ces sépa-rations. Cela me déchire.

Mais pour la prochaine grosse étape de cette année, mes amours seront avec moi. Nous partirons en tournée à Chypre et en Égypte. Je veux voir la terre des pharaons avec leurs yeux. Les dépenses reliées à leur présence seront toutes assumées par moi. La vie se chargera du reste.

Ma tante Moumou accepte de faire le voyage avec nous et de faire encore une fois la nounou. Elle travaille à son compte : elle enseigne, elle fait de la gestion de projets, c'est vraiment une femme d'affaires multifonctions. Elle a donc dû déplacer un tas de rendez-vous et réorganiser ses douze jours d'absence. C'est si gentil de sa part de se séparer ainsi de sa famille pour m'aider à passer au travers. Mon ange gardien !

Mais avoir les enfants avec moi, ça a un prix !

Billets d'avion pour deux enfants de 2 ans et nounou Moumou : + de 5000 $

Gravol bébé pour dormir dans l'avion : 9 $

Couches pour tout le voyage : 40 $

Séances de thérapie avant le départ : 80 $

Être avec ma petite famille (Moumou et Patrick y compris) au cœur même de la grande pyramide, à Gizeh… ça n'a pas de prix !

Et pour tout le reste… il y a MasterCard !

Tremblement de terre dans ma tête

J'ai une entente verbale avec mon futur éditeur, pour l'écriture de mon autobiographie. Venu voir un de mes spectacles, il avait suggéré à Patrick que j'écrive un livre. Patrick, avec son emporte-ment et son effervescence naturels, appuyait fortement cette nou-velle étape artistique. À ses yeux, écrire un livre est une suite logique. Il me croit capable de tout faire : être comédienne, auteure… *you name it*, comme il me le dit souvent : « *You can do it, come on now, don't panic, take notes, get organised. Go one step at a time !* » (Tu peux le faire, allez, ne panique pas, prends des notes, organise-toi, vas-y une étape à la fois !)

Oui, oui, je prends ça une étape à la fois. La première étape consiste à... paniquer. Oh ! j'exagère sans doute, mais c'est vrai qu'il m'arrive de regarder tout ce qui s'en vient et d'avoir un haut-le-cœur en pensant ne pas pouvoir y arriver.

Mais je ne suis pas obligée de faire quoi que ce soit. Si j'accepte, c'est que je le veux bien. J'aime rendre Patrick fier. J'aime relever les défis. Mais pour y arriver... le chemin est pavé de crises de panique.

Je prends quand même le temps d'y penser : écrire un livre sur moi-même, à trente-deux ans ! Et puis, qui le lira ? Il y a déjà un documentaire sur moi qui se prépare, je suis souvent en entrevue, je me livre en musique et en chansons, alors un livre, par-dessus le marché ? Mais étonnamment, je sais en mon for intérieur que c'est la bonne chose à faire. Que ça marche ou non, allez, j'accepte !

Maintenant... *ladies and gentlemen*, la crise !

La page est blanche devant moi, et la première chose que je note, c'est le titre de mon livre, rien d'autre : *SURVIVRE AUX NAUFRAGES*.

Pourquoi ?

Parce que la vie, à mes yeux, c'est une navigation du point A au point Z. On choisit son bateau, voilier, Zodiac ou autre, et on n'a pas le choix de zigzaguer sur les flots au gré des courants et des vents. On calcule les risques, on décide d'une destination, on peut s'y rendre ou changer d'avis. On chaloupe, on se fait brasser par quelques tempêtes. Et parfois, on fait naufrage. Alors, notre façon de réagir finit par nous définir. Soit on se laisse sombrer, soit on décide de nager pour remonter sur le bateau et pour poursuivre la route, quel que soit le nombre de naufrages subis.

Je suis une nageuse ! J'ai une image, dans la tête, de mon point Z, mon point d'arrivée, mon dernier moment sur terre, et il est si magnifique qu'aucun naufrage ne me fera dévier de ma route.

En ébauchant les quelques premières pages de mon manuscrit, je me suis rendu compte que me replonger dans les images sépia de mon vécu me demandait un peu plus émotionnellement que ce à quoi je m'attendais. Si l'on ajoute à cela le fait qu'une situation familiale complexe m'entourait et me faisait vivre des moments de très grande colère, de déprime intense et d'instabilité, j'ai pris conscience que j'avais besoin de quelqu'un pour m'aider à y voir plus clair. Le problème familial en question concerne une personne autre que moi, je ne peux donc pas l'aborder en détails.

J'avais, en tout cas, besoin de parler, d'être écoutée et d'être conseillée par quelqu'un d'autre que des membres de ma famille ou même mes amis, qui sont souvent déjà trop impliqués émotionnellement dans ma vie.

J'ai donc commencé à consulter, presque en catastrophe, une femme exceptionnelle, une naturothérapeute (qui est aussi la mère d'une de mes copines du secondaire, Éliane). Un ange, cette femme. Elle est arrivée dans ma vie au bon moment. Elle s'appelle Jocelyne.

En quelques rencontres seulement, et grâce à sa méthode très active, ses exercices et ses conseils, je peux dire en toute objectivité que je guérissais et m'allégeais des nœuds qui encombraient ma tête et mon cœur au fil de mon histoire, au fil des pages.

Jocelyne ne se contente pas de rester assise là, à m'écouter, pour me donner à la fin de l'heure mon prochain rendez-vous et recevoir un chèque. Non, Jocelyne, dès notre première rencontre, m'a conseillé des actions concrètes à entreprendre... sur-le- champ ! J'aime ça : des fois, on a besoin que quelqu'un nous dise quoi faire. Merci, Jocelyne, tu as été et tu continues d'être un ange sur ma route. On se voit bientôt, j'en suis sûre !

Bon, la liste avant le départ en tournée :

L'écriture du livre est entamée... Oui !

La création des chansons se poursuit... Oui !

La thérapie évolue bien... Oui !

Deux chansons sont ajoutées au répertoire pour la tournée, une en arabe et en grec pour Chypre et une autre en égyptien... Oui !

Les valises faites à la veille du voyage... Oui !

À vos marques, prêts, partez !

Vingt-quatre heures avant le départ, je reçois un premier appel puis un second de la garderie des enfants : Liam est malade, il vomit à répétition, il faut que je vienne le chercher et que je le garde à la maison. C'est exactement ce que je craignais. Qu'un des enfants tombe malade, mais une gastro, c'est pire que pire : impossible de voyager avec ça, tout le monde pourrait en être contaminé !

J'essaie de prendre soin de mon bébé du mieux que je peux, en restant calme. Mais rien n'y fait. Alors, aux grands maux les grands remèdes, j'appelle un homme qui m'a été recommandé par mon ami Jean-Claude Lord. Cet homme est un guérisseur, il m'aidera à calmer le mal de mon petit. Je crois fermement que certaines personnes sont arrivées sur terre avec une grande sensibilité à l'endroit des autres êtres qui les entourent. Nous sommes des ondes électriques, chaque problème physique change la façon dont nous vibrons. Et les maladies peuvent être guéries quand on les contre avec une énergie précise, positive, ponctuelle.

Avec Liam tout à fait amorphe dans mes bras, je parle au téléphone avec Yves (le guérisseur), qui s'était rendu disponible pour le traiter à distance, à cause de l'urgence de la situation. Il m'assure que le petit n'a strictement rien, qu'il est seulement très touché par ma nervosité et celle de Patrick (dont le stress était au maximum à l'occasion de cette tournée) et que son système vomit tout simplement cette nervosité. Il prend une minute pour lui envoyer quelques énergies positives et pour détendre l'enfant et ses parents. Et pendant que je suis encore au téléphone avec Yves, Liam me repousse légèrement, descend de mes bras, va ramasser son camion et part à courir autour de la table de la salle à manger. C'était fini ! Il était en pleine forme. Presque magique ! Merci, Yves.

Je tiens à souligner que j'ai rencontré Yves à plusieurs reprises pendant l'écriture de ce livre, et qu'il m'a aussi beaucoup aidée dans la réalisation de ce projet. Il aura été mon CAA... ou non, plutôt mon SDÉAB (Service de Dépannage Énergétique pour Auteure Bloquée).

Go, go, go, allez, allez, allez...

C'est un départ vers Nicosie, capitale de l'île de Chypre et ville située tout près de la zone nord de l'île qui, elle, est occupée par les Turcs. Complexe ! Font partie de l'équipage, pour cette traversée : Patrick et moi, Michel Bruno (chef et guitariste), le super doux Sylvain Bertrand (bassiste), un nouveau et super ajout à l'équipe, Luc Catellier (percussionniste), un autre nouveau qui doit être l'être humain le plus heureux de voyager que je connaisse, Éric Cyr (technicien du son), Moumou, Dahlia et Liam. Les gars et Patrick ont déjà fait une tournée ensemble, en Afghanistan : il y a déjà une belle chimie entre eux, c'est touchant à voir.

Nous sommes tous fébriles et excités de faire ce voyage. J'ai dans mon bagage à mains tout ce qu'il faut pour survivre deux jours (en fait de couches, de vêtements de rechange, etc.) au cas où la malédiction des valises frapperait encore.

Et, vous ne le croirez peut-être pas, mais... ce fut encore le cas !

À cause du système de sécurité et de douane absolument aberrant d'Heathrow, un des aéroports de Londres, nous avons été à cinq secondes (je n'exagère même pas) de rater notre avion pour Chypre. Mais les valises qui étaient censées suivre depuis Montréal ont été retirées de l'avion au dernier moment, à cause de notre retard à l'embarquement. Que voulez-vous, c'est un peu la tradition pour nous maintenant de commencer une tournée sans valises.

Mais oh ! qu'il est bon d'arriver dans un endroit du monde que l'on ne connaissait pas encore. Que c'est bon de découvrir des paysages, des édifices, des monuments, des habitudes, des regards et des accents d'ailleurs !

Les enfants semblent ne pas subir du tout l'effet du décalage horaire, ce qui n'est pas le cas des adultes qui les accompagnent. Le spectacle, même avec ma nervosité habituelle, se déroule bien. Nous sommes contents et soulagés d'avoir brisé la glace : la tournée est vraiment entamée.

Nous faisons un grand tour de l'île en autobus réservé, et nous allons jusqu'au site que la légende désigne comme le lieu de naissance d'Aphrodite, sur le bord de la Méditerranée. Vraiment de toute beauté !

Pour poursuivre la tournée et aller au Caire, où nous attend la plus importante partie du voyage, nous échappons de justesse à une grève généralisée qui touchait la Grèce, notre pays d'escale.

En atterrissant au Caire, je suis frappée par la puissance et l'impressionnante grandeur de cette ville. C'est tout jauni, tout vieilli. D'une densité telle qu'on en ressent tout le poids et la lourdeur ! Je suis sous le choc. Nous passons du calme chypriote, que je qualifierais d'olympien, à l'effervescence, à la cacophonie, au chaos du Caire.

Un autobus de tournée nous attend. Tout a été réglé au quart de tour par Patrick et par la productrice égyptienne avec qui nous faisons désormais affaire. Mais je vais arrêter de l'appeler « la productrice égyptienne ». Son nom est Hoda Abboud. Et pour le reste de ce livre, ce sera Hoda, tout simplement.

Hoda, donc, nous accueille en grand ! Hôtel cinq étoiles au Caire, activités organisées avec des guides, tournée promotionnelle et entrevues à la télévision égyptienne ainsi qu'avec des médias écrits. Nous sommes accompagnés en tout temps et tout roule. J'adore quand je sais que tout est bien organisé. Ça me rassure.

Mais j'ai beaucoup à faire !

Nous sommes peu souvent et pour peu de temps chaque fois avec Moumou et les enfants, ce qui ne manque pas de l'épuiser. Elle ne dort toujours pas, à cause du décalage horaire et s'épuise à prendre soin des jumeaux pendant de longues heures. Quand je suis avec elle, je suis si épuisée, moi aussi, par mes courses à droite et à gauche, ma nervosité, les rencontres et les entrevues que je ne peux pas l'aider à s'occuper des petits, même si le cœur, lui, ne demanderait que ça.

Une soirée est donnée en mon honneur chez l'ambassadeur du Canada en Égypte, M. de Kerckhove. Cela me fait toujours bizarre que l'on prépare une soirée en mon honneur, surtout quand je ne connais même pas mes hôtes. Ce n'est pas comme si ma mère organisait une fête pour mon anniversaire ! Cela me touche beaucoup mais, en début de soirée, je me mets toujours un peu en mode d'observation et d'analyse. À quel genre de personnes ai-je affaire ? Quels liens entretiennent les différents invités avec nos hôtes ? Que voient-ils en moi ? Et puis, tranquillement, une magie s'opère quand je vois plus clair. Les liens prennent des teintes et des couleurs qui sont comme des codes dans mon esprit. Un code de couleurs tacite entre humains. Je suis de plus en plus à mon aise et vlan, je prends plaisir à la soirée.

Avec l'ambassadeur, M. de Kerckhove, c'est l'entente immédiate. Il est cultivé, a beaucoup voyagé, est polyglotte, curieux du monde, semble très amoureux de son épouse (qui était absente mais dont il parlait avec tendresse) et surtout, il est drôle. Un humour intelligent, vif, exceptionnel. En le voyant rire et taquiner ses amis assis à ses côtés, j'ai vu en lui l'étudiant farceur et premier de classe qu'il devait être. Nous avons passé une très belle soirée, attablés l'un à côté de l'autre. Avec sa grande capacité d'analyse, il a vite compris qui j'étais.

Je me dis, en sortant de là avec Patrick, que nous venons de connaître un être humain très intéressant et un futur allié. Tout comme notre ami Robert Peck, je crois que nous le croiserons quelques fois encore dans notre vie. En fait, MM. de Kerckhove et Peck sont maintenant devenus de grands amis à nous.

Le lendemain, c'est enfin jour de spectacle !

Pendant que les musiciens et Patrick installaient et mettaient en place tout ce qu'il fallait pour la soirée dans la salle de bal de l'hôtel Conrad, où nous logions, Moumou, les enfants et moi prenions un taxi pour aller visiter le fameux et grandiose Musée du Caire. L'archéologue en herbe que j'avais été dans mon enfance était extatique de découvrir un tel lieu. Un nombre impressionnant d'artefacts, de trésors, de tombeaux et de sarcophages s'y trouvaient. Et on pouvait sans problème toucher un sarcophage ! On n'était certainement pas au Louvre, mes amis ! Les enfants couraient entre les socles soutenant les trésors de Toutankhamon. C'était une vision complètement folle à absorber pour mon cerveau.

Entre les images du Musée, la crise de larmes de Dahlia dans le taxi au retour et le spectacle le soir, je me suis sentie envahie par des moments de grande émotivité. Peut-être suis-je trop sensible...

Le spectacle débute à 23 h. C'est l'heure égyptienne de début de festivités. Avant, il n'y a personne ! Malgré quelques petites anicroches survenues avant le spectacle, ce dernier est un véritable succès. Les gens présents semblent renversés et m'accrochent, après le spectacle, pour me témoigner leur appréciation. L'ambassadeur a adoré ma prestation et me parle déjà de me faire revenir en spectacle au pays. Il me dit : « Lynda, il faut que vous reveniez au Caire, mais s'il vous plaît, faites-le avant la fin de mon mandat, avant l'été 2011. » Ce sera fait, mon cher, ce sera fait ! Patrick s'occupe déjà de la question : à peine le spectacle fini, il était déjà en train de parler à Hoda et à de nouvelles connaissances susceptibles de concrétiser notre retour rapide au pays de Cléopâtre.

Je suis invitée, dès le lendemain, à faire acte de présence lors d'une soirée de remise de prix, à l'École française du Caire. Assise auprès de l'ambassadeur, j'ai passé ma soirée à admirer les étudiants de cette école alors qu'ils participaient à un concours et répondaient à des questions complexes portant sur tout ce qui touche la francophonie. Ils connaissaient les réponses, même quand il s'agissait d'histoire du Québec, de hockey et de chansons en français. J'étais épatée. Je m'amusais à répondre aux questions avec l'ambassadeur, qui tout comme moi d'ailleurs, n'aimait pas se tromper.

Et puis le lendemain, nous partons très tôt, par la route, en direction de la célèbre ville d'Alexandrie. « Alex », comme je le voyais inscrit sur les panneaux routiers. Les paysages en chemin sont arides. Les enfants dorment paisiblement, soit dans mes bras, soit sur les genoux de Moumou.

Ma première prestation au Caire m'a apaisée, je suis plus calme pour celle de ce soir au réputé Opera House d'Alexandrie. J'ai juste hâte de le voir enfin se déployer devant moi, le port d'Alexandrie. J'ai l'impression d'avoir été prise dans la poussière, l'air lourd et les klaxons du Caire depuis toujours et j'ai hâte d'en sortir.

Et là, je sens enfin la brise, celle qui semble toujours vous nettoyer l'âme : la brise marine. Il n'y en a pas de plus douce, de plus virevoltante, de plus pétillante que la brise marine. Nous y sommes !

Et quel bonheur de découvrir que notre hôtel donne sur la mer ! Par la fenêtre de la petite chambre double que nous avions vite fait, Moumou et moi, d'aménager pour les quelques heures où nous allions nous y trouver, nous pouvions voir des gens se promener sur le trottoir longeant la route et la mer. Nous avions aussi, en face de notre fenêtre, un mât portant les drapeaux algérien et égyptien, comme un signe de la vie.

J'ai à peine le temps de poser mes affaires, de me doucher, d'aller manger avec Moumou et les petits que je sens mon corps se vider de toute son énergie. Ces derniers jours ont été si exténuants ! Il me fallait une pause. Moumou me laisse seule dans la chambre pour que je puisse me reposer un peu : la pauvre est obligée de visiter l'hôtel de long en large pour me laisser au calme. Elle avait peur de se déplacer seule avec les enfants dans des rues sans trottoirs assez larges pour une poussette double.

Nous avions également appris que notre vol de retour vers le Québec avait été annulé à cause de la grève de British Airways. Sans crier gare, nous nous retrouvions avec l'annulation de nos billets : « Merci, bonsoir, débrouillez-vous. » Dieu merci, nous faisions affaire avec un agent de voyage rapide et débrouillard qui a fini par trouver une alternative à notre retour prévu par Heathrow. Nous passerions, à la place, par Amman, en Jordanie. Une autre aventure en vue !

Pour l'instant, *show time in Alex* ! Quel beau théâtre ! Et quelle agréable surprise, en y arrivant, de voir une affiche géante de moi. Vraiment, arriver dans un lieu que l'on ne connaît pas et se voir sur une affiche, comme si on avait toujours fait partie du paysage... je ne sais pas si je vais m'habituer à cela un jour.

J'espère être émerveillée à chaque fois : ça ajoute à la magie et au plaisir !

Je suis chaleureusement accueillie par le public de cette salle, qui se montre friand de musique francophone. La soirée se termine sur des sonorités plutôt « sirop d'érable » et les gens ne se gênent pas pour danser dès que je le leur propose.

Je rencontre les gens après le spectacle, signe des autographes, fais des entrevues et c'est une autre « mission accomplie » !

Le lendemain, nous nous dirigeons vers le port d'Alexandrie, achetons quelques souvenirs, allons choisir des fruits de mer dans une poissonnerie et déjeunons dans un restaurant qui accepte de nous les préparer. Le rêve !

Ensuite, dans notre autobus de tournée, direction l'aéroport du Caire vers la Jordanie (une heure quinze de vol, dans le sens opposé de celui que l'on serait censé prendre, tu parles d'un détour), puis un autre avion pour Montréal (douze heures quinze de vol, avec des bébés !).

Le deuxième vol a été exactement comme je l'avais prédit, sans fin ! Tout le monde a dormi, tant bien que mal. Tous, sauf moi. Je n'aime pas dormir avec des gens que je ne connais pas, cette intimité forcée m'est insupportable. Être vulnérable devant tant d'inconnus, non, surtout pas avec mes petits dans les bras, c'est pire. Patrick tente bien de prendre la relève, mais me connaissant, il sait que je ne peux pas lâcher prise et me détendre.

Enfin, nous arrivons sains et saufs à Montréal. Moumou est exténuée à en pleurer, elle dormira les douze heures suivant notre arrivée. « Merci, ma chérie, d'avoir été si bonne pour nous tous, je sais à quel point cela aura été éprouvant pour toi. Tu as mérité ta place au paradis. »

Patrick et moi avons quarante-huit heures devant nous pour défaire les valises et en refaire d'autres pour partir au Maroc. Les enfants, cette fois-ci, resteront avec mes beaux-parents. Un aller-retour éclair vers Essaouira, au Maroc, pour la vingtième édition du Rallye Aïcha des Gazelles, dont cette année je suis toujours la porte-parole. Ce sera la dernière de mon mandat.

Je dis « bonjour, merci et au revoir » à mes beaux-parents, j'embrasse mes enfants en leur disant que je reviendrai vite avec des cadeaux, et puis nous partons, en espérant profondément que les petits n'aient pas de difficulté avec le décalage et leur retour à l'horaire de Montréal.

En amoureux, à Essaouira

À mes yeux, ce passage à Essaouira restera un des plus bénéfiques moments à deux que j'aurai connus avec Patrick jusqu'à présent. Nous avions vécu une année rude, stressante, une tournée éreintante en Égypte. Nous avions vraiment besoin, pour la santé de notre couple, de nous retrouver tous les deux.

Nous avons atterri à Marrakech et roulé trois heures vers la belle Essaouira. Une fois arrivés, nous avons pris notre temps. Nous logions non pas dans un hôtel mais dans un riad, une vieille demeure marocaine à l'architecture traditionnelle convertie en maison d'hôtes. Un paradis, discret et authentique. Une vraie merveille.

Nous sommes allés dîner au marché, sur le bord de l'Atlantique, à l'abri des anciennes fortifications. Les poissonniers offraient à leurs étalages des prises du jour et ils cuisinaient eux-mêmes, en plein air, notre repas. Assis ensemble, dans un coin spécialement aménagé, à la lumière d'une petite lanterne, avec une nappe en plastique, les bruits du marché... mon amoureux, j'étais aux anges ! Oubliez les repas gastronomiques cinq étoiles, ce que j'aime, c'est exactement ça !

Le lendemain, nous arrivons sur la plage pour voir l'arrivée des Gazelles concurrentes avec leurs 4x4 et autres moteurs performants. Je suis émue aux larmes de voir encore une fois autant de drapeaux du Québec accrochés aux voitures. Elles sont nombreuses à s'être inscrites, encore cette année. Le soir même, au gala de clôture du Rallye, je chante et célèbre fièrement avec les belles. Un jour, quand les enfants seront assez grands, je ferai comme elles. Un jour, je serai, moi aussi, une vraie Gazelle...

Puis c'est un départ, vers chez nous. Je fais promettre à Patrick, mon gérant, de nous laisser rester au pays au moins quelques mois. Je ne veux plus voir le moindre avion. Je pense à la chanson *Home*, de Michael Bublé.

Des mots, des mots, pour éloigner les maux

C'est le mois d'avril, ma meilleure amie Radia vient nous rendre visite avec son mari, le temps d'un week-end. Nous sommes comme deux gamines, nos corps ont changé mais nous sommes toujours les mêmes. Dur à croire. Dieu, que nous avons pleuré ! Impossible pour moi de trouver les mots pour décrire ces retrouvailles. Il n'y a pas de mots pour décrire une telle joie.

Mon spectacle *La rose des sables* finit sa tournée dans la superbe région du Saguenay, le 19 juin. J'y vais toute seule, en voiture. Mes musiciens et mon technicien s'y rendaient à partir de Québec. J'ai donc profité de ces douze heures de conduite en vingt-quatre heures pour réfléchir et me libérer le cerveau de toute lourdeur. Les paysages du Québec sont si beaux !

Et puis, de retour à Montréal, je me suis préparée pour ma seconde participation à la grande fête de la Saint-Jean-Baptiste, sur les plaines d'Abraham, à Québec, devant deux cent cinquante mille personnes.

C'est vraiment un spectacle que j'ai adoré. Je m'y sentais si bien, à ma place. Je l'ai méritée, cette place auprès de mes pairs, artistes du Québec, à célébrer le Québec. Et puis, le maître d'œuvre de la fête n'était nul autre que Pierre Boileau. Nous nous comprenons toujours si rapidement et nous avons tant de plaisir à travailler ensemble !

Les enfants étaient à Québec avec nous et m'ont vue sur scène, ce qui est pour moi une chance qui arrive si rarement. Mes beaux-parents étaient là pour s'occuper d'eux. J'avais le meilleur des deux mondes, ma famille et la musique. Si seulement cela pouvait être tous les jours ainsi !

Et pendant que Patrick, comme à chaque année, était le régisseur d'une des scènes du Festival international de jazz de Montréal ou des FrancoFolies de Montréal, je ne me souviens plus lequel des deux c'était à ce moment-là, je partais pour quatre jours à Ottawa, pour participer à la fête du Canada.

Pendant ce séjour, je logeais chez mon adorable beau-frère, Stéphane, le frère de Patrick, avec sa petite famille. J'aime toujours mieux rester en famille.

Et pour la seconde fois de ma vie, j'ai la chance de rencontrer la grande dame qu'est la reine Élisabeth II, puisque je participais et au spectacle de midi, que l'on offrait pour la visite de Sa Majesté au pays, et au spectacle officiel du 1er juillet, le soir. L'homme derrière la mise en scène de ces spectacles était bien évidemment « Pedro » (Pierre Boileau, encore). Dieu que je t'en dois, de bons moments de vie, Pierre, et de belles rencontres ! Et il y en aura encore, j'espère.

Parce qu'il y en a eu, des rencontres, tout plein ! Que d'artistes découverts lors de ce seul 1er juillet ! Je suis vraiment heureuse d'avoir fait partie de l'éventail artistique et culturel du pays. Et très heureuse, aussi, de monter sur scène pour chanter, devant tout le Canada, en français et en algérien ! J'ai l'impression d'être restée fidèle !

Finalement, une fois tous ces déplacements, ces apparitions, ces spectacles et toutes ces obligations derrière moi, je me retrouve chez moi. Avec rien d'autre au programme que d'écrire.

Il ne me restait plus beaucoup de temps pour achever mon manuscrit, il me fallait donc mettre les bouchées doubles. Qu'importe, c'était vraiment un été de rêve ! Le jour, j'écrivais... en fin d'après-midi, Patrick et moi allions chercher les enfants à la garderie, relax, et nous allions nous rafraîchir dans les fontaines pour enfants. Nous préparions souvent un pique-nique que nous mangions tranquillement, assis sur le gazon du parc. Dans la vie de quelqu'un d'autre, cela ne mériterait guère d'être mentionné, mais dans la mienne, c'est le genre de routine et de petits bonheurs ordinaires qui me rendent heureuse. Je rêve souvent, quand je suis ailleurs dans le monde, ou même dans une autre ville, à courir de droite à gauche, de passer des moments de qualité, quotidiennement, avec ma petite famille. Alors, être présente, chaque jour, avec mes petits... c'était le rêve !

Puis, au fil des mots que j'écrivais, comme je vous l'ai déjà dit, j'avais l'impression que la charge émotive des événements de ma vie devenait de plus en plus légère. De plus en plus légère... jusqu'à une quasi-disparition.

Alors, le jour, je suis travailleuse autonome et mon travail d'auteure se fait à partir de la maison. Je suis dans mes affaires, avec ma cafetière Nespresso, mon petit ordinateur portable, ma terrasse pour prendre une pause au soleil et décompresser, ma bicyclette munie d'un chariot pour aller chercher les enfants éco-logiquement à la garderie. Je deviens casanière et j'adore ce luxe !

Le soir, j'ai la chance de mettre moi-même au lit mes enfants et de m'asseoir, parfaitement détendue, avec mon *chum*. Je profite à l'extrême de tous ces moments, car je sais pertinemment qu'ils ne dureront pas toujours. Je ne vais quand même pas jouer à « Caroline Ingalls », dans ma petite maison dans la prairie, toute ma vie. Je sais que la vie de studio, de promotion, de tournée, de cinq à sept, etc., reprendra bientôt de plus belle. Et c'est aussi bien ainsi. Je me sens heureuse dans mon métier et dans tout ce qu'il m'apporte. Être en studio, monter sur scène me comble de bonheur. Être avec ma famille me recentre sur l'essentiel. Il faut juste garder l'équilibre entre le travail et la famille.

Je m'esquive de mes écrits, une fois de temps en temps, pour aller faire une séance de photos pour tel ou tel magazine, pour faire une brève prestation ici ou là, une apparition à tel événement important. Mais rien qui m'accapare.

Une belle bouffée musicale se présente à moi, en juillet : je suis invitée à aller chanter en duo avec Enrico Macias, lors du Festival d'été de Québec. Il donne un spectacle extérieur aux accents musicaux andalous, un classique de la musique algérienne. Je suis émue, émue, de recevoir son appel. J'ai Enrico Macias au bout du fil, me demandant de chanter avec lui un grand classique qui fait partie de mon répertoire depuis si longtemps, *Ya Rayah*. Chanson symbolique, hymne pour tous ceux qui se sont exilés de leur pays.

Il est là, au bout, à me la fredonner... Je l'écoute, attendrie, sous le charme de cette voix unique... Je sais ma chance : cette chanson, à ce moment-là, il ne la chantait que pour moi. Oh, la joie !

Une fois à Québec, je découvre que notre duo fera la clôture de son spectacle. Je serai la surprise de la soirée. Et quand le moment arrive, il m'annonce comme la fille de son pays. La réaction des gens est forte et touchante. Notre duo est vibrant d'émotion, nous chantons cette grande chanson en sachant bien que lui, malgré tout l'amour qu'il porte à l'Algérie, ne peut y retourner ! Très, très émouvant. Et Enrico, je crois, a beaucoup apprécié notre complicité scénique et ma voix.

Nous passons un peu de temps ensemble, après le spectacle, puis je le quitte en lui disant que je suis en train de travailler une chanson pour nous deux et qu'elle serait envoyée à son fils dès qu'elle serait prête.

« On se voit bientôt, ma fille. Et bravo ! tu as vraiment une superbe voix, ma fille. Tu travailles avec Jean-Claude, OK ? Il faut que tu travailles avec lui ! » me dit Enrico avant de partir. JE SUIS AU BON ENDROIT, AU BON MOMENT !

Je reçois bientôt une délicieuse invitation pour aller faire un court discours sur le droit des femmes devant la gouverneure générale du Canada, à Rideau Hall. Ce discours se ferait également devant un grand auditoire de femmes venant d'un peu partout pour discuter de la condition de la femme et de sa sécurité. J'étais, en quelque sorte, un cadeau à Son Excellence de la part de son équipe. J'avais été là, après tout, à son arrivée au Parlement, cinq ans plus tôt. L'équipe voulait que je sois là pour lui dire « au revoir et merci ».

Et c'est tout intimidée et émue que je suis montée sur le podium, pour partager ce que je savais, sentais et espérais pour les femmes de notre pays et toutes les autres. Puis j'ai chanté et c'est là, à Rideau Hall, devant Mme Jean, que j'ai présenté pour la première fois une de mes nouvelles chansons. Intitulée *Pieds nus*, cette pièce traite de la liberté de la femme.

En voici le texte :

PIEDS NUS

Elles iront prier
Pieds nus sur le sable
Cœur nu sur le sable
Nues dans les flammes

Elles iront prier
Tous les dieux des hommes
Tous les dieux des femmes
Qui sont tous pareils

Elles iront crier
Pieds nus sur le sable
Cœur nu sur le sable
Puiser dans leur âme

L'espoir dans la noirceur
L'espoir dans la rancœur
La lumière sans la peur

Le feu dans la chair
Pour ne plus se taire
Libres de faire...

Elles iront prier
Pieds nus sur le sable
Cœur vif sur le sable
Nues dans les flammes

Elles iront crier
Pour que cessent les crimes
D'honneur et de guerre
Qui sont des crimes pareil

Elles défieront les noirceurs
Défieront les rancœurs
Pour que vivent leurs sœurs

Et qu'on leur jette des pierres
Pour les faire se taire
Et qu'on les enterre

Nouvelles pièces et deuxième tournée en Égypte

Une nouvelle tournée en Égypte s'est préparée, très vite. Entre mon écriture et mes séances de création de nouvelles chansons en studio, je vois ce départ de dix jours comme une escapade.

Mais avant de partir, je finalise, avec l'aide de Michel Bruno à la cocomposition et de ma chère Béatrice Richet à la coécriture, la chanson dont j'avais eu le flash à Paris, en février dernier : le duo destiné à Enrico Macias et à moi-même, la chanson *Les fleurs d'oranger*. Patrick accepte de prêter sa voix au démo, histoire de donner une meilleure idée de la partie chantée par M. Macias. Le résultat est beau, nous sommes tous fiers. La chanson est envoyée à Paris afin que Jean-Claude Ghrenassia puisse l'écouter et la faire écouter à son père.

Nous attendons la réponse avec un mélange d'impatience et d'anxiété.

Puis les nouvelles arrivent enfin : ils adorent la chanson ! Enrico accepte de la chanter avec moi sur mon prochain album. L'histoire nous dira la suite, mais au moment où j'écris ces mots, la création de chansons se poursuit sans même que nous ayons de producteur officiel pour le disque. J'ai une maison de disques au Québec, Musicor, ce qui n'est pas négligeable. J'ai un réalisateur français de grand talent qui a hâte de travailler avec moi, Jean-Claude Ghrenassia. Nous verrons si cela se concrétise ou non. J'ai un gérant qui croit en moi comme jamais et qui est prêt à remuer ciel et terre pour qu'un contrat soit signé en France. J'ai un duo avec Enrico... Suis-je inquiète pour l'avenir ?

Du tout ! Je tangue parfois entre la parfaite certitude que tout ira pour le mieux et que tout arrive toujours à point... et la retombée, au moment où je doute de tout ! Dieu merci, cette retombée ne dure jamais très longtemps. Je lève les yeux au ciel et me dis que quelles que soient la grosseur et la profondeur du gris des nuages, le ciel est invariablement bleu derrière !

Je pars donc pour l'Égypte pour la seconde fois cette année. Avec, dans mon bagage à main, mon portable pour continuer à écrire, le nécessaire de survie « Lynda Thalie » pour deux jours et mes vêtements et chaussures de scène, au cas où ma valise, comme d'habitude, serait égarée. À mort la malédiction de la valise, feu sur la malédiction de la valise !

Les membres de l'équipe sont tous les mêmes, sauf le bassiste. C'est Alex qui reprend la place qui lui revient de droit divin. Et notre premier spectacle a lieu, mes amis, au pied des pyramides de Gizeh, rien de moins !

C'est une soirée privée, et je suis le dessert.

On a aménagé une immense tente dans le désert. Et ma scène a été placée en face d'un grandiose salon extérieur décoré de fontaines et de chandelles. Derrière moi, les merveilles des merveilles : les pyramides ! Pour ma prestation, qui avait lieu à 1 h du matin (décidément, cet horaire égyptien est vraiment déphasé), on éclairait les pyramides ! Cela donnait au désert un air MMM (mystique, mystérieux, magique !).

Je suis allée marcher quelques minutes dans le désert avec Patrick : devant nous se dressaient les pyramides... Je suis sans mots... je prends des photos mentales.

Mais une fois le spectacle terminé, en sortant de la zone habituellement grouillante de touristes et de vendeurs qu'est Gizeh, je décide de prendre plus que des photos mentales. Nous passons juste à côté de la pyramide de Khéops et nous demandons à notre conducteur et à notre guide de nous arrêter, le temps de prendre quelques photos, tout près de la merveille monumentale. Ils sont réticents, mais nous insistons et ils se résignent à nous laisser sortir brièvement.

Il était 3 h du matin quand nous nous sommes élancés vers Khéops dans une excitation enfantine. J'étais sans voix, tout simplement appelée par ce tête-à-tête avec la pyramide. Les lumières étaient éteintes, nous étions seuls... quel bonheur ! Nous avons grimpé sur de grandes pierres pour prendre des photos, si heureux de ce privilège dérobé à la nuit...

Nous étions heureux jusqu'au moment où nous avons vu arriver des lampes torches au loin. Des policiers, plusieurs d'entre eux, tous en train de crier et d'agiter leur lampes. Ils n'étaient visiblement pas d'accord avec ce que nous venions de faire.

En deux temps, trois mouvements, le chaos s'est installé. Ils comprenaient que nous n'étions pas du coin, mais même en essayant de baragouiner pour leur expliquer que nous n'avions rien voulu faire de mal, nous entendre leur parler en anglais ne faisait qu'aggraver notre cas, je présume. Les policiers et les « gardiens des pyramides » nous ont sommés de rentrer dans l'autobus de tournée et d'y rester jusqu'à nouvel ordre. Ce que nous fîmes, pas le choix, c'est eux qui avaient le « gros bout du bâton », c'est le cas de le dire. Ils ne se seraient pas gênés pour les utiliser, leurs bâtons, ni leur pistolet, j'en suis certaine.

J'étais vraiment inquiète et commençais à imaginer tous les scénarios catastrophes possibles. On entend souvent parler des voyages qui tournent mal, des gens emprisonnés parce qu'ils se sont retrouvés au mauvais endroit au mauvais moment, parce qu'on a mis de la drogue dans leurs valises, ou n'importe quoi d'autre. Oh, que j'avais peur de me retrouver en prison !

Je voyais déjà les lettres du ministère des Affaires étrangères canadien adressées au gouvernement égyptien, pour demander notre libération. Ou un truc du genre. Je sais bien que je me faisais des peurs à moi-même, mais il fallait y être pour savoir ce que c'était ! Un stress immense s'emparait de nous.

L'équipe, qui trouvait la situation plutôt drôle au début, riait moins après quelques minutes. Patrick était sorti de l'autobus pour expliquer, tant bien que mal, aux policiers (qui étaient hystériques et parlaient à une vitesse telle que je n'y comprenais strictement rien) que j'étais une artiste canadienne, que je venais tout juste d'offrir un spectacle juste à côté ! Rien n'y faisait. Il lançait des noms pour se faire comprendre : Céline Dion, Shakira... « Vous comprenez, c'est une artiste ! Est-ce que vous arrêteriez Céline Dion ? »

J'avais l'impression d'être dans *Alice au pays des merveilles*, rien n'avait plus de sens. Finalement, après un temps interminable, et sans que l'on sache pourquoi, ils nous ont permis de repartir. Comme ça, tout simplement. Pourquoi ce cirque ? Il fallait vraiment qu'ils soient en train de s'ennuyer à mourir pour faire un drame pour si peu de chose. Je pense que notre présence sur le site aura animé leur soirée. Ils auront quelque chose à raconter le lendemain en prenant leur pause café !

Heureusement, le reste de la tournée est bien plus calme. Nous nous baladons. Nous allons d'abord sur les bords de la mer Rouge, dans le superbe hôtel Four Seasons Sharm El Sheikh. Nous avons traversé le désert du Sinaï pour y arriver et y offrir un spectacle sur la plage. Oh, comme j'ai hâte de retourner à cet endroit ! Un rêve « les yeux ouverts » ! Comme dans la chanson qu'avait reprise, en français, le groupe Enzo Enzo.

Les deux derniers spectacles de la tournée seront présentés en ouverture du spectacle d'Enrico Macias. Un spectacle au Caire, dans les jardins de l'ambassade de France, et le second, à Alex !

Le premier, dans les fabuleux jardins de l'ambassade de France, se déroule magnifiquement bien, malgré les retards techniques et la lenteur de l'installation. J'avais un peu plus de mille personnes en face de moi, qui ont dû être très surprises par cette artiste miel ou sirop d'érable qui venait d'apparaître devant leurs yeux. Si aristocrates et guindés fusent-ils, ils se sont tous retrouvés à danser à la fin du spectacle. Comme les gens le font à Chicoutimi, comme ils le font à Vancouver, à Mexico et à Kigali. Ils finissent tous par laisser tomber leur armure. C'est le moment que je préfère, quand les gens sont désarmés et qu'ils sont tous pareils, qu'on est tous pareils, des êtres humains se laissant aller à la musique. Et le premier à se lever a été l'ambassadeur de Kerckhove, le sourire aux lèvres. J'avais fait mon retour en Égypte, comme promis, avant la fin de son mandat !

Enrico m'a demandé de chanter avec lui à la fin de son spectacle. Comme nous l'avions fait à Québec. Et là, sur scène, nous nous sommes lancés dans un duel vocal d'improvisation amusant et touchant. Ce moment restera à tout jamais gravé dans ma mémoire. Du bonbon ! Et Dieu merci pour notre mémoire commune, nous pouvons tous désormais avoir accès à ce genre d'instants de bonheur, grâce à Internet !

Le lendemain, c'est en train (un wagon privé pour l'équipe d'Enrico et la mienne) que nous nous rendons à Alexandrie pour un spectacle, le soir même.

Le spectacle, cette fois, est destiné au public, le vrai, monsieur et madame Tout-le-monde, comme on dit. Je suis légèrement plus nerveuse en voyant le grand stade de tennis se remplir de gens de tous âges. Surtout des jeunes. Les femmes, voilées et non voilées, forment une bonne moitié de l'assistance. Je crois les avoir tous grandement surpris. Les chanteuses arabes sont plutôt statiques et lyriques. Je suis différente, je danse, je porte ce soir-là une robe à bretelles, courte, à paillettes couleur or. Ils sont saisis et réagissent dès la première chanson. Ils se laissent emporter aussitôt. Certains avaient déjà assisté à mon dernier spectacle, au mois de mars.

Il fallait voir cette foule se lever, sauter, danser, tandis que je leur présentais un *medley* de chansons québécoises. C'était magique !

La signature d'autographes après le spectacle m'avait donné la chair de poule tant les gens étaient émus. Certains tremblotaient, pleuraient en me donnant leur feuille à signer. C'est aussi pour des moments comme celui-là que je fais ce métier. Ça fait du bien aux gens. Ça les fait rêver. Ça les fait se ressembler et se rassembler. Je suis choyée. Merci la vie !

Mais je dois plier bagage aussitôt, reprendre la route avec mon équipe et faire quatre heures de voiture pour rejoindre l'aéroport du Caire et décoller vers la maison.

En vol, en plein ciel, entre le ciel invariablement bleu et les nuages, je pense à ma vie. Je pense à ma chance, ma famille, mes enfants. À mes rêves, à ce qui marche et ce qui ne marche pas, à ce que je veux garder et changer de ma vie... et à vous, mon lecteur, ma lectrice.

J'imagine ce livre fini. J'imagine les gens qui le liront. Je vous imagine tous et toutes.

Je me dis aussi que, si complexe soit la mission que je me suis donnée de transcrire ma propre vie, c'est une chance incroyable qu'on m'a offerte. Je me suis fait face, j'ai revu la petite fille aux yeux rieurs que j'étais, ses rêves, ses craintes et ses espoirs. Je comprends un peu mieux la femme que je suis devenue. L'artiste, elle, se balance incessamment entre les deux.

Et l'enfant en moi guérit toujours, tranquillement, lentement, de l'absence de son papa. Même après toutes ces années, je pense encore à lui. C'est le bon moment, je crois, pour en faire une chanson pour mon prochain opus. Je l'appellerai *Une princesse sans roi*. Oui, j'aurai besoin de cette chanson maintenant... elle me consolera.

Je ne sais pas ce que l'avenir me réserve. Enfin, pas encore. Comme dit maman : « Je ne sais pas lire les lignes des dunes. » Mais je suis convaincue d'une chose... ça marchera si c'est fait avec amour ! Tout marche avec l'amour. Aimons et croisons les doigts !

Fin

Ou pas...

J e suis assise sur le siège passager avant, mon ordinateur portable sur les genoux, en train de vous adresser les derniers mots de mon premier livre à vie. Je vais à l'instant remettre mon manuscrit, ou plutôt ma clé USB (technologie oblige !) à mon éditeur. Patrick est au volant, le sourire aux lèvres. Nous sommes sur le pont Champlain, en direction de Montréal. Je ne peux m'empêcher de me remémorer mon arrivée au Québec par ce même pont.

Que de chemin parcouru et que d'eau aura coulé sous ce pont...

Voilà, la boucle est bouclée. Je crois que le signe final à tracer ici sera celui de l'infini et non une simple boucle. Rien n'est une fin en soi. Tout se métamorphose en autre chose. Mon histoire est devenue un manuscrit. Ce dernier deviendra un livre, puis un autre, et encore un autre. Ces livres deviendront ce que vous voudrez bien en faire.

Merci de m'avoir suivie jusqu'à cette fin... qui n'en est pas une. LOL.

Anyway, the wind blows...

« Encore une chanson dans l'album de ma vie »

Demis Roussos : *Forever and Ever*

Lynda Thalie : *Vu du 6ᵉ*

Lynda Thalie : *Comme un matin à Larabâa*

Tracy Chapman : *Talkin' 'Bout a Revolution, Fast Car*

Guns N' Roses : *November Rain*

Nanette Workman : *Danser danser*

Queen : *The Show Must Go On*

Toni Braxton : *Breathe Again*

Bob Marley : *Waiting in Vain*

Luc De Larochellière : *Cash City*

Gerry Boulet : *Les yeux du cœur*

Marjo : *S'il fallait qu'un jour*

Dan Bigras : *Tue-moi*

Yves Duteil : *La langue de chez nous*

Michel Rivard : *Toute personnelle fin du monde*

Les Colocs : *Bon Yeu*

Diana Ross : *Upside Down*

Mario Pelchat : *Pleurs dans la pluie*

Édith Piaf : *Mon manège à moi*

Françoise Hardy, Natacha Atlas et Lynda Thalie : *Mon amie la rose*

Patricia Kaas : *Je voudrais la connaître*

Jacques Brel : *Ne me quitte pas*

Khaled et Noa : *Imagine*

Patricia Kaas : *Le mot de passe*

Lynda Thalie : *Marsa*

Richard Cocciante : *Bella senz'anima*

Le Petit Prince : *Adieu (et tâche d'être heureux)*

Lynda Thalie : *Pour toi*

Michel Rivard : *Pleurer pour rien*

Marie Denise Pelletier : *La croix, l'étoile et le croissant*

Rachid Taha et Dahmane El Harrachi : *Ya Rayah*

Serge Gainsbourg : *Couleur café*

François Feldman : *Joue pas*

Patrick Bruel : *Au café des délices*

Édith Butler : *Grain de mil*

Mireille Mathieu et Lynda Thalie : *Une femme amoureuse*

Elton John : *Your Song*

Robert Charlebois : *Je reviendrai à Montréal*

Lynda Thalie : *Le rallye des gazelles*

Lynda Thalie : *Fais-moi croire*

Lynda Thalie : *Mer et monde*

Lynda Thalie : *Celle que moi je vois*

Lynda Thalie : *La rose des sables*

Luc De Larochellière : *La route est longue*

Enrico Macias : *Malheur à celui qui blesse un enfant*

Enrico Macias : *L'Oriental*

Enrico Macias : *Le vent du sud*

Enrico Macias : *Oranges amères*

Michael Bublé : *Home*

Lynda Thalie et Enrico Macias : *Les fleurs d'oranger*

Lynda Thalie : *Pieds nus*

Enzo Enzo : *Les yeux ouverts*

Lynda Thalie : *Une princesse sans roi*

Queen : *Bohemian Rhapsody*

Table des matières

Distribution : Messageries de presse Benjamin
101, rue Henry-Bessemer
Bois-des-Filion (Québec) J6Z 4S9
450 621-8167

IMPRIMÉ AU CANADA